TERRAIN DANGEREUX

Né à Newcastle, en Angleterre, en 1930, Harry Patterson a grandi à Belfast, en Irlande du Nord, où bouillonnent les passions politiques et religieuses. Il a un an quand son père abandonne les siens et douze quand sa mère se remarie.
Il quitte l'école à quinze ans pour gagner sa vie et écrire, collectionne les emplois et les refus des éditeurs, devient instituteur et obtient en 1958 son premier contrat d'écrivain. Il connaît d'abord un succès d'estime puis un succès foudroyant quand il publie sous le pseudonyme de Jack Higgins *The Eagle Has Landed* (1975) paru en France sous le titre : *L'aigle s'est envolé.* Il écrit ensuite *Avis de tempête, Le Jour du Jugement, Solo, Luciano, Les Griffes du diable, Exocet, Confessionnal, L'Irlandais, La Nuit des loups, Saison en enfer, Opération Cornouailles, L'aigle a disparu, L'Œil du typhon, Opération Virgin, Terrain dangereux, Mission Saba.*
Jack Higgins est, aux côtés de ses compatriotes Graham Greene, John le Carré et Frederick Forsyth, l'un des maîtres du grand roman d'aventures.

Paru dans Le Livre de Poche :

SOLO

L'IRLANDAIS

LA NUIT DES LOUPS

SAISON EN ENFER

OPÉRATION CORNOUAILLES

L'AIGLE A DISPARU

L'AIGLE S'EST ENVOLÉ

L'ŒIL DU TYPHON

EXOCET

CONFESSIONNAL

OPÉRATION VIRGIN

JACK HIGGINS

Terrain dangereux

ROMAN TRADUIT DE L'ANGLAIS PAR BERNARD FERRY

ALBIN MICHEL

Titre original :

ON DANGEROUS GROUND

Pour Sally Palmer, avec amour.

PROLOGUE

Ch'ung-king
Août 1944

Le capitaine Joe Caine, du Transport Command de la RAF, était fatigué, glacé jusqu'aux os. Il poussa le manche à balai et, quittant un nuage bas à neuf cents mètres d'altitude, son avion plongea dans une pluie battante.

L'appareil qui se frayait ainsi un chemin au milieu des lourds nuages et de la tempête était un Douglas DC 3, le fameux Dakota. L'aviation américaine et la RAF en utilisaient en grand nombre à partir des terrains de l'Assam, au nord de l'Inde, pour l'approvisionnement des troupes chinoises de Tchang Kaï-chek. Pour mener à bien leurs missions, les pilotes devaient chaque fois franchir la bosse infâme, surnom donné à la chaîne himalayenne, dans les conditions de vol les plus effroyables de la planète.

— Là, capitaine, droit devant, à quatre kilomètres cinq, dit le copilote.

— Et un black-out toujours aussi merdique, lança Caine.

Il n'avait pas tort : les habitants de Ch'ung-king étaient connus pour leur négligence à cet égard, et il y avait des lumières partout.

— Allez, on y va ! dit-il.
— Un message de la tour de contrôle, dit alors le radio derrière lui.
Caine passa sur VHF et appela la tour.
— Ici Sugar Nan. Il y a un problème ?
— Un vol prioritaire est annoncé. Placez-vous en attente, répondit une voix impersonnelle.
— Oh, bon sang ! s'écria Caine, furieux. On vient de faire mille cinq cents kilomètres au-dessus de la Bosse. On est fatigués, on a froid et on n'a presque plus de carburant.
— Vol VIP à tribord en dessous de vous. Mettez-vous en attente. Répondez.
Le ton était sans réplique.
Le copilote regarda sur le côté.
— Il y a un autre Dakota à environ cent cinquante mètres en dessous, capitaine. Un Yankee, apparemment.
— C'est bon, dit Caine d'un air las.
Et il effectua un virage sur l'aile.

Sur la véranda du poste de commandement, un homme observait l'approche du premier Dakota. Sous l'imperméable jeté sur ses épaules, il portait l'uniforme de vice-amiral de la Royal Navy. Il se nommait Lord Louis Mountbatten, avait gagné un nombre impressionnant de décorations pour ses hauts faits d'armes et était le cousin du roi d'Angleterre. Par ailleurs, c'était aussi le chef suprême des armées alliées pour le Sud-Est asiatique.

Le général américain qui fit son apparition derrière lui s'immobilisa un instant pour allumer une cigarette. L'homme était solidement bâti, portait des lunettes cerclées d'acier, et se nommait Vinegar Joe Stillwell. Outre les fonctions d'adjoint de Lord Mountbatten, il occupait auprès de Tchang Kaï-chek celles de chef d'état-major. Il parlait couramment le cantonais et passait pour le plus éminent spécialiste de la Chine au sein des forces alliées.

Il vint s'appuyer contre la balustrade.

— Et voilà notre grand président Mao.

— Qu'est-il arrivé à Tchang Kaï-chek ? demanda Mountbatten.

— Il a trouvé une excuse pour aller dans le Nord. De toute façon, Mao et Tchang ne s'entendront jamais. Ils veulent tous les deux la même chose.

— La Chine ?

— Exactement.

— J'aimerais pourtant vous rappeler que nous ne sommes pas dans le Pacifique, dit Mountbatten. Il y a vingt-cinq divisions japonaises en Chine et, depuis leur offensive d'avril, elles vont de victoire en victoire. Vous le savez mieux que personne. Nous avons besoin de Mao et de son armée communiste. C'est aussi simple que ça.

Ils observèrent l'atterrissage du Dakota.

— Le point de vue de Washington est également très simple, dit le général Stillwell. Le prêt-bail consenti à Tchang Kaï-chek a assez duré.

— Et qu'en avons-nous retiré ? demanda Mountbatten. Il reste assis à ne rien faire et garde ses armes et ses munitions pour la guerre civile avec les communistes, après la défaite des Japonais.

— Une guerre civile qu'il gagnera probablement, dit Stillwell.

— Vous croyez ? dit Mountbatten en secouant la tête. Vous savez que, dans l'Ouest, Mao et ses partisans sont considérés comme des révolutionnaires paysans ; on dit que tout ce qu'ils veulent, c'est donner la terre aux cultivateurs.

— Et vous n'êtes pas d'accord ?

— Franchement, je pense qu'ils sont plus communistes que les Russes. Je les crois tout à fait capables de chasser Tchang Kaï-chek de Chine continentale et de s'emparer ensuite du pouvoir.

— Intéressant, dit Stillwell, mais si vous voulez

vous faire des amis parmi eux et exercer votre influence sur eux, ça vous regarde. Washington n'entend pas jouer à ça. Ce seront les Britanniques et non les Américains qui devront fournir les armes et les munitions. Nous aurons suffisamment de problèmes avec le Japon après la guerre. La Chine, à vous de vous en charger.

Le Dakota roula vers eux sur la piste et s'immobilisa. On approcha une passerelle de l'appareil.

— Alors, vous ne croyez pas que j'en attends trop de notre cher président Mao ? demanda Mountbatten.

— Sûrement pas ! s'écria Stillwell en riant. Mais honnêtement, Louis, je ne crois pas que vous obtiendrez grand-chose en échange de toute l'aide que vous comptez lui fournir.

— Ce sera mieux que rien, mon vieux, surtout s'il accepte.

La porte de l'avion s'ouvrit, livrant passage à un jeune officier chinois, suivi quelques instants plus tard de Mao Tsé-toung, vêtu d'un uniforme très simple et coiffé d'une casquette ornée d'une étoile rouge. Il observa une minute les deux officiers debout sous la véranda puis descendit les marches de la passerelle.

Mao Tsé-toung, alors âgé de cinquante et un ans, était le président du Parti communiste chinois ; brillant politique et soldat de génie, il était passé maître dans l'art de la guérilla. C'était également l'adversaire implacable de Tchang Kaï-chek et, au lieu de combattre ensemble l'ennemi japonais, les deux camps étaient engagés dans une lutte à mort.

Dans le bureau, il prit place devant la table, le jeune officier s'assit derrière lui. Aux côtés de Mountbatten et Stillwell se tenait un major de l'armée britannique dont l'œil gauche était recouvert d'un bandeau noir. L'insigne de sa casquette révélait qu'il appartenait au Highland Light Infantry. Un caporal portant le béret du même régiment se tenait contre le mur derrière lui, tenant sous le bras un dossier.

— Je serai heureux de pouvoir vous servir d'interprète, monsieur le président, dit le général Stillwell dans un cantonais parfait.

— Je ne dispose que de très peu de temps, général, répondit Mao dans un anglais non moins parfait.

Mao ne s'étant jamais vanté de son excellente connaissance de l'anglais, Stillwell le considéra d'un air stupéfait.

— Qui est cet officier, et cet homme qui l'accompagne ? demanda alors Mao à Mountbatten en désignant les deux militaires britanniques présents à l'entretien.

— Je vous présente le major Ian Campbell, monsieur le président, l'un de mes aides de camp. Le caporal est son ordonnance. Ils appartiennent tous deux au Highland Light Infantry.

— Ordonnance ? demanda Mao.

— C'est à la fois un domestique et un soldat, expliqua Mountbatten.

— Ah, je vois, dit Mao en approuvant d'un air énigmatique. Les Highlands d'Ecosse, n'est-ce pas ? Un peuple étrange. Les Anglais vous ont passés au fil de l'épée, vous ont chassés de votre pays, et pourtant vous faites la guerre pour eux.

— Je suis un Highlander jusqu'au plus profond de moi-même, laird du château du Loch Dhu et des terres avoisinantes, comme mon père et mon grand-père, et toute ma famille depuis un millier d'années. Mais si les Anglais ont besoin d'un coup de main de temps à autre, ma foi, pourquoi pas ?

Mao se tourna en souriant vers Mountbatten :

— Cet homme me plaît. Vous devriez me le prêter.

— C'est impossible, monsieur le président.

— Dans ce cas, passons à nos affaires, dit Mao en hochant la tête. Je ne dispose que de très peu de temps. Je dois repartir dans une demi-heure. Qu'avez-vous à m'offrir ?

Mountbatten coula un regard en direction de Stillwell qui haussa les épaules. Il s'adressa alors à Mao :

— Nos amis américains ne peuvent vous fournir ni armes ni munitions.

— Mais ils donneront au généralissime tout ce dont il a besoin, c'est bien ça ? questionna-t-il sans se départir de son calme.

— Je crois que j'ai une solution, proposa alors Mountbatten. Que diriez-vous si la RAF vous livrait tous les mois à Kunming dix mille tonnes d'armes et de munitions ?

Dans un vieil étui en argent, Mao prit une cigarette que le jeune officier lui alluma, puis exhala un long nuage de fumée.

— Et que devrai-je faire en échange d'une telle largesse ?

— Il est juste que nous obtenions quelque chose en contrepartie, répondit Mountbatten.

— Qu'avez-vous en tête ?

A son tour, Mountbatten alluma une cigarette, puis il gagna la fenêtre ouverte et regarda la pluie qui tombait. Quelques instants plus tard, il se retourna.

— Le traité de Hong Kong ; la location accordée aux Britanniques expire le 1er juillet 1997.

— Et alors ?

— Je voudrais que vous le prolongiez de cent ans.

Il y eut un long silence. Mao se renfonça dans son siège et souffla vers le plafond un nuage de fumée.

— Mon ami, j'ai l'impression que les pluies vous ont légèrement troublé l'esprit. C'est le généralissime Tchang Kaï-chek qui dirige la Chine — avec la permission des Japonais, bien sûr.

— Mais les Japonais finiront par s'en aller, rétorqua Mountbatten.

— Et alors ?

Un silence total s'abattit dans la pièce. Mountbatten adressa un bref signe de menton au caporal. Celui-ci claqua des talons et tendit son dossier au major Campbell. Le major en sortit un document qu'il donna au président Mao.

— Ce n'est pas un traité mais un accord, dit Mountbatten. Appelons-le l'accord de Ch'ung-king. Si vous acceptez de le signer, après en avoir pris connaissance, vous vous engagez, au cas où vous exerceriez le pouvoir en Chine, à prolonger de cent ans le traité de Hong Kong. En échange, le gouvernement de Sa Majesté pourvoira à tous vos besoins d'ordre militaire.

Mao Tsé-toung lut le document, puis leva les yeux.

— Avez-vous un stylo, Lord Mountbatten ?

Le caporal s'avança rapidement et lui en tendit un. Mao signa le document. Le major Campbell sortit alors du dossier trois copies et les posa sur la table. Mao les signa l'une après l'autre, imité par Mountbatten.

Puis, après avoir rendu le stylo au caporal, Mao se leva.

— Voilà une bonne chose de faite, dit-il à Mountbatten, mais maintenant je dois m'en aller.

Il se dirigeait déjà vers la porte lorsque Mountbatten le rappela.

— Un moment, monsieur le président, vous oubliez votre exemplaire de l'accord.

Mao se retourna.

— Plus tard, dit-il. Lorsqu'il aura été contresigné par Churchill.

Mountbatten ne cacha pas sa stupéfaction.

— Churchill ?

— Mais bien sûr. Naturellement, cela ne devrait pas retarder l'expédition des armes, mais j'attends de recevoir mon exemplaire de l'accord signé par le Premier ministre. Y a-t-il un problème ?

— Non, non, dit Mountbatten qui avait recouvré tous ses esprits. Bien sûr que non.

— Parfait. Et maintenant, il faut que je m'en aille. Nous avons des choses à accomplir, messieurs.

Il descendit les marches du poste de commandement, et, toujours suivi du jeune officier, remonta dans le Dakota. La porte se referma, on éloigna la passerelle et l'avion se mit à rouler sur la piste. Stillwell éclata de rire.

— Je n'ai jamais vu une chose pareille ! C'est vraiment un personnage. Qu'allez-vous faire ?

— Mais, envoyer ce foutu document à Londres pour que Churchill le signe, bien sûr !

Mountbatten se tourna alors vers le major Campbell :

— Ian, je vous offre la possibilité d'aller dîner au Savoy. Vous allez partir pour Londres aussitôt que possible avec un message pour le Premier ministre. Mais dites-moi, est-ce que je n'entends pas un autre avion atterrir ?

— Oui, amiral, c'est un Dakota qui arrive de l'Assam.

— Bon. Faites refaire le plein de carburant : vous le prendrez. (Mountbatten jeta un coup d'œil au caporal.) Vous pouvez emmener Tanner.

— Entendu, amiral.

Campbell rangea les papiers dans le dossier.

— Il y a trois copies, dit alors Mountbatten. Une pour Mao, une autre pour le Premier ministre et la troisième pour le président Roosevelt. N'en ai-je pas signé quatre ?

— J'ai pris la liberté d'en faire une quatrième, dit Campbell, en cas d'accident.

— Parfait, Ian. Et maintenant, partez. Je vous accorde une seule soirée au Savoy. Ensuite, retour immédiat.

— Bien sûr, amiral.

Campbell salua et sortit, suivi de Tanner. Stillwell alluma une cigarette.

— Curieux bonhomme, ce Campbell.

— Il a perdu son œil à Dunkerque, dit Mountbatten. Il a reçu la Military Cross, qu'il a bien méritée. C'est le meilleur aide de camp que j'aie jamais eu.

— Et cette foutaise de laird du Loch Dhu,

qu'est-ce que c'est, encore ? Vous, les Anglais, vous êtes vraiment cinglés !

— Ah ! mais Campbell n'est pas anglais, il est écossais, et mieux encore, c'est un Highlander. En sa qualité de laird du Loch Dhu, il dirige une branche du clan Campbell, et ça, Joe, c'est une tradition qui existait avant que les Vikings atteignent l'Amérique.

Il gagna la porte et regarda la pluie qui tombait. Stillwell le rejoignit.

— Est-ce qu'on va gagner, Louis ?

— Oh oui ! dit Mountbatten avec un hochement de tête. Ce qui m'inquiète, c'est ce qui se passera après.

Dans la chambre du major, Tanner préparait la valise avec toute la rigueur militaire requise, tandis que Campbell se rasait. Ils se connaissaient depuis l'enfance, car le père de Tanner avait été garde-chasse sur les terres du Loch Dhu ; ensuite, ils avaient vécu ensemble l'enfer de Dunkerque. Lorsque Campbell avait été nommé auprès de Mountbatten au quartier général allié, à Londres, il avait emmené le caporal comme ordonnance, et il l'avait gardé avec lui en Asie du Sud-Est. Jack Tanner était un soldat courageux qui avait gagné la médaille militaire sur le champ de bataille mais, pour lui, Campbell resterait à jamais le laird.

Le major sortit de la salle de bains en se séchant les mains. Il ajusta son bandeau sur l'œil, se lissa les cheveux puis sortit sa veste d'uniforme.

— La valise est prête, Jack ?

Tanner la lui tendit.

— Les papiers sont dedans, laird.

Lorsqu'ils étaient seuls il lui donnait toujours son titre.

— Retirez-en la quatrième copie, dit Campbell.

Tanner s'exécuta et lui tendit le papier à en-tête du commandement suprême allié pour le Sud-Est asiatique. Mao l'avait signé en anglais et en chinois, à côté de Mountbatten.

— Voilà un document historique, Jack ! s'exclama Campbell. Si Mao remporte la victoire, Hong Kong restera britannique jusqu'au 1er juillet 2097.

— Vous croyez qu'il gagnera, laird ?

— Qui sait ? Mais d'abord, c'est à nous de gagner la guerre. Passez-moi ma bible, voulez-vous ?

La bible se trouvait dans le placard où le major rangeait ses affaires de toilette. Le livre faisait environ quinze centimètres sur dix, et sa couverture en argent repoussé s'ornait d'une croix celtique. On l'avait retrouvée dans la poche d'un ancêtre du major, mort à Culloden alors qu'il combattait pour Charles Edouard Stuart. On l'avait également retrouvée sur le corps de son oncle, tué à la bataille de la Somme, en 1916. Campbell l'emportait partout avec lui.

Tanner l'ouvrit. L'intérieur de la couverture était également en argent. Il y passa délicatement le bout de l'ongle, ouvrant ainsi une petite cache. Campbell plia la feuille de papier aux dimensions appropriées et la glissa dans la cache.

— C'est un secret, Jack, seuls vous et moi savons que le document se trouve là. Je veux votre parole de Highlander que vous ne direz rien.

— Vous avez ma parole, laird. Dois-je mettre la bible dans le fourre-tout ?

— Non, je la garderai sur moi, dans ma poche à cartes.

On frappa à la porte. Tanner alla ouvrir. La capitaine Caine pénétra dans la pièce, tenant à la main de lourds blousons d'aviateur et deux paires de bottes fourrées.

— Vous aurez besoin de ça, major. Quand on sera au-dessus de la Bosse, il faudra parfois monter jusqu'à sept mille mètres. On se les gèle, là-haut.

Le jeune homme avait de larges cernes sous les yeux et semblait fatigué.

— Je suis désolé pour vous, capitaine, dit Campbell. Je sais que vous venez à peine d'arriver.

— Ça ira, major. J'ai un copilote, le sous-lieutenant Giffard. Nous avons aussi un navigateur et un radio. On y arrivera. (Il sourit.) Impossible de dire non à Lord Mountbatten. Si j'ai bien compris, vous allez directement à Delhi ?

— C'est ça. Et ensuite à Londres.

— J'aimerais bien faire moi aussi cette deuxième partie du voyage. (Caine ouvrit la porte et se prit à contempler la pluie.) Ça n'en finit pas de tomber ! Foutu pays. Eh bien, rendez-vous à l'avion, major.

Il sortit. Campbell se tourna vers son ordonnance :

— Allez, Jack, on se dépêche.

Ils chaussèrent les bottes et enfilèrent les blousons doublés de mouton. Tanner prit son fourre-tout et celui du major.

— Bon, on y va, lança Campbell.

Tanner sortit. Campbell promena un dernier regard autour de la pièce, coiffa sa casquette, puis fourra la petite bible dans la poche à cartes de son blouson. Curieusement, il se sentait épuisé. Il avait l'impression d'être arrivé au bout de quelque chose. Il chassa d'un haussement d'épaules le pressentiment qui l'habitait et rejoignit sous la pluie Tanner, qui l'attendait près du Dakota.

Ils parcoururent sept cent vingt kilomètres jusqu'à Kunming où ils refirent le plein de carburant, avant de redécoller en direction de l'Assam. Les neuf cents kilomètres au-dessus de l'Himalaya représentaient la partie la plus dangereuse du voyage.

Les conditions météorologiques étaient épouvantables, il pleuvait et les orages étaient si violents qu'ils menaçaient de briser l'appareil. Au cours des deux années précédentes, plusieurs centaines d'aviateurs avaient perdu la vie sur ce trajet, et Campbell ne l'ignorait pas. C'était certainement l'un des vols les plus périlleux imposés aux avions de la RAF et de l'US Air Force. Tout en se demandant ce qui pouvait bien pousser des hommes à se porter volontaires pour de telles missions, il parvint à s'endormir. Il ne se réveilla que lorsqu'ils eurent atterri sur l'un des terrains militaires de l'Assam où ils devaient refaire le plein.

Les mille huit cents kilomètres les séparant de Delhi furent parcourus dans de tout autres conditions : ciel bleu, grosse chaleur et absence presque totale de vent. Le Dakota volait tranquillement à 3 500 mètres d'altitude, et, laissant les commandes à Giffard, le capitaine Caine en profita pour sommeiller quelques heures.

Lorsque Campbell lui-même se réveilla, il vit le radio qui secouait Caine par l'épaule.

— Delhi dans quinze minutes, mon capitaine.

Caine se leva en bâillant et adressa un sourire à Campbell :

— Pépère, le voyage, hein ?

Au moment même où il s'apprêtait à gagner le poste de pilotage, une explosion retentit. Des morceaux de métal jaillirent du moteur gauche, une épaisse fumée noire en sortit et l'hélice cessa de tourner. Après une violente secousse, le Dakota se mit à plonger, jetant le capitaine Caine sur le plancher.

Campbell, lui, fut balancé contre la cloison avec une telle violence qu'il faillit être assommé. Il ne comprit pas bien ce qui était en train de se passer et vécut comme un cauchemar les quelques secondes qui suivirent : l'appareil qui s'écrasait sur le sol, les hurlements et l'odeur d'incendie.

Il se rendit compte qu'il se trouvait dans l'eau, et en ouvrant les yeux se vit traîné dans une rizière par Tanner, l'air hagard, le visage ensanglanté. Le caporal l'allongea sur une digue, puis, de l'eau jusqu'aux genoux, tenta de regagner le Dakota en flammes. Il se trouvait à mi-chemin lorsque l'avion explosa dans un fracas terrible.

Une pluie de débris s'abattit autour d'eux, et Tanner revint près du major. Il installa l'officier plus haut sur la digue et sortit de sa poche une boîte en métal. Sa main tremblait lorsqu'il alluma une cigarette.

— Nous sommes blessés tous les deux ? réussit à demander Campbell d'une voix rauque.

— J'en ai bien l'impression, laird.

— Mon Dieu, la bible ! murmura Campbell en promenant la main à tâtons sur son blouson.

— Ne bougez pas, laird, je vais la mettre en sûreté.

Tanner prit le livre dans la poche à cartes, et Campbell sombra alors dans un univers calme, sans bruits et sans couleurs.

A Ch'ung-king, Mountbatten et Stillwell examinaient sur une carte les progrès incessants des armées japonaises, qui s'étaient déjà emparées de la plupart des terrains d'aviation alliés dans l'est de la Chine.

— Je croyais que nous étions censés gagner la guerre, dit Stillwell.

— Je le croyais aussi, dit Mountbatten avec un sourire piteux.

Derrière eux, la porte s'ouvrit, livrant le passage à un aide de camp qui tenait à la main un papier pelure.

— Excusez-moi de vous déranger, amiral, mais ça vient de Delhi... Urgent.

Mountbatten parcourut le message et étouffa un juron.

— C'est bon, vous pouvez y aller.

L'aide de camp se retira.

— Mauvaises nouvelles ? demanda Stillwell.

— Le Dakota de Campbell a perdu un moteur et s'est écrasé dans les environs de Delhi. Il a explosé aussitôt après l'accident. Apparemment, documents et dossiers sont partis en fumée.

— Campbell est mort ?

— Non, son caporal a réussi à le tirer de là. Mais l'équipage a été tué. Il semble que Campbell soit grièvement blessé à la tête. Il est dans le coma.

— Espérons qu'il s'en sortira. En tout cas, c'est très ennuyeux pour vous, cet accord de Ch'ung-king qui a disparu. Qu'allez-vous faire ? Demander à Mao d'en signer un autre ?

— Je n'ai pas l'impression que je le reverrai de sitôt. De toute façon, je n'attendais pas grand-chose de cette affaire. Sans compter que les Chinois vous donnent rarement une deuxième chance.

— Je suis d'accord avec vous, dit Stillwell. Et puis, le vieux renard doit déjà regretter d'avoir signé ce machin-là. Et pour ses livraisons d'armes, qu'allez-vous faire ?

— Oh ! il les aura, parce que je tiens absolument à l'avoir de notre côté contre les Japonais. En tout état de cause, je ne me faisais pas beaucoup d'illusions sur cette affaire de Hong Kong. Je pensais qu'il fallait tenter d'obtenir quelque chose en échange de notre aide, si nous le pouvions, et tout ce que nous avons trouvé, avec le Premier ministre, c'était ça. Mais ça n'a plus guère d'importance, il y a des problèmes infiniment plus urgents à régler. (Il retourna à la carte fixée au mur.) A présent, montrez-moi exactement où se trouvent les premières unités japonaises.

LONDRES

1993

1

Norah Bell descendit de taxi dans Wapping Hig Street, près des escaliers de Saint-James. Une fois payé, le chauffeur regarda s'éloigner la petite hippy à la chevelure sombre, vêtue d'une veste de cuir noir, d'une minijupe noire qui la moulait étroitement, et chaussée de bottines à talons hauts. Elle ouvrit son parapluie, le chauffeur laissa échapper un long soupir et démarra.

Au premier coin de rue, elle s'arrêta pour acheter l'*Evening Standard*. La une était entièrement consacrée à l'arrivée à Londres, le jour même, du président américain venu s'entretenir avec les Premiers ministres israélien et britannique de la situation en Palestine. Elle plia le journal, le plaça sous son bras et, tournant le coin de la rue, descendit vers la Tamise.

Sur le trottoir d'en face se tenait un jeune homme d'environ dix-huit ans, vêtu d'un jean et d'un blouson crasseux, chaussé de bottines à lacets, avec un anneau dans la narine gauche et une croix gammée tatouée sur le front, typique de ces prédateurs qui rôdent dans les rues à la recherche d'une proie. Celle-ci semblait facile et il lui emboîta le pas. Quelques instants plus tard, il se mit à courir, l'attrapa par-derrière et lui plaqua la main sur la bouche. Elle ne se débattit pas, ce qui aurait dû l'intriguer, mais il était inaccessible au raisonnement, submergé qu'il était par une excitation sexuelle des plus malsaines.

— Fais comme j'te dis, et je te ferai pas de mal !

Il l'attira dans l'entrée d'un entrepôt désaffecté et se pressa contre elle.

— Pas la peine d'être brutal, dit-elle.

Et, à sa grande stupéfaction, elle l'embrassa sur la bouche. Puis, sans lâcher son parapluie, elle glissa la main entre les jambes du garçon et se mit à lui caresser le sexe à travers l'étoffe du pantalon. Il n'en croyait pas sa chance.

En gémissant, il s'abandonna à son baiser, et sentit qu'elle s'efforçait de remonter sa jupe.

Elle trouva rapidement ce qu'elle cherchait : le couteau à cran d'arrêt glissé dans le haut de son bas droit. La lame jaillit, ouvrant le visage du garçon du coin de l'œil à la pointe du menton.

Il recula en hurlant. Calmement, elle posa la pointe du couteau sur sa gorge.

— Tu en veux encore ?

— Non ! Non ! supplia-t-il, terrorisé.

Elle essuya la lame sur le blouson.

— Alors fous le camp !

Il sortit sous la pluie, épongeant avec un mouchoir le sang qui ruisselait sur son visage, puis se retourna vers elle :

— Salope ! Tu me le paieras.

— Certainement pas. (Elle avait un accent irlandais d'Ulster tout à fait reconnaissable.) Je te conseille plutôt d'aller aux urgences faire recoudre ta blessure. Ça te servira de leçon.

Elle le regarda s'éloigner, replia le couteau et le glissa à nouveau dans son bas. Après quoi elle reprit son chemin en direction de la Tamise et s'arrêta devant un vieil entrepôt.

Elle poussa la petite porte découpée dans le portail et pénétra dans le bâtiment. L'endroit était sombre, mais tout au fond se trouvait un bureau vitré dont la lumière était allumée. Au moment où elle s'avançait, un homme jeune, à la peau mate, sortit de l'ombre, un Hi-Power Browning à la main.

— Qui êtes-vous ? demanda-t-elle.

Un homme de petite taille, vêtu d'un caban, les cheveux noirs en bataille, apparut dans l'embrasure de la porte du bureau. C'était Michael Ahern.

— C'est toi, Norah ?

— Qui veux-tu que ce soit ? Et ton ami, comment il s'appelle ?

— Ali Halabi... Je te présente Norah Bell. Allez, monte.

— Excusez-moi, dit l'homme.

Elle l'ignora et passa devant lui pour monter l'escalier. Il la suivit, admirant la façon dont sa jupe lui moulait les hanches.

Lorsqu'elle fut arrivée dans le bureau, l'homme au caban lui mit les deux mains sur les épaules.

— Tu es mignonne à croquer, dit-il en lui déposant un baiser sur les lèvres.

— Epargne-moi ton baratin, tu veux ? (Elle laissa son parapluie sur le bureau, ouvrit son sac et en sortit un paquet de cigarettes.) Tu n'as pas changé, mon cher Michael : le moindre jupon t'affole !

Elle plaça une cigarette entre ses lèvres et l'homme au teint mat se précipita, le briquet allumé. Il se tourna vers Michael Ahern :

— Cette dame fait partie de votre organisation ?

— En tout cas, je ne suis pas avec cette saloperie d'IRA, dit-elle. Nous sommes protestants, monsieur.

— Norah et moi étions membres de l'Ulster Volunteer Force, puis de la Red Hand of Ulster, dit Ahern. Et puis, nous avons dû partir.

Norah éclata d'un rire mauvais.

— Ils nous ont fichus dehors, oui ! Ça n'est qu'une bande de lavettes ! On tuait trop de catholiques à leur goût.

— Je vois, dit Ali Halabi. Mais vos objectifs, ce sont les catholiques ou l'IRA ?

— Bonnet blanc et blanc bonnet ! s'exclama-t-elle.

Je suis originaire de Belfast, monsieur Halabi. Mon père était sergent dans l'armée, et il a été tué pendant la guerre des Malouines. Ma mère, ma petite sœur, mon grand-père, toute ma famille a été exterminée en 1986 dans un attentat commis par l'IRA. On peut dire que, depuis, je me suis bien vengée.

— Mais nous sommes prêts à accepter toutes les suggestions, dit Michael Ahern d'un air affable. Toute organisation révolutionnaire a besoin d'argent.

En bas, la porte claqua. Ali sortit son pistolet de sa poche et Ahern s'avança.

— C'est toi, Billy ?

— Pas de doute là-dessus.

— C'est Billy Quigley ? demanda Norah.

— Qui ça pourrait être d'autre ? (Ahern se tourna vers Halabi.) Un autre membre de la Red Hand qui a été exclu. Billy et moi avons passé quelque temps ensemble à la prison de Maze.

Quigley était un homme de petite taille, maigre et nerveux, vêtu d'un imperméable usé. Il avait le visage prématurément vieilli, les cheveux lavasses.

— Mon Dieu, c'est toi, Norah ?

— Salut, Billy.

— Tu as eu mon message ? demanda Ahern.

— Oui, je vais presque tous les soirs au William of Orange, à Kilburn.

— Kilburn est en quelque sorte le quartier irlandais de Londres, expliqua Ahern à l'intention de Halabi. Il y a plein de bons pubs irlandais, aussi bien catholiques que protestants. Au fait, Billy, je te présente Ali Halabi, qui nous vient d'Iran.

— Bon, alors qu'est-ce qui se passe ? demanda Quigley.

— Ça, dit Ahern en lui tendant l'*Evening Standard* dont la première page annonçait en gros titre l'arrivée du président américain. Notre ami Ali Halabi représente un groupe fondamentaliste iranien appelé l'Armée de Dieu. Ils... disons qu'ils déplorent l'arrangement conclu entre Arafat et les Israéliens à propos du nouveau statut de la Palestine. Et ils sont encore plus fâchés que le président américain ait organisé cette réunion à la Maison Blanche et y ait ainsi apporté sa bénédiction.

— Et alors ? dit Quigley.

— Alors, vu ma réputation, ils m'ont demandé de profiter du séjour à Londres du président américain pour le supprimer.

— En échange de cinq millions de livres, je tiens à le préciser, dit Halabi.

— La moitié de cette somme est déjà déposée sur un compte à Genève, ajouta Ahern en souriant. Tu te rends compte, Billy, de la raclée qu'on pourrait filer à l'IRA en achetant des armes pour un million de livres ?

Quigley avait pâli.

— Le président américain ! Tu n'oserais quand même pas...

Norah éclata d'un rire mauvais.

— Lui ? Bien sûr que si !

Ahern se tourna vers elle.

— Tu marches avec moi, Norah ?

— Je ne raterais ça pour rien au monde.

— Et toi, Billy ?

D'un air hésitant, Quigley passa la langue sur ses lèvres sèches. Ahern lui posa la main sur l'épaule.

— Alors, Billy ? Tu es avec nous ?

Un sourire éclaira soudain le visage de Quigley.

— Pourquoi pas ? Après tout, on ne meurt qu'une fois. Comment on s'y prend ?

— Viens en bas, je vais te montrer.

Ahern descendit l'escalier le premier et alluma, révélant un véhicule recouvert d'une bâche, qu'il ôta. C'était un camion des British Telecom.

— Bon sang, où as-tu eu ça ? demanda Quigley.

— Quelqu'un l'a barboté pour moi il y a quelques mois. Je comptais le garer devant un pub catholique de Kilburn, avec deux cent cinquante kilos de Semtex à l'intérieur, histoire de nous débarrasser de quelques salopards du Sinn Fein, mais finalement, j'ai décidé de le garder pour le cas où il se présenterait quelque chose de vraiment important. Et voilà, le moment est venu.

— Comment comptez-vous vous en servir ? questionna Ali Halabi.

— Il y a des centaines de ces machins qui circulent tous les jours dans Londres, répondit Ahern. Ils peuvent se garer n'importe où à côté des regards où travaillent en général les techniciens des télécoms.

— Et alors ? fit Quigley.

— Ne me demande pas comment, dit Ahern, mais j'ai réussi à obtenir le détail des trajets qu'empruntera le président américain. Demain, à 10 heures, il quittera l'ambassade américaine sur Grosvenor Square pour se rendre au 10, Downing Street. Le convoi prendra Park Lane et tournera dans Constitution Hill, à côté de Green Park.

— Tu en es sûr ? demanda Norah.

— Ils font toujours comme ça, ma chérie, crois-moi. (Il se tourna vers Quigley et Halami :) Vous deux, habillés avec les combinaisons des télécoms qui se trouvent dans le camion, vous vous garerez à mi-chemin sur Constitution Hill. Il y a un grand hêtre, on ne peut pas le rater. Donc, vous vous garez, vous ôtez le couvercle du regard, vous mettez votre panneau de signalisation en place, etc. Vous êtes sur place à 9 h 30. A 9 h 45, vous traversez Green Park en direction de Piccadilly et vous vous débarrassez de vos combinaisons dans les toilettes publiques.

— Et ensuite ? demanda Halabi.

— Moi, j'attendrai le grand moment dans une voiture avec Norah. Quand le cortège présidentiel arrivera à hauteur du camion des British Telecom, j'actionnerai la télécommande. (Il sourit.) Ça marchera, je peux vous l'assurer. Il n'y aura probablement pas de survivants.

Une sorte de crainte respectueuse semblait s'être

emparée de Quigley, tandis que le visage de Norah avait pâli.

— Eh ben, dis donc !

— Tu crois que ça peut marcher ? demanda Ahern à Norah.

— Oh oui !

Il se tourna vers Ali :

— Et vous ? Toujours d'accord pour participer à l'opération ?

— Ce sera un honneur, monsieur Ahern.

— Et toi, Billy ?

— On chantera nos louanges pendant des siècles, dit Quigley.

— Parfait, tu es un brave gars. (Ahern consulta sa montre.) Il est 19 heures. Je mangerais bien quelque chose. Et toi, Norah ?

— Entendu.

— Bon. J'emmène le camion des télécoms tout de suite. Je ne reviendrai pas ici. Je vous prends tous les deux sur le Mall demain matin à 9 heures. Vous arrivez séparément et vous attendez devant les grilles du parc de l'autre côté de Marlborough Road. Norah me suit en voiture. Ensuite vous prenez le relais et nous restons derrière vous. Des questions ?

Ali Halabi semblait au comble de l'excitation.

— J'ai hâte d'être à demain.

— Bon, partez, maintenant. Nous quitterons les lieux séparément. (L'Iranien sortit et Ahern tendit la main à Quigley.) C'est un gros coup, hein, Billy ?

— Le plus gros qu'on ait fait.

— Bon, Norah et moi, on va partir ensemble. Ouvre-nous le portail, tu veux ? Je te laisse le soin de tout éteindre.

Ils descendirent. Norah s'installa sur le siège du passager, mais Ahern secoua la tête.

— Va à l'arrière, là où on ne peut pas te voir, et passe-moi une veste orange. Il faut soigner les apparences. Si un flic te voyait dans ce camion, il pourrait se poser des questions.

— Il y a marqué British Telecom dans le dos de la veste, dit Norah. Ça ne marchera jamais.

Il éclata de rire, mit en marche le moteur et quitta le bâtiment après un dernier signe de la main à Quigley qui refermait le portail derrière eux.

Quelques instants plus tard, il se gara dans une cour et coupa le contact.

— Qu'y a-t-il ? demanda Norah.

— Tu vas voir. Suis-moi, en silence.

Il ouvrit la petite porte découpée dans le portail et ils pénétrèrent tous deux dans le bâtiment. Quigley se trouvait dans le bureau : ils entendaient sa voix. Lorsqu'ils furent arrivés au pied de l'escalier, ils distinguèrent parfaitement ses paroles :

— Oui, le général Ferguson. C'est très urgent. (Un moment de silence.) Alors, passez-le-moi directement, espèce de con ! C'est une affaire de vie ou de mort !

Ahern sortit un Walther de sa poche, y vissa un silencieux et grimpa lentement l'escalier, suivi de Norah. La porte était ouverte et ils aperçurent Quigley assis sur le rebord du bureau.

— Général Ferguson ? Billy Quigley à l'appareil. Vous m'aviez dit de ne vous appeler que pour une affaire importante... eh bien, on ne pourrait pas trouver mieux. Michael Ahern, cette garce de Norah Bell et un Iranien nommé Ali Halabi ont l'intention d'assassiner demain le président des Etats-Unis. (Un moment de silence.) Oui, je suis censé participer à l'opération.

— Ah là là, Billy, c'est pas gentil, ça.

Au moment où Quigley se retourna, Ahern lui tira une balle entre les yeux.

Il bascula sur le bureau et Ahern prit le combiné.

— Allô ? Vous êtes là, général ? Michael Ahern à l'appareil. Il vous faudra trouver un autre informateur.

Il raccrocha, éteignit la lumière du bureau et se tourna vers Norah :

— Allons-y, mon amour.
— Tu savais que c'était un indicateur ? demanda-t-elle.
— Oh, oui ! Je crois que c'est pour ça qu'ils l'ont libéré de la prison de Maze avant la fin de sa peine. Il était condamné à perpétuité, tu te souviens ? Ils ont dû lui proposer un marché.
— Quel salopard ! Il a tout foutu en l'air.
— Pas du tout. En fait, ma chère Norah, tout se déroule exactement comme prévu. (Il ouvrit la portière du camion et la fit monter.) On va aller manger un morceau et je t'expliquerai comment on va quand même avoir le président.

En 1972, face à la montée du terrorisme, le Premier ministre britannique avait mis sur pied une petite unité d'élite que les milieux du renseignement avaient rapidement baptisée, avec un certain agacement, l'armée privée du Premier ministre, car elle ne dépendait que de ses services.

A la tête de cette unité depuis sa création, le général de brigade Charles Ferguson avait servi plusieurs Premiers ministres, mais ne manifestait aucune allégeance partisane. Situé au troisième étage du ministère de la Défense, son bureau donnait sur Horse Guards Avenue. Il était encore à son travail, où il s'était attardé, lorsque Quigley avait téléphoné. Il était vêtu de façon plutôt négligée, d'une veste en tweed et d'une cravate aux couleurs des Horse Guards.

Il se tenait devant la fenêtre lorsqu'on frappa à la porte. La jeune femme qui entra n'avait pas trente ans. Elle était vêtue d'un ensemble pantalon de couleur fauve, extrêmement bien coupé, et ses lunettes noires à monture d'écaille contrastaient avec ses cheveux roux coupés court. Ç'aurait pu être une secrétaire de direction ou une attachée de presse. En fait, elle était inspecteur principal de la Special Branch de Scotland Yard, envoyée auprès de Ferguson (à la demande de ce dernier) en qualité d'adjointe, après que son prédécesseur à ce poste eut été tué en service. Elle se nommait Hannah Bernstein.

— Il s'est passé quelque chose, général ?

— Et comment ! Quand vous étiez à l'antiterrorisme, à Scotland Yard, vous n'êtes jamais tombée sur un certain Michael Ahern ?

— Terroriste irlandais, sous ordres des orangistes protestants. Est-ce qu'il n'était pas membre de la Red Hand of Ulster ?

— Et Norah Bell, vous connaissez ?

— Oh oui ! dit Hannah Bernstein. Ce n'est pas une enfant de Marie, celle-là.

— J'avais un indicateur dans leur groupe, un certain Billy Quigley. Il vient de m'appeler pour me dire qu'Ahern préparait un attentat contre le président des Etats-Unis, demain. Il avait recruté Quigley pour cette opération. Norah Bell doit y participer, ainsi qu'un Iranien nommé Ali Halabi.

— Ah ! mais je vois qui est ce Halabi. Il est membre de l'Armée de Dieu, un groupe fondamentaliste violemment opposé à l'accord entre Israël et les Palestiniens.

— Vraiment ? dit Ferguson. C'est intéressant. Ce qui n'est pas inintéressant non plus, c'est que Quigley a été abattu au moment même où il me mettait au courant du projet d'attentat. Ahern a même eu le culot de prendre le téléphone et de me parler. Il s'est présenté et m'a conseillé de chercher un nouvel indicateur.

— Sûr de lui, ce salaud.

— Tout à fait. Bon, il faudra prévenir tout le monde. L'unité antiterroriste de Scotland Yard, le MI 5, et les services de sécurité de l'ambassade des Etats-Unis. Ça intéressera certainement les services de protection du président.

— Entendu, général.

Elle se dirigeait déjà vers la porte lorsqu'il lui lança :
— Ah ! autre chose. Je voudrais que Dillon soit mis sur cette affaire.
Elle se retourna.
— Dillon ?
— Oui, Sean Dillon. Ne me dites pas que vous ne savez pas qui c'est.
— Le seul Sean Dillon que je connaisse, général, c'est le plus farouche partisan de l'IRA dont j'aie jamais entendu parler. Si je ne trompe pas, il a tenté d'assassiner le Premier ministre et tout le cabinet de guerre en février 1991, au moment de la guerre du Golfe.
— Et il a bien failli réussir, dit Ferguson. Mais à présent, madame l'inspecteur principal, il travaille pour nos services, alors il va falloir vous y habituer. Tout récemment, à la demande du Premier ministre, il a accompli une mission extrêmement difficile qui a épargné bien des douleurs à la famille royale. J'ai besoin de Dillon, alors trouvez-le. Je ne vous retiens plus.

Ahern s'était aménagé un studio dans un ancien entrepôt de Camden, le long du canal. Laissant le camion au garage, ils empruntèrent le vieux monte-charge pour gagner l'appartement. Le plancher était simplement poncé et verni, le mobilier rudimentaire : quelques tapis, deux ou trois canapés. Les tableaux aux murs étaient tous d'inspiration très moderne.
— C'est joli, dit-elle, mais ça ne te ressemble pas.
— C'est vrai. Je n'ai qu'un bail de six mois, ici.
Il ouvrit un placard et en tira deux verres et une bouteille de whiskey irlandais, du Jameson. Après avoir tendu un verre à Norah, il ouvrit la fenêtre et s'avança sur le petit balcon donnant sur le canal.
— Qu'allons-nous faire, Michael ? demanda-t-elle.

On n'a plus aucune chance de faire exploser une bombe sur Constitution Hill.

— Je n'y ai jamais songé, rétorqua-t-il. Tu devrais te rappeler, Norah, que ma main gauche ignore toujours ce que fait ma main droite.

— Explique-moi, alors.

— Après le coup de téléphone de Quigley, ils vont être sur les dents tout le long du parcours du président. S'il y a une explosion prématurée sur le trajet qu'il doit emprunter pour se rendre au 10, Downing Street, ils seront soulagés, surtout s'ils découvrent sur place le cadavre déchiqueté de Halabi.

— Continue.

— Ils ne s'attendront pas à une autre tentative le même jour, dans un contexte totalement différent.

— Mon Dieu, tu veux dire que tu avais tout prévu ? Que tu t'es servi de Quigley ?

— Le pauvre con ! (Ahern alla se servir un autre whiskey.) Après l'attentat raté, ils penseront être quittes, mais ça ne sera pas le cas. Tu vois, demain, à 19 h 30, le président américain, le Premier ministre et des invités triés sur le volet embarqueront à bord du *Jersey Lily* au Cadogan Pier, à Chelsea Embankment, pour une soirée de croisière sur la Tamise. Ils passeront devant les Houses of Parliament et débarqueront à Westminster Pier. Le service de restauration est confié à la société Orsini and Co., chez qui nous sommes employés comme serveurs. (Il ouvrit un tiroir et en sortit deux cartes.) Je m'appelle Harry Smith, ce qui est élégant et fort commun. Tu remarqueras la fausse moustache et les lunettes d'écaille.

— Et moi, je suis Mary Hunt, dit Norah en lisant sa carte. Ça sonne bien. Où as-tu trouvé une photo de moi ?

— J'en avais une vieille. J'ai demandé à un de mes amis photographe de la retoucher et d'y ajouter les lunettes. Si le temps le permet, ils comptent tenir un cocktail sur le pont avant.

— Et les armes ? Comment est-ce qu'on passera les barrages de sécurité ?

— Tout est prévu. Jusqu'à hier, un de mes amis travaillait sur le bateau. Il a laissé deux Walther équipés de silencieux et enveloppés dans un papier cellophane planqués dans un seau de sable anti-incendie, dans les toilettes des hommes. Bien entendu, il les a placés là après le passage des équipes de sécurité.

— Pas mal !

— Je ne suis pas un kamikaze, Norah, j'ai l'intention de survivre à l'opération. On tirera depuis le pont supérieur. Avec les silencieux, il s'écroulera comme s'il avait une crise cardiaque.

— Et nous, ensuite ?

— Un canot gonflable sera attaché à l'arrière du bateau. Il est équipé d'un moteur hors-bord. C'est mon ami qui s'en est occupé. Dans la confusion, on se jettera dans le canot et on gagnera l'autre rive.

— En espérant qu'il y aura suffisamment de confusion.

— Dans la vie, rien n'est jamais garanti. Alors, tu marches avec moi ?

— Oh oui ! dit-elle. Jusqu'au bout, Michael. Quoi qu'il arrive.

— Tu es adorable. (Il lui passa un bras autour des épaules et la serra contre lui.) Et si on allait manger quelque chose ? Je meurs de faim.

2

— Un homme étrange, ce Sean Dillon, dit Ferguson.

— C'est le moins qu'on puisse dire, répondit Hannah Bernstein.

Ils étaient tous deux assis à l'arrière de la Daimler de Ferguson qui se frayait péniblement un passage dans la circulation du West End.

— Il est né à Belfast, mais sa mère est morte en lui donnant le jour. Son père est alors venu travailler à Londres, et le garçon a fait ses études ici. Il a un incroyable talent d'acteur. Il a étudié un an à l'Académie royale d'art dramatique et a décroché un ou deux rôles au National Theatre. Il est également très doué pour les langues : il en parle plusieurs, dont le gaélique et le russe.

— Tout ça est très impressionnant, monsieur, il n'empêche qu'il a assassiné des gens quand il était dans l'IRA provisoire.

— Oui... c'est parce que son père, au cours d'un voyage à Belfast, a été pris dans une fusillade et a été tué par une patrouille britannique. Dillon a juré de se venger. Il a suivi un bref entraînement militaire en Libye, et voilà.

— Comment est-il passé au terrorisme international ?

— Il a probablement été déçu par la noble cause. Dillon peut être impitoyable lorsqu'il le faut. Il a souvent tué au cours de sa carrière, mais il n'a jamais perpétré d'attentat aveugle, ni tiré sur des femmes et des enfants. Disons que ça n'est pas son style.

— Est-ce que vous insinuez qu'il aurait une sorte de morale ?

Ferguson se mit à rire.

— On ne peut pas dire que ça soit un enfant de chœur. Il a travaillé pour l'OLP, mais également pour les Israéliens, en tant que spécialiste des opérations sous-marines.

— Pour l'argent, bien sûr.

— Bien sûr. Notre Sean apprécie les bonnes choses de la vie. La tentative d'attentat contre Downing Street, c'était pour l'argent. C'était Saddam Hussein qui était derrière ça. Pourtant, dix-huit mois plus tard, il a convoyé un petit avion bourré de médicaments pour les enfants bosniaques, et là c'était pour rien.

— Pourquoi ? Dieu lui est apparu au milieu des nuages ?

— Quelle importance ? En tout cas, il a été capturé par les Serbes, et personne ne donnait cher de sa peau. J'ai passé un accord avec eux, ce qui lui a évité le peloton d'exécution. En échange, on effaçait tout et il a commencé à travailler pour moi.

— Comment effacer une telle ardoise ?

— Mon cher inspecteur, dans notre travail on doit souvent laisser courir un voleur pour en attraper un autre. Si vous voulez continuer à travailler pour moi, il va falloir vous habituer à cette idée. (Ils tournaient à présent dans Grafton Street.) Vous êtes sûre qu'il est là ?

— C'est ce qu'on m'a dit. Il paraît que c'est son restaurant préféré.

— Parfait, dit Ferguson. Moi aussi je mangerais bien quelque chose.

Sean Dillon était installé au premier étage du Mulligan's Irish Restaurant, devant une douzaine d'huîtres, une demi-bouteille de champagne Krug et un journal du soir. C'était un homme de petite taille, pas plus d'un mètre soixante-cinq, les cheveux si blonds qu'ils en paraissaient blancs. Il était vêtu d'un pantalon de velours noir, d'un vieux blouson d'aviateur, et portait un foulard blanc autour du cou. Ses yeux attiraient tout de suite l'attention : clairs, presque incolores, et le pli ironique au coin de ses lèvres semblait signifier que l'homme ne prenait guère l'existence au sérieux.

— Ah, vous êtes là ! dit Ferguson. (Dillon leva les yeux et le salua d'un vague grognement.) Je ne sais plus où aller pour être tranquille, ce soir. Bon, eh bien je vais prendre une douzaine de ces machins et une pinte de Guiness.

Une jeune serveuse qui se tenait non loin de la table avait entendu. Dillon s'adressa à elle en gaélique :

— C'est un gentleman anglais, un *colleen,* mais sa mère, que Dieu ait pitié de son âme, était irlandaise, alors donnez-lui ce qu'il demande.

La fille lui lança un sourire de dévotion et s'éloigna. Ferguson s'assit et Dillon leva les yeux vers Hannah Bernstein.

— Et vous, ma petite dame, qui êtes-vous ?

— Je vous présente Hannah Bernstein, inspecteur principal de la Special Branch, ma nouvelle assistante. Et je ne veux pas que vous la corrompiez. Bon, où est ma Guiness ?

Dillon se leva et Hannah Bernstein reçut alors un premier choc, car en même temps il lui adressait un sourire si éblouissant, un sourire si charmeur qu'il en semblait métamorphosé. Avant de le rencontrer elle était persuadée qu'elle détesterait ce Dillon, alors qu'à présent...

Il lui prit la main.

— Qu'est-ce qu'une charmante et jeune femme comme vous peut faire en compagnie d'un personnage aussi peu recommandable ? Voulez-vous un verre de champagne ?

— Non merci, je suis en service.

En s'asseyant à côté d'eux, elle avait un peu perdu de son assurance.

Dillon gagna le bar et en revint avec un verre qu'il remplit de champagne.

— Quand on n'aime plus le champagne, c'est qu'on n'aime plus la vie.

— Foutaises ! dit-elle, mais elle accepta quand même le verre.

Ferguson éclata de rire.

— Prenez garde à elle, Dillon. L'année dernière, elle est tombée sur un braqueur qui sortait d'un supermarché avec un fusil à canon scié. Malheureusement pour lui, elle travaillait à ce moment-là à la protection de l'ambassade des Etats-Unis, et elle avait un Smith & Wesson dans son sac.

— Vous lui avez montré qu'il se conduisait mal ? demanda Dillon.

— C'est à peu près ça, dit-elle en hochant la tête.

Les huîtres et la Guiness de Ferguson firent leur apparition.

— Nous avons des ennuis, Dillon, de gros ennuis. Dites-lui, inspecteur.

Elle s'acquitta de cette tâche en quelques phrases. Lorsqu'elle eut fini, Dillon prit une cigarette dans un étui d'argent et l'alluma avec un vieux Zippo.

— Alors, qu'en pensez-vous ? demanda-t-elle.

— Eh bien... la première chose, en tout cas, c'est que Billy Quigley est mort.

— Mais il a réussi à parler au général, dit Hannah, ce qui veut sûrement dire que Ahern va renoncer à son projet.

— Pourquoi renoncerait-il ? rétorqua Dillon. Vous ne savez qu'une chose, c'est qu'il compte faire sauter demain le président des Etats-Unis. Mais où ? A quelle heure ? Vous n'en avez pas la moindre idée, et j'imagine que son emploi du temps doit être très serré.

— Ça, c'est certain, dit Ferguson. Le matin, il s'entretient avec notre Premier ministre et le Premier ministre israélien au 10, Downing Street. Le soir, il a un cocktail à bord d'un bateau, sur la Tamise, et entre les deux, une foule d'activités.

— Et il ne veut rien annuler, bien sûr ?

— J'ai bien peur que non, dit Ferguson en secouant la tête. J'ai déjà reçu un coup de téléphone de Downing Street. Le président refuse d'apporter la moindre modification à son programme.

— Vous connaissez Ahern personnellement ? demanda Hannah Bernstein.

— Oui, répondit Dillon. Il a essayé plusieurs fois de me tuer, et nous nous sommes rencontrés face à face quand nous avons négocié une trêve à Derry.

— Et sa petite amie ?

Dillon secoua la tête.

— Ça n'est pas sa petite amie. La sexualité, ça n'est pas son fort. C'était une fille sans histoires, issue des classes populaires, jusqu'au jour où sa famille a été tuée dans un attentat commis par l'IRA. Maintenant, elle serait capable de tuer le pape.

— Comment est-il, Ahern ?

— C'est un type étrange. Pour lui, ç'a toujours été un jeu. C'est un manipulateur brillant. Je me rappelle son dicton favori : sa main gauche ignore ce que fait sa main droite.

— Et qu'est-ce que ça veut dire, au juste ? demanda Ferguson.

— Qu'avec Ahern, les choses ne sont jamais ce qu'elles paraissent être.

Un moment de silence suivit ses paroles.

— Tout le monde est sur cette affaire, dit enfin Ferguson. Nous avons distribué une photo de lui, mais elle n'est pas très bonne.

— Et une autre encore moins bonne de la fille, ajouta Hannah Bernstein.

Ferguson avala une huître.

— Vous avez une idée de l'endroit où le trouver ?

— Oui, fit Dillon. Il y a un pub protestant à Kilburn, le William of Orange. Je pourrais aller me renseigner là-bas.

— Alors qu'est-ce qu'on attend ? dit Ferguson en avalant sa dernière huître. (Il se leva.) Allons-y !

Avec sur un des murs extérieurs sa fresque représentant la victoire du roi Guillaume à la bataille de La Boyne, le William of Orange de Kilburn évoquait irrésistiblement Belfast. On aurait pu se croire dans n'importe quel pub orangiste de Shankill.

— Vous ne cadrez pas très bien avec l'ambiance du bar, tous les deux, fit Dillon, assis à l'arrière de la Daimler. J'ai besoin de parler à un homme nommé Paddy Driscoll.

— Il appartient à l'UVF ? demanda Ferguson.

— Disons que c'est un collecteur de fonds. Je vais le secouer un peu. Attendez ici.

— Allez avec lui, inspecteur, ordonna Ferguson.

Dillon laissa échapper un soupir.

— Entendu, mon général, mais c'est moi qui commande.

Ferguson acquiesça :

— Faites ce qu'il vous dira.

Dillon et la jeune femme descendirent de voiture.

— Vous êtes armée ? demanda-t-il.

— Bien sûr.

— Parfait. De nos jours, on ne sait jamais ce qui peut se passer.

Il s'immobilisa dans l'entrée d'une cour, tira un Walther de sa ceinture, y vissa un silencieux Carswell, puis le replaça sous son blouson. Ils traversèrent ensemble la cour pavée, tandis que, dans le bar, un orchestre loyaliste jouait *The Sash My Father*

Wore. Par la fenêtre de derrière, ils aperçurent dans une vaste cuisine un petit homme aux cheveux gris, assis devant une table et occupé à faire ses comptes.

— C'est Driscoll, chuchota Dillon. On y va.

Driscoll leva la tête en voyant ses papiers s'envoler et il découvrit Dillon accompagné d'une fille.

— Que Dieu bénisse tout le monde ici, lança Dillon, et que la nuit nous soit propice, mon vieux Paddy.

— Mon Dieu, Sean Dillon ! s'exclama Driscoll, visiblement terrorisé.

— Et je te présente notre cher inspecteur principal. Avoue qu'on te traite de façon princière, ce soir.

— Qu'est-ce que tu veux ?

Hannah demeura le dos appuyé à la porte, tandis que Dillon s'asseyait en face de Driscoll et allumait une cigarette.

— On cherche Michael Ahern. Où peut-il être ?

— Mon Dieu, Sean, ça fait des années que je ne le vois plus, celui-là.

— Et Billy Quigley ? Lui, ne me dis pas que tu ne l'as pas vu, parce que je sais pertinemment que c'est un habitué du pub.

— Ah, Billy, bien sûr, il vient ici tout le temps, mais pour Ahern... (il haussa les épaules)..., lui, il craint.

— Peut-être, mais moi je suis pire.

D'un geste rapide, Dillon tira le Walther de sous son blouson et tira, emportant la moitié de l'oreille gauche de Driscoll. Le sang gicla, l'homme porta la main à son oreille et se mit à gémir.

— Bon Dieu, Dillon ! s'écria Hannah.

— Je ne crois pas que Dieu ait grand-chose à voir là-dedans, dit Dillon en levant une nouvelle fois son Walther. Et maintenant, à l'autre.

— Non, je vais te le dire, gémit Driscoll. Ahern a téléphoné ici, hier. Il a laissé un message pour Billy. Je le lui ai transmis vers 17 heures, quand il est venu boire un verre.

— De quoi s'agissait-il ?

— Il devait le retrouver dans un entrepôt, l'Olivers, du côté de Wapping High Street, à Brick Wharf.

Sanglotant de douleur, Driscoll fouilla dans ses poches à la recherche d'un mouchoir. Dillon remit son pistolet sous son aisselle et se leva.

— Et voilà. Il ne t'a pas fallu trop longtemps pour parler.

— Vous êtes un salaud, Dillon, dit Hannah Bernstein en ouvrant la porte.

— On me l'a déjà dit. (Il se retourna.) Au fait, Paddy, tout à l'heure, Michael Ahern a tué Billy Quigley. Nous en sommes sûrs.

— Mon Dieu ! s'écria Driscoll.

— Je serais toi, je resterais en dehors de tout ça.

Dillon referma doucement la porte derrière eux.

La Daimler pénétra dans Brick Wharf, le long de la Tamise.

— J'appelle des renforts, général ? demanda Hannah Bernstein.

Ferguson baissa sa vitre et promena le regard alentour.

— Je crois que ça ne sera pas nécessaire, inspecteur. Il y a longtemps qu'il a dû partir. Allons voir.

Dillon ouvrit la voie, le Walther dans la main gauche. Franchir la petite porte découpée dans le portail, trouver l'interrupteur à tâtons, grimper les marches. Quigley était étendu sur le dos, devant le bureau. Dillon replaça le Walther dans son étui. Ferguson et Hannah s'avancèrent.

— C'est lui ? demanda-t-elle.

— J'en ai bien peur, dit Ferguson en soupirant. Occupez-vous de ça, inspecteur.

Tandis qu'elle appelait au moyen de son téléphone mobile, Ferguson redescendit l'escalier en compagnie de Dillon, puis sortit dans la rue et se planta devant la rambarde, au bord de la Tamise.

— Qu'en pensez-vous ? demanda Ferguson.

— Il savait probablement que Billy était un indicateur, répondit Dillon.

Ferguson se tourna alors vers Hannah qui venait de les rejoindre.

— Ce qui veut dire ?

— Si Dillon a raison, général, Ahern a monté tout un scénario.

— Mais quel genre de scénario ?

— Je crois qu'il est urgent de réfléchir, mon général, dit Dillon. Si vous voulez mon avis, c'est Ahern qui mène le jeu. Il va se passer quelque chose demain, vous verrez. Cela devrait me donner des idées sur la question, mais pas maintenant.

Dillon alluma une cigarette avec son vieux Zippo et retourna à la Daimler.

Le lendemain matin, peu avant 9 heures, Ahern conduisit son camion des Télécom sur le Mall. Il s'arrêta devant les portes du parc, juste en face de Marlborough Road. Norah le suivait, au volant d'une Toyota. Ali Halabi se tenait devant les portes, vêtu d'un jean et d'un anorak vert. Il se précipita vers Ahern :

— Quigley n'est pas là.

— Montez.

L'Iranien obéit, et Ahern lui passa l'une des vestes orange des Télécom.

— Il est malade. Il souffre d'asthme chronique, et avec le stress il a eu une crise aiguë. (Il haussa les épaules.) De toute façon, ça n'a aucune importance. Tout ce que vous avez à faire, c'est de conduire le camion. Norah et moi allons vous amener à votre poste. Sortez, ôtez le couvercle du regard puis traversez le parc à pied. Vous êtes toujours partant ?

— Parfaitement.

— Bon. Alors suivez-nous, et tout se passera bien.

Ahern descendit du camion et Halabi s'installa au volant.

— Dieu est grand, déclara-t-il.

— Ça c'est sûr, mon vieux, dit Ahern en s'éloignant pour rejoindre Norah, garée un peu plus loin.

Norah passa devant Buckingham Palace, tourna dans Grosvenor Place et retourna sur Constitution Hill par le parc. Obéissant à Ahern, elle se gara dans le virage, face au hêtre. Ahern sortit alors le bras par la vitre et leva le pouce : au même moment, le camion apparaissait dans le virage. La circulation s'écoulait sans problème. Ils redémarrèrent. Une cinquantaine de mètres plus loin, Ahern dit à Norah de s'arrêter. Ils virent Halabi sortir du camion, en faire le tour et ouvrir les portes arrière. Il en tira un long crochet, se pencha et souleva le couvercle du regard.

— Il travaille bien, ce garçon, dit Ahern.

Il tira de sa poche une petite télécommande en plastique et appuya sur un bouton. Derrière eux, le camion explosa, et deux voitures qui le dépassaient furent projetées de l'autre côté de la route.

— Et voilà où mène l'engagement, dit Ahern en administrant une tape sur l'épaule de Norah. Billy leur a dit qu'il allait y avoir un attentat ? Eh bien, ils l'ont, leur attentat.

— C'est un geste qui nous coûte cher. Maintenant que Halabi a disparu, nous n'aurons pas l'autre moitié de l'argent.

— Il y a deux millions et demi de livres déposées sur un compte en Suisse, Norah, ça n'est pas si mal payé, il ne faut pas être cupide. Allez, on s'en va.

C'était la fin de l'après-midi, et Ferguson travaillait encore à son bureau du ministère de la Défense. Hannah Bernstein fit son entrée.

— Il y a du nouveau ? demanda Ferguson.

— Pas vraiment, général. Aussi incroyable que

cela paraisse, on a réussi à identifier les restes comme étant ceux de Halabi, grâce notamment aux empreintes digitales. Il semble qu'il était sur la chaussée, et non dans le camion.

— Et les autres ?

— Deux voitures ont sauté. Dans la première, c'était une femme qui était au volant, un médecin. Elle a été tuée sur le coup. Dans la deuxième, il y avait un homme et une femme qui se rendaient à une réunion de représentants. Ils sont tous les deux en réanimation. (Elle posa le rapport sur le bureau de Ferguson.) Quigley avait raison, mais au moins Ahern a grillé sa dernière cartouche.

— C'est votre avis ?

— Vous avez vu le programme du président américain. Il devait passer sur Constitution Hill vers 10 heures pour se rendre à Downing Street. Ahern devait le savoir.

— Et l'explosion ?

— Prématurée. Ce genre de chose arrive très souvent, vous le savez. Halabi n'était qu'un amateur. J'ai épluché son dossier. Il a un diplôme de comptable de l'Ecole des sciences économiques de Londres.

— Oui, ça paraît logique... En tout cas, c'est ce que je pense.

— Mais Dillon n'est pas de cet avis... Où est-il ?

— Oh ! il traîne, il fouille un peu partout.

— Celui-là, il ne croirait pas sa propre mère.

— J'imagine que c'est pour ça qu'il est encore en vie, dit Ferguson. Servez-vous donc un café, inspecteur.

Dans la salle de bains, Ahern, face à son miroir, se passa de la brillantine dans les cheveux, les sépara soigneusement par une raie centrale, puis enduisit de colle une fausse moustache et l'appliqua sur sa lèvre supérieure. Posant ensuite sur son nez une paire de lunettes à monture d'écaille, il compara son reflet dans la glace à la photographie du laissez-passer. Norah pénétra alors dans la pièce. Elle était vêtue d'une jupe noire et d'un chemisier blanc, et ses cheveux tirés en arrière étaient ramenés en chignon. Comme lui, elle portait des lunettes, plutôt grandes, à monture noire. Son aspect était méconnaissable.

— De quoi ai-je l'air ? demanda-t-elle.

— Fabuleuse ! dit-il. Et moi ?

— Parfait, Michael. Super !

Ils quittèrent la salle de bains, et Ahern se dirigea vers un buffet d'où il sortit une bouteille de Bushmills et deux verres.

— Ça n'est pas du champagne, mais du bon whiskey irlandais. (Il leva son verre.) A notre pays aussi.

Norah reprit le toast traditionnel des loyalistes :

— A notre pays aussi.

Il vida son verre d'un trait.

— Bon, il ne manque plus que les couverts, et on y va.

Vers 18 h 30, Ferguson quitta le ministère de la Défense en compagnie de Hannah Bernstein et demanda au chauffeur de les conduire à son appartement de Cavendish Square. Kim, l'ancien caporal gurkha qui lui servait de valet de chambre depuis des années, leur ouvrit la porte.

— M. Dillon vous attend, mon général.

— Merci, dit Ferguson.

Ils trouvèrent Dillon debout dans le salon, face à la baie vitrée, un verre à la main. Il se retourna.

— Je me suis permis de me servir. J'espère que vous ne m'en voudrez pas.

— Où étiez-vous ? demanda Ferguson.

— Je suis allé glaner des informations par mes canaux habituels. Cette fois, l'IRA est hors de cause. C'est vraiment Ahern, et c'est ça qui m'inquiète.

— Puis-je vous demander pourquoi ? demanda Hannah.

— Parce que Michael est l'un des plus brillants organisateurs que j'aie jamais connus. Très intelligent, très fin, et très, très rusé. Comme je vous l'ai dit, sa main gauche ne sait pas ce que fait sa main droite.

— Donc, dit Ferguson, vous ne croyez pas qu'il s'est grillé sur cette opération ?

— Ce serait trop facile. Ça peut vous paraître machiavélique, mais je suis persuadé que tout était planifié, depuis la trahison de Quigley jusqu'à l'attentat manqué sur le trajet que devait emprunter le président des Etats-Unis.

— Vous le pensez vraiment ? demanda Hannah.

— Oh oui ! L'attentat manqué est destiné à endormir notre vigilance. Montrez-moi le programme de la visite présidentielle.

Hannah lui tendit un papier tandis que Ferguson se servait un verre.

— Pour une fois, dit Ferguson, j'espère que vous vous trompez, Dillon.

— Tiens ! s'exclama Dillon. Cocktail sur la Tamise à bord du *Jersey Lily*. Il y aura le Premier ministre britannique, le président américain et le Premier ministre israélien. C'est là qu'il va frapper ! C'était prévu depuis le début. Tout le reste n'était qu'un écran de fumée.

— Vous êtes fou, Dillon ! s'écria Ferguson.

Mais en même temps il se tourna vers Hannah Bernstein et la vit pâlir.

Elle consulta sa montre.

— Six heures et demie, général.

— Bon, allons-y ! lança Ferguson. Il ne nous reste plus beaucoup de temps.

Au même moment, Michael Ahern et Norah Bell garaient leur Toyota dans une rue latérale près de Cheyne Walk, et gagnaient à pied le quai Cadogan. Il y avait là des dizaines de voitures de police, des hommes en uniforme postés un peu partout, et un portique électronique dressé au pied de la passerelle. De part et d'autre du portique se tenaient deux hommes jeunes, solidement bâtis, vêtus d'un complet bleu.

— Des agents des services secrets, dit Ahern. Ce sont les gardes du corps du président. Ils ont dû acheter leurs complets dans la même boutique.

Norah et lui portaient leur badge d'identification au revers de leur veste. Avant de passer le portique, Ahern tendit en souriant une boîte en plastique à l'un des deux gardes du corps.

— Je vous prie de m'excuser, mais il y a deux cents couteaux, fourchettes et cuillers dans cette boîte. Ça risque de faire péter les fusibles de votre machin.

— Donnez-la-moi et vous, passez le portique, répondit l'homme des services spéciaux.

Lorsqu'ils l'eurent franchi, l'homme fourragea dans la boîte. Au même moment, plusieurs limousines firent leur apparition.

— Bon Dieu, c'est le Premier ministre israélien ! s'écria son collègue.

— Il va falloir nous laisser cette boîte, dit le premier homme. Allez-y.

— Comme vous voudrez.

Ahern monta la passerelle, suivi de Norah. En haut, ils franchirent une porte, et, grâce au plan du bateau qu'il avait parfaitement en mémoire, Ahern se dirigea vers les toilettes.

— Attends-moi ici, dit-il à Norah avant d'ouvrir la porte frappée du chiffre 4.

Un homme était occupé à se laver les mains. Ahern fit de même. Dès que l'homme fut parti, il se précipita vers le seau de sable disposé dans un coin et en sortit les deux pistolets Walther équipés d'un silencieux et enveloppés d'un film plastique. Il en glissa un dans un étui fixé à sa ceinture et l'autre dans la poche de son blazer. Il sortit, s'assura qu'il n'y avait personne et tendit le deuxième pistolet à Norah, qui le glissa dans la poche intérieure de son blazer.

— On y va, dit-il.

Au même moment, ils entendirent une voix au fort accent italien :

— Qu'est-ce que vous faites là, vous deux ?

Ils se retournèrent et aperçurent dans le couloir, venant à leur rencontre, un homme aux cheveux gris, vêtu d'une veste noire et d'un pantalon rayé.

— Qui vous a envoyés ?

— C'est M. Orsini, répondit Ahern, très sûr de lui. Nous devions aller au buffet de l'ambassade de France, mais au dernier moment il nous a dit de venir ici parce qu'il pensait que vous deviez manquer de personnel.

— Il avait raison. (Le maître d'hôtel se tourna vers Norah :) Pour vous, les canapés. Et le vin pour vous, dit-il à Ahern. Prenez à gauche en haut des escaliers. Et maintenant allez-y.

Il tourna les talons et s'éloigna.

Le Premier ministre britannique et le président américain étaient déjà montés à bord et l'équipage s'apprêtait à remonter la passerelle lorsque Ferguson, Dillon et Hannah arrivèrent dans leur Daimler. Ferguson se précipita sur la passerelle, mais fut intercepté par les deux agents des services spéciaux.

— Je suis le général Ferguson. Le colonel Candy est là ?

Un homme de haute taille, les cheveux gris, vêtu d'un complet noir, avec une cravate à rayures, s'avança rapidement vers eux.

— Bonjour, mon général. Il y a un problème ?

— Je vous présente mes adjoints, Dillon et l'inspecteur principal Bernstein.

Derrière eux on relevait la passerelle et le *Jersey Lily* s'éloignait lentement du quai.

— Oui, reprit Ferguson, j'ai peur qu'il n'y ait un

problème. Nous sommes à présent convaincus que l'attentat manqué de ce matin était un subterfuge. On vous a communiqué la photo de ce Michael Ahern, alors mettez tous vos hommes en état d'alerte : il est probable qu'il se trouve à bord.

— Entendu. (Le colonel Candy ne perdit pas de temps en vaines discussions et se tourna vers les deux agents des services spéciaux :) Jack, vous allez à l'arrière du bateau, et vous, George, à l'avant. Prévenez tout le monde. Moi,je me charge du président.

Tout le monde se précipita à son poste.

— Bon, lança Ferguson, essayons d'être efficaces nous aussi.

A la proue, un quartette jouait du jazz au milieu d'une foule dense d'hommes politiques et de diplomates qui entouraient le président américain et les Premiers ministres britannique et israélien. Des serveurs et des serveuses circulaient au milieu de cette foule, proposant vins et canapés.

— C'est un véritable cauchemar, déclara Ferguson.

Candy fit son apparition, dévalant un escalier métallique.

— Les trois chefs de gouvernement vont prononcer quelques mots dans une dizaine de minutes. Après cela, nous passerons devant les Houses of Parliament et débarquerons au quai de Westminster.

— On n'y arrivera pas, dit Ferguson à Dillon tandis que l'Américain s'éloignait.

— Il n'est peut-être pas ici, dit Hannah. Il est possible que vous vous trompiez, Dillon.

Il sembla ne pas l'avoir entendue.

— Il a dû préparer un moyen de fuite. (Il se tourna vers Ferguson.) Allons voir à la poupe.

Ils se frayèrent tant bien que mal un chemin dans la foule jusqu'à l'arrière du bateau, et Dillon se pencha au-dessus du bastingage.

— C'est bien ce que je pensais, dit-il en se retournant.

— Comment l'avez-vous deviné ? demanda Ferguson.

Dillon se pencha, et, saisissant un cordage, ramena vers le navire un canot pneumatique équipé d'un moteur hors-bord.

— Voilà son moyen de quitter le bord. Enfin... c'était son moyen.

Dillon se pencha, ouvrit le mousqueton retenant le cordage, et le canot disparut dans l'obscurité.

— Et maintenant ? demanda Hannah.

Au même moment, une voix retentit dans les haut-parleurs : « Mesdames et messieurs, le Premier ministre. »

— Ce n'est pas le genre à se suicider, fit Dillon, donc il ne va pas se mêler à la foule pour tirer.

Il leva la tête en direction de la cabine de pilotage perchée en haut du navire, trois niveaux au-dessus du pont où ils se trouvaient.

— Oui, ça doit être ça.

Il se rua dans l'escalier, Hannah et Ferguson sur ses talons. Un coup d'œil au pont n° 1 : désert. Il poursuivit son ascension. On entendit alors la voix du Premier ministre britannique : « J'ai le grand honneur de recevoir le président des Etats-Unis d'Amérique... »

Au moment où Dillon atteignait le pont supérieur, un serveur pénétrait dans le salon situé à l'extrémité, suivi par une serveuse qui portait un plateau recouvert d'une serviette blanche.

Le salon était désert. Ahern s'avança et observa par la grande baie vitrée le pont inférieur où le président américain se tenait devant un micro ; les Premiers ministres britannique et israélien se trouvaient légèrement en retrait. Ahern ouvrit l'une des vitres et sortit son pistolet.

La porte s'ouvrit doucement derrière lui, livrant passage à Dillon, son Walther à la main.

— Bon Dieu, Michael, mais tu n'arrêteras donc jamais !

Ahern se retourna, le pistolet plaqué contre la cuisse.

— Sean Dillon ! Espèce de salopard !

Il leva la main. Dillon lui tira deux balles dans le cœur. Le silencieux assourdit le bruit des détonations. En voyant Ahern projeté contre la cloison, Norah se figea, les mains crispées sur le plateau.

— S'il y a un pistolet sous la serviette, ne cherche pas à t'en emparer, Norah, sans ça je serai obligé de te tuer aussi. Et comme tu es une brave Irlandaise, j'en serais vraiment désolé. Alors pose ce plateau, maintenant.

Norah Bell obéit lentement et déposa le plateau sur la table la plus proche. Relâchant le bras qui tenait son Walther, Dillon se tourna vers Ferguson et Hannah :

— Vous voyez, tout est bien qui finit bien.

Mais derrière lui, Norah avait tiré le couteau dissimulé dans son bas. Elle lui en plongea la lame dans le dos. En titubant, Dillon lâcha le Walther.

— Salopard ! hurla Norah en lui portant un nouveau coup de couteau.

Dillon s'appuya à une table et resta ainsi un moment, immobile. Alors que Norah levait le bras, prête à frapper une troisième fois, Hannah se jeta à genoux, ramassa le Walther d'un geste vif et lui logea une balle en plein front. Dillon lâcha alors le rebord de la table et s'effondra.

Il était près de minuit, et Hannah Bernstein était assise dans la salle d'attente du premier étage de la London Clinic, l'un des plus grands hôpitaux du monde. La chambre de Dillon était toute proche. Elle était épuisée, ce qui, étant donné les circonstances, n'était guère étonnant, mais le café et les cigarettes la tenaient éveillée. La porte au fond du couloir s'ouvrit, et Hannah fut surprise de voir entrer, derrière Ferguson, le président des Etats-Unis et le colonel Candy.

— Le président retourne à l'ambassade des Etats-Unis..., lui dit Ferguson.

— ... mais après ce qui s'est passé, ajouta le président, j'ai tenu à venir ici. Vous êtes l'inspecteur principal Bernstein, je crois ? (Le président lui serra la main.) Je vous serai éternellement reconnaissant.

— C'est à Dillon que vous devez la vie, monsieur le président. C'est lui qui a deviné leur plan, c'est lui qui a compris qu'ils se trouvaient à bord.

Le président s'avança jusqu'à la fenêtre donnant sur la chambre. Dillon, hérissé de tuyaux, était allongé sur son lit, une infirmière à son côté.

— Comment va-t-il ? demanda le président.

— Il a été opéré. L'opération a duré quatre heures. Maintenant il est en réanimation. Il a reçu deux coups de couteau.

— J'ai fait venir le professeur Henry Bellamy du Guy's Hospital, monsieur le président, dit Ferguson. C'est le meilleur chirurgien de Londres.

— C'est bien, dit le président avec un hochement de tête. Général, je vous dois la vie, à vous et à vos hommes. Je ne l'oublierai jamais.

Lorsque le président se fut éloigné, le colonel Candy se pencha vers Ferguson.

— Heureusement que ça s'est passé discrètement : nous allons pouvoir étouffer l'affaire.

— Je sais, dit Ferguson. Il n'y a rien eu.

Lorsque Candy eut à son tour quitté les lieux, Hannah Bernstein regarda Ferguson.

— J'ai vu le professeur Bellamy il y a une demi-heure. Il est venu voir Dillon.

— Et quel est son diagnostic ? demanda Ferguson, visiblement inquiet. Ça va aller, n'est-ce pas ?

— Oh oui, il vivra, si c'est ce que vous voulez dire. Le problème, c'est que, d'après Bellamy, il ne sera probablement plus jamais le même. Elle l'a presque éventré, vous savez.

Ferguson lui passa le bras autour des épaules.

— Vous vous sentez bien ?

— Vous pensez que je suis bouleversée parce que j'ai tué quelqu'un tout à l'heure ? Pas du tout, général. Je n'ai rien de la gentille petite juive que se représente Dillon. Je suis plutôt une juive de l'Ancien Testament. Cette garce était une meurtrière. Elle méritait de mourir. (Elle prit une cigarette et l'alluma.) Non, c'est pour Dillon que je suis inquiète. Il a fait du bon travail. Il ne méritait pas ça.

— Je croyais que vous ne l'aimiez pas, dit Ferguson.

— Eh bien vous vous trompiez, général. (A travers la vitre elle regarda Dillon.) L'ennui, c'est plutôt que je l'apprécie trop, et que dans notre travail ça n'est jamais bon.

Elle tourna les talons et s'éloigna. Ferguson hésita un instant, puis, après un dernier regard à Dillon, alla la rejoindre.

3

Deux mois plus tard, de l'autre côté de l'Atlantique, dans un hôpital new-yorkais, Notre-Dame-de-la-Pitié, le jeune Tony Jackson s'apprêtait à prendre sa garde de nuit. C'était un bel homme de haute taille, âgé de vingt-trois ans, qui avait passé son diplôme de médecine l'année précédente à la faculté de Harvard. Peu de jeunes médecins auraient rêvé de faire leur internat dans cet hôpital modeste, voué aux plus démunis, et où travaillaient surtout des religieuses, mais Tony Jackson était un idéaliste. Il tenait à pratiquer une véritable médecine de terrain, et la direction de l'hôpital était enchantée d'avoir mis la main sur un jeune homme aussi brillant qui respectait les religieuses et manifestait un intérêt extraordinaire pour ses patients. Il était mal payé, mais ne s'en souciait guère. Son père, un célèbre avocat de Manhattan, était mort prématurément du cancer, laissant à sa famille de confortables revenus. De toute façon, sa mère, Rosa, venait de Little Italy, le quartier italien de New York, et était fille d'un des magnats de la construction.

Tony aimait les gardes de nuit, cette atmosphère si particulière que l'on retrouve dans tous les hôpitaux du monde, et il lui plaisait de se sentir responsable de tous ces malades. Pendant la première partie de la soirée, il eut à traiter des blessés de toutes sortes, recousant des visages tailladés, s'occupant de drogués en crise qui n'avaient pas les moyens de s'offrir leur dose. Pourtant, après minuit, la tension se relâcha.

Il était assis dans la petite cafétéria, devant un café et un sandwich, lorsqu'un jeune prêtre ouvrit la porte.

— Bonjour, je suis le père O'Brien, de l'église Saint-Mark. On m'a demandé de venir administrer les derniers sacrements à un gentleman écossais, M. Tanner.

— Excusez-moi, mon père, mais je ne suis arrivé que ce soir, et je ne suis pas au courant. Laissez-moi regarder le tableau. (Il parcourut rapidement la liste et acquiesça :) Ah, Jack Tanner, ce doit être lui. Il a été admis cet après-midi. Agé de soixante-quinze ans, citoyen britannique. Il s'est effondré au domicile de sa fille, dans Queens. Il a une chambre individuelle au deuxième étage, numéro huit.

— Je vous remercie, dit le prêtre avant de disparaître.

Jackson termina son café et se mit à parcourir distraitement le *New York Times*. Il ne s'était guère passé d'événements importants, sinon que l'IRA avait fait exploser une bombe dans la City de Londres, mais il lut un article sur Hong Kong, qui relatait la façon dont la Chine allait retrouver sa souveraineté sur la colonie britannique le 1er juillet 1997. Profitant du temps qui lui restait encore, le gouverneur mettait en place un système électoral démocratique, ce qui semblait déplaire au gouvernement de Pékin. Voilà qui augurait mal du prochain transfert de souveraineté.

D'un air ennuyé, il reposa le journal et quitta la petite cafétéria. Devant lui, les portes de l'ascenseur s'ouvrirent, livrant passage au père O'Brien.

— Ah, vous voilà, docteur. J'ai fait ce que j'ai pu pour ce pauvre homme, mais il ne sera plus longtemps de ce monde. Il est originaire des Highlands d'Ecosse, savez-vous ? Sa fille a épousé un Américain.

— C'est intéressant, dit Jackson. J'ai toujours cru que les Ecossais étaient protestants.

— Pas dans les Highlands, mon cher ami. La tradition catholique y est très forte. (Il sourit.) Bon, eh bien, je vais y aller. Je vous souhaite une bonne nuit.

Jackson le regarda s'éloigner, puis monta à son tour dans l'ascenseur vers le deuxième étage. En sortant, il aperçut l'infirmière de garde, la sœur Agnes, qui quittait la chambre huit pour se rendre à son bureau.

— Je viens de voir le père O'Brien, dit Jackson. Il m'a dit que ça n'avait pas l'air d'aller très bien pour M. Tanner.

— Voici son dossier, docteur. Bronchite chronique et emphysème sévère.

Jackson examina les papiers.

— La capacité respiratoire n'est que de douze pour cent et la pression artérielle est incroyable.

— Je viens d'écouter son cœur. Les pulsations sont très irrégulières.

— Allons le voir, dit Jackson.

Jack Tanner avait les traits tirés et l'air las, les cheveux rares et blancs. Il gardait les yeux fermés, et sa gorge gargouillait à chaque respiration.

— Il a eu de l'oxygène ? demanda Jackson.

— Il y a une heure. Je le lui ai donné moi-même.

— Ouais, mais elle n'a pas voulu me donner une cigarette, dit Jack Tanner en ouvrant les yeux. Vous ne trouvez pas ça terrible, docteur ?

— Allez, monsieur Tanner, fit la sœur Agnes d'un ton de doux reproche, vous savez bien que vous n'y avez pas droit.

Se penchant pour vérifier la perfusion, le médecin

remarqua une cicatrice sur le côté droit de la poitrine.

— Ça ne serait pas une blessure par balle ? demanda-t-il.

— Hé oui ! J'ai reçu une balle dans le poumon quand je servais dans le Highland Light Infantry. C'était en 1940, avant Dunkerque. Je serais mort si mon laird ne m'avait pas tiré de là. Lui aussi a été grièvement blessé : il a perdu un œil.

— Votre laird ? reprit Jackson, soudain intéressé.

Tanner fut pris d'une violente quinte de toux. Jackson prit le masque à oxygène.

— Respirez lentement... là... voilà.

Quelques instants plus tard, il le lui ôta. Tanner lui sourit faiblement.

— Je vais revenir, dit Jackson en quittant la chambre.

Dans le couloir, le médecin se tourna vers l'infirmière :

— Vous m'avez dit que sa fille vit à Queens ?

— Oui, c'est ça.

— Il n'y a pas de temps à perdre. Faites-la venir en taxi et mettez la note sur mon compte. Je ne crois pas qu'il tiendra très longtemps. Je vais aller m'asseoir un peu auprès de lui.

Le Dr Jackson avança une chaise près du lit.

— Que me disiez-vous, à propos de votre laird ?

— C'était le major Ian Campbell, Military Cross avec barrette. L'homme le plus courageux que j'aie jamais connu. Il était laird du château du Loch Dhu, dans les Highlands occidentales, comme ses ancêtres depuis des siècles.

— Qu'est-ce que c'est que le Loch Dhu ?

— C'est du gaélique. Ça veut dire le lac Noir. Nous qui avons grandi dans le coin, nous l'appelions les Eaux sombres.

— Alors vous connaissiez le laird depuis l'enfance ?

— Oui. On a appris ensemble à chasser la grouse, le cerf, et à pêcher dans les lacs les plus poissonneux du monde. Et puis la guerre a éclaté. Comme on avait tous les deux servi dans la réserve, on a tout de suite été envoyés en France.

— Ça devait être terrible.

— On a failli y rester, mais après ça le laird a obtenu un poste à l'état-major de Mountbatten. Vous avez entendu parler de lui ?

— Le comte Mountbatten, celui qui a été tué par l'IRA ?

— Les salauds ! Après tout ce qu'il avait fait pendant la guerre ! Il était commandant suprême des forces alliées en Asie du Sud-Est, et comme le laird était un de ses aides de camp, il m'a emmené avec lui.

— Ça devait être intéressant.

Tanner réussit à sourire.

— Est-ce que ça n'est pas la coutume d'offrir une cigarette à un condamné ?

Après une brève hésitation, Jackson tira un paquet de cigarettes de la poche de sa blouse.

— Condamnés, nous le sommes tous, monsieur Tanner.

— Ecoutez-moi, dit alors Tanner. Si vous me donnez une cigarette, je vous raconterai une histoire intéressante d'un accord signé à Ch'ung-king. J'avais juré à mon laird de n'en parler à personne, mais ça fait des années, et maintenant ça n'a plus d'importance.

— De quoi parlez-vous ? demanda Jackson.

— Une seule cigarette, docteur ; vous verrez, c'est une bonne histoire.

Jackson coupa l'oxygène, alluma une cigarette et l'introduisit entre les lèvres du malade. Le vieil homme inhala profondément la fumée, toussa, puis prit une nouvelle bouffée.

— Mon Dieu, quel plaisir ! (Il se rallongea.) Et maintenant, laissez-moi me rappeler... comment est-ce que ça a commencé ?

Tanner était allongé sur le dos, les yeux fermés, très affaibli.

— Que s'est-il passé après l'accident de votre appareil ? demanda Jackson.

Le vieil homme ouvrit les yeux.

— Le laird était grièvement blessé. Le cerveau, vous voyez. Il a été dans le coma pendant trois mois dans un hôpital de Delhi, et je suis resté près de lui comme ordonnance. Après, ils nous ont renvoyés à Londres par bateau. Et puis bientôt, ç'a été la fin de la guerre. Il a passé des mois dans le service de traumatologie cérébrale du Guy's Hospital, mais il ne s'est jamais vraiment remis : il avait été gravement brûlé au moment de l'accident, et il avait presque totalement perdu la mémoire. Au début de l'année 46 il a failli mourir, et j'ai renvoyé ses affaires au château du Loch Dhu.

— Et il est mort ?

— Non, il a encore vécu vingt ans. Nous sommes retournés au domaine, et il errait là-bas comme un enfant. Je m'occupais de lui toute la journée.

— Et sa famille ?

— Oh, il ne s'était jamais marié. Sa fiancée avait été tuée dans le blitz de Londres, en 1940. Il avait seulement une sœur, Lady Rose, que tout le monde appelait Lady Katherine. Son mari, un baronnet, avait été tué au cours de la campagne du désert. C'est elle qui dirigeait le domaine, et elle le dirige encore, bien qu'elle ait quatre-vingts ans, maintenant. Elle vit dans le pavillon d'entrée, et de temps en temps, pendant la période de la chasse, elle loue la grande maison à des riches Américains ou de riches Arabes.

— Et l'accord de Ch'ung-king ?

— Il n'en est rien sorti. Lord Mountbatten et Mao ne se sont jamais revus.

— Mais vous avez réussi à sauver la quatrième copie, celle qui était dissimulée dans la bible du laird. Est-ce qu'elle a été rendue aux autorités ?

— Non, elle est restée là où elle était, dans la bible. Après tout, ça regardait le laird, même s'il n'était pas en mesure de raconter grand-chose. (Il haussa les épaules.) Et puis les années ont passé, et ça ne paraissait plus si important que ça.

— Lady Katherine en a eu connaissance ?

— Je ne lui en ai jamais parlé. Je n'en ai jamais parlé à personne et le laird, lui, n'en était plus capable, et puis, comme je vous l'ai dit, ça ne paraissait plus très important.

— Mais à moi, vous m'en avez parlé, pourquoi ?

Un faible sourire se dessina sur les lèvres de Tanner.

— Parce que vous êtes un brave garçon, que vous m'avez parlé et que vous m'avez donné une cigarette. C'est si loin, tout ça... la pluie sur Ch'ung-king, Mountbatten et votre général Stillwell.

— Et la bible ? demanda Jackson.

— Comme je vous l'ai dit, j'ai envoyé toutes ses affaires chez lui quand j'ai cru qu'il allait mourir.

— Alors la bible est retournée au Loch Dhu ?

— On peut le dire.

Pour quelque raison connue de lui seul, Tanner se mit à rire, ce qui entraîna une nouvelle quinte de toux.

Le Dr Jackson saisit le masque à oxygène, mais au même moment la sœur Agnes ouvrait la porte de la chambre, introduisant un couple d'âge moyen.

— Voici M. et Mme Grant, dit-elle.

La femme se précipita pour prendre la main de son père. En respirant bruyamment, le vieil homme réussit à lui sourire, et elle commença à lui parler à voix basse dans une langue inconnue de Jackson.

Intrigué, le médecin se tourna vers le mari, un homme au visage avenant.

— C'est du gaélique, docteur, ils parlent toujours gaélique ensemble. Il était en visite, ici, à New York. Sa femme est morte d'un cancer l'année dernière, en Ecosse.

A cet instant précis, Tanner cessa de respirer. Sa fille poussa un cri et Jackson la poussa doucement dans les bras de son mari pour pouvoir se pencher sur le patient. Quelques instants plus tard, il se tourna vers eux.

— J'ai bien peur que ce soit fini, dit-il simplement.

Les choses auraient pu en rester là, mais Tony Jackson avait été frappé par la coïncidence entre les révélations de Tanner et l'article du *New York Times* sur Hong Kong et son retour dans le giron de la Chine. Cela d'autant plus que Tanner était mort à l'aube du dimanche et que tous les dimanches, lorsque ses gardes à l'hôpital le lui permettaient, il allait déjeuner chez son grand-père, à Little Italy. Il y retrouvait sa mère, qui depuis la mort de la grand-mère tenait le ménage du vieil homme.

Le grand-père de Tony Jackson se nommait Antonio Mori (il lui devait d'ailleurs son prénom), et avait bien failli ne pas naître américain, car sa mère, venue de Palerme, en Sicile, lui avait donné naissance à Ellis Island, lieu d'accueil de tous les immigrants.

Son père avait les amis qui convenaient — des amis dans la Mafia. Antonio avait d'abord commencé par travailler comme manœuvre, jusqu'à ce que les amis de son père lui trouvent un emploi plus lucratif dans le commerce de l'huile d'olive puis dans la restauration. Il avait su tenir sa langue, obéir toujours aux ordres qu'on lui donnait, et avait fini par faire fortune dans le bâtiment.

Sa fille n'avait pas épousé un Sicilien. Il l'avait

accepté, comme il avait accepté la mort de sa femme, à la suite d'une leucémie. Son gendre, un riche avocat anglo-saxon, avait apporté à sa famille la respectabilité, mais sa mort avait été des plus opportunes. Elle avait ramené à Mori sa fille bien-aimée en même temps que son petit-fils, un jeune homme brillant qui avait fait ses études à Harvard. Peu importait, au fond, qu'il eût choisi médecine. Mori pouvait parfaitement pourvoir aux besoins de la famille parce qu'il appartenait à la Mafia, et à la famille Luca, dont le chef, Don Giovanni Luca, en dépit de son retour en Sicile, était *capo di tutti capi.* Patron de tous les patrons de la Mafia. Le respect qu'en tirait Mori n'avait aucun équivalent en termes d'argent.

Lorsque Jackson arriva à la maison de son grand-père, sa mère Rosa était occupée à surveiller la confection du repas à la cuisine, en compagnie de Maria, la servante. Elle était encore belle en dépit de ses cheveux gris. Elle l'embrassa sur les deux joues puis l'éloigna d'elle, le tenant à bout de bras.

— Qu'est-ce que tu as mauvaise mine ! Tu as les yeux cernés.

— J'ai fait la garde de nuit, maman. J'ai dormi trois heures, j'ai pris une douche, et je suis venu pour ne pas te décevoir.

— Tu es un bon garçon. Allez, va dire bonjour à ton grand-père.

Jackson trouva Mori assis au salon, où il lisait le journal du dimanche. Il se pencha pour embrasser le vieil homme sur la joue.

— J'ai entendu ta mère : elle a raison, dit Mori. Tu fais le bien, mais en même temps tu te tues au travail. Tiens, prends un verre de vin rouge.

Jackson accepta et but une gorgée avec un plaisir non dissimulé.

— Mmm, il est bon.

— Ta nuit s'est bien passée ?

Mori s'intéressait sincèrement à ce que faisait son petit-fils, au point d'ennuyer ses amis par les louanges qu'il lui prodiguait.

Pour échapper à ses compliments, Jackson alla ouvrir la baie vitrée et alluma une cigarette. Puis il se retourna.

— Tu te souviens du mariage de Solazzo, le mois dernier ?

— Oui, répondit Mori.

— Tu m'as présenté Carl Morgan, avec qui tu conversais.

— Tu l'as beaucoup impressionné, il me l'a dit. (On sentait la fierté dans la voix de Mori.)

— Eh bien... lui et toi, vous discutiez affaires...

— C'est absurde ! Quelles affaires veux-tu que nous ayons en commun ?

— Je t'en prie, grand-père, je t'aime mais je ne suis pas idiot. Crois-tu qu'à mon âge je ne me sois pas encore rendu compte du genre d'affaires que tu traitais ?

Mori acquiesça lentement en prenant la bouteille de vin.

— Encore un verre ? Et maintenant, dis-moi où tu veux en venir.

— M. Morgan et toi, vous parliez de Hong Kong. Il évoquait d'importants investissements dans des gratte-ciel, des hôtels, etc., et il s'inquiétait de ce qui allait se passer lorsque le territoire reviendrait à la Chine communiste.

— C'est très simple. Ça fera des milliards de dollars jetés dans les toilettes, dit Mori.

— Hier, dans le *New York Times*, il y avait un article sur Hong Kong : on disait que Pékin était furieux que les Britanniques aient introduit un système politique démocratique avant l'échéance de 1997.

— Mais où veux-tu en venir ? demanda Mori.

— Je ne me trompe pas en supposant que tes associés et toi vous avez des intérêts à Hong Kong ?

Son grand-père le contempla d'un air pensif.

— On pourrait considérer les choses comme ça. Mais encore une fois, où veux-tu en venir ?

— Et si je te disais qu'en 1944 Mao Tsé-toung a signé avec Lord Louis Mountbatten un document appelé l'accord de Ch'ung-king, prévoyant que, s'il parvenait au pouvoir, le traité sur Hong Kong serait prolongé de cent ans, en échange de l'aide des Britanniques pour combattre les Japonais ?

Le vieil homme le fixa un moment sans rien dire, puis se leva, alla fermer la porte du salon et revint s'asseoir.

— Explique-moi ça.

Jackson s'exécuta et, lorsqu'il eut terminé, son grand-père demeura un long moment songeur. Puis il se leva à nouveau, gagna son bureau et en revint avec un petit magnétophone.

— Redis-moi tout ça. Tout ce que tu m'as dit. N'omets aucun détail.

Au même instant, Rosa ouvrit la porte.

— Le déjeuner est presque prêt.

— Je te demande un quart d'heure, *cara*, dit son père. C'est important.

Elle fronça les sourcils, l'air un peu intrigué, mais referma la porte.

— J'ai bien dit tout, répéta le grand-père en allumant l'appareil.

Lorsque Mori se rendit au terrain de polo de Glendale, cet après-midi-là, il pleuvait. Il y avait pourtant une petite foule serrée, abritée sous des parapluies ou sous les arbres, parce que Carl Morgan jouait, et qu'avec son handicap de dix buts, Carl Morgan était un joueur de premier plan. C'était un homme d'une cinquantaine d'années, superbe d'allure, 1,83 mètre, large d'épaules, les cheveux coiffés en arrière.

Sa chevelure était d'un noir d'encre, héritage de sa mère, nièce de Don Giovanni. Elle avait épousé un jeune officier, au cours de la Seconde Guerre mondiale, qui avait brillamment servi ensuite en Corée et au Viêt-nam, puis avait pris sa retraite avec le grade de général de brigade. Grâce à leur fils, le couple vivait à présent confortablement en Floride.

Ce fils était lui-même fort respectable : diplômé de Yale en 1965, il s'était engagé dans les parachutistes en pleine guerre du Viêt-nam, et avait reçu deux Purple Hearts, une Silver Star et une médaille du courage vietnamienne. Ses hauts faits de guerre lui avaient ouvert les portes de Wall Street, puis de l'industrie hôtelière et celles du bâtiment. Devenu milliardaire, Carl Morgan avait désormais sa place dans la haute société, aussi bien à New York qu'à Londres.

Une partie de polo se divise en six *chukkas* durant chacune sept minutes et opposant quatre joueurs de chaque camp. Carl Morgan jouait à l'avant, ce qui lui permettait de donner libre cours à sa brutalité.

On en était à la fin lorsque Mori descendit de sa voiture. Son chauffeur fit le tour et vint l'abriter avec un parapluie. A quelques mètres de là, une ravissante jeune femme se tenait elle aussi près de sa voiture, un imperméable Burberry jeté négligemment sur les épaules. Elle était grande, 1,75 mètre environ, de longs cheveux blonds tombant sur les épaules, les pommettes hautes, les yeux verts.

— La fille de M. Morgan est vraiment ravissante, dit le chauffeur.

— C'est sa belle-fille, Johnny, lui rappela Mori.

— C'est vrai, j'oubliais, mais il faut avouer que depuis qu'elle a pris son nom... C'est vraiment triste que sa mère soit morte comme ça. Mais Asta... quel drôle de prénom !

— C'est suédois, dit Mori.

Asta Morgan sautait sur place à pieds joints, au comble de l'excitation.

— Vas-y, Carl ! Rentre-leur dedans !

Carl Morgan, qui passait devant elle à ce moment-là, lui adressa un sourire éblouissant puis fonça sur son jeune adversaire, glissa le pied sous son étrier et le projeta par terre, ce qui est rigoureusement interdit par les règles du jeu. Un instant plus tard, il marquait un but.

Son équipe avait gagné la partie. Il rejoignit au petit galop l'endroit où se tenait Asta et descendit de cheval. Un valet prit les rênes de sa monture. Asta tendit une serviette à son beau-père, alluma une cigarette et la lui donna. Elle le regardait en souriant, et l'intimité qui existait entre eux semblait exclure le monde entier.

— Il l'aime beaucoup, fit remarquer Johnny.

Mori acquiesça.

— Apparemment, oui.

Morgan aperçut alors Mori et lui adressa un geste de la main. Ce dernier s'avança.

— Bonjour, Carl. Bonjour, Asta. (Il porta la main à son chapeau.)

— Que puis-je faire pour toi ? demanda Morgan.

— Je suis venu pour affaires, Carl. Il s'est passé quelque chose, hier soir, dont je me suis dit que ça pourrait t'intéresser.

— Rien dont tu ne puisses parler devant Asta, j'imagine ?

Mori hésita un instant.

— Non, bien sûr que non. (Il sortit de sa poche le petit dictaphone.) Hier soir, mon petit-fils Tony a vu mourir un homme à l'hôpital Notre-Dame-de-la-Pitié. Mais avant de mourir, celui-ci lui a raconté une histoire extraordinaire. Je crois que ça pourrait t'intéresser, Carl.

— D'accord, mais abritons-nous d'abord de la pluie.

Morgan fit monter Asta dans le break et s'y engouffra derrière elle.

Mori les rejoignit.

— Ecoutez ça.

Lorsque la bande eut défilé, Morgan demeura un instant silencieux, la cigarette pendant au coin des lèvres, le visage impénétrable.

— C'est une histoire sidérante, dit Asta.

Elle avait une voix profonde, agréable, aux intonations plus anglaises qu'américaines. Morgan se tourna vers Mori.

— Laisse-moi cette bande. Je vais demander à ma secrétaire de la transcrire, et je l'enverrai par fax codé à Don Giovanni, à Palerme.

— J'ai bien fait, alors ?

— Oui, tu as bien fait, Antonio, dit Morgan en lui prenant la main.

— En fait, Carl, tout le mérite en revient à Tony. Mais dis-moi, qu'est-ce que je vais faire de lui ? Il a fini sa médecine à Harvard, la Mayo Clinic, c'est un jeune homme brillant, et maintenant le voilà qui travaille avec des religieuses à Notre-Dame-de-la-Pitié, et tout ça pour des clopinettes !

— Laisse-le, dit Morgan. Il fera son chemin. Moi, Antonio, je suis allé au Viêt-nam. Ça, personne ne peut me le retirer. Le gosse de riche qui va en enfer alors qu'il n'y est pas obligé, tu ne peux rien dire contre. Ça veut dire quelque chose. Ton petit-fils ne restera pas là-bas toute sa vie, mais toute sa vie, on l'admirera pour ce qu'il y aura fait. C'est un garçon intelligent. (Il posa la main sur l'épaule de Mori.) Dis-moi, j'espère que je ne te parais pas trop calculateur ?

— Non, non, protesta Mori. Pas du tout. C'est vrai que j'en suis fier. Merci, Carl, merci. Bon, je vais vous laisser. Asta...

Il lui adressa un signe de tête et descendit de voiture.

— C'est gentil ce que tu lui as dit à propos de Tony, fit remarquer Asta lorsque Mori fut parti.

— C'est la vérité. C'est un garçon brillant. Il terminera sur Park Avenue, sauf qu'à la différence de tous les autres brillants médecins installés là-bas, il restera toute sa vie celui qui a travaillé pour les religieuses, dans les quartiers pauvres, et ça, ça n'a pas de prix.

— Quel cynique tu fais !

— Mais non, ma chérie, je suis simplement réaliste. Bon, allons-y, maintenant. Je suis affamé. Je t'emmène dîner.

Ils en étaient encore au café lorsque l'un des serveurs du Four Seasons s'approcha de leur table, un téléphone mobile à la main.

— Un appel pour vous, monsieur. Ça vient de Sicile. C'est urgent, m'a-t-on dit.

La voix au téléphone était dure, reconnaissable entre toutes.

— Allô, Carl ? Ici Giovanni.

Morgan se raidit sur son siège.

— Mon oncle ? (Il passa aussitôt à l'italien.) Quelle bonne surprise ! Comment vont les affaires ?

— Tout se présente bien, surtout depuis que j'ai lu ton fax.

— J'ai donc eu raison de te mettre au courant ?

— Tu as eu tellement raison que je veux que tu prennes le premier avion pour venir me voir. C'est une affaire sérieuse, Carl, très sérieuse.

— Entendu, oncle Giovanni. Je serai là demain. Asta est avec moi. Tu veux lui parler ?

— Je préférerais la voir, alors amène-la avec toi. Au revoir, Carl.

Un déclic. Le serveur s'avança et récupéra l'appareil téléphonique.

— De quoi s'agissait-il ? demanda Asta.

— Les affaires. Apparemment, Giovanni prend très au sérieux cette histoire d'accord de Ch'ungking. Il veut que je sois à Palerme demain. Et toi

aussi, mon amour. Il est temps que tu visites la Sicile.
Il adressa un signe au maître d'hôtel.

Ils prirent le lendemain matin un vol direct pour Rome. De là, un avion privé les conduisit à l'aéroport de Punta Raisi, à trente-cinq kilomètres de Palerme. Une limousine Mercedes les y attendait, auprès de laquelle se tenaient un chauffeur et un homme vêtu d'un imperméable en nylon bleu, l'air dur, les pommettes hautes, au nez aplati de boxeur.

— C'est le principal garde du corps de mon oncle, murmura Carl Morgan à l'oreille d'Asta. (En souriant, il tendit la main à l'homme.) Bonjour, Marco, ça fait longtemps. Je vous présente ma fille, Asta.

Marco réussit à imprimer un demi-sourire sur son visage.

— Enchanté. Bienvenue en Sicile, mademoiselle. Et je suis content de vous revoir, monsieur. Le Don n'est pas en ville, il est à la villa.

— Eh bien, allons-y.

La villa de Giovanni Luca se trouvait en dehors du village, au pied du Monte Pellegrino qui s'élance à l'assaut du ciel à cinq kilomètres au nord de Palerme.

— Pendant les guerres puniques, expliqua Morgan, les Carthaginois se sont retranchés sur cette montagne et ont tenu tête aux Romains pendant trois ans.

— Ç'a l'air d'un endroit extraordinaire, dit-elle.

— Le sang a coulé ici pendant d'innombrables générations. (Il agita le journal local que Marco lui avait donné.) Regarde, la nuit dernière, trois soldats ont été tués lors d'un attentat à la voiture piégée, et ce matin un prêtre a été abattu d'une balle dans la nuque parce qu'on le soupçonnait d'être un indicateur.

— Toi, au moins, tu es du bon côté.

Il lui prit la main.

— Tout ce que je fais est légal, Asta, c'est ça l'important. Mes intérêts et ceux de mes associés sont blancs comme neige.

— Je sais, dit-elle. C'est toi le plus grand. Ton père est général, toi tu es un héros de la guerre, un milliardaire, un philanthrope, et l'un des meilleurs joueurs de polo du monde. D'ailleurs, la dernière fois que tu es allé à Londres, le prince Charles t'a demandé de jouer pour lui.

— Il veut que je vienne le mois prochain.

Elle rit, et il ajouta :

— Mais n'oublie jamais, Asta, que le vrai pouvoir ne vient pas de New York, il vient de ce vieil homme que nous allons voir maintenant.

Ils franchirent le portail commandé électroniquement et traversèrent le jardin tropical pour gagner la grande villa de style mauresque.

Le dallage noir et blanc de l'immense salle de réception était recouvert de tapis, le mobilier italien, en chêne, datait du XVIIe siècle, un feu brûlait dans la cheminée et, par les hautes portes-fenêtres, on apercevait le jardin. Giovanni Luca était assis sur un canapé à haut dossier, un cigare aux lèvres, les mains croisées sur le pommeau en argent de sa canne. C'était un homme corpulent, qui devait peser au moins cent kilos, la barbe grise bien taillée, l'allure d'un empereur romain.

— Viens ici, mon enfant, dit-il à Asta. (Elle s'avança et il l'embrassa sur les deux joues.) Tu as encore embelli depuis la dernière fois que je t'ai vue, à New York, il y a un an et demi. La mort de ta mère, l'année dernière, m'a beaucoup attristé.

— Ce sont des choses qui arrivent.

— Je sais. John Kennedy a dit un jour que celui qui croit que la vie est juste est sérieusement mal informé. Tiens, viens t'asseoir à côté de moi. (Il leva alors les yeux vers Morgan.) Tu as l'air en forme, Carlo (il l'appelait toujours ainsi).

— Toi aussi, oncle Giovanni, tu as une mine superbe.

Luca tendit la main et Morgan la baisa.

— Ça me plaît bien que tu laisses apparaître ton côté sicilien. Tu as eu raison de me mettre au courant pour cette histoire d'accord de Ch'ung-king, et Mori s'est montré sage en t'en parlant.

— On le doit à son petit-fils, dit Morgan.

— Oui, bien sûr. Le jeune Tony est un bon garçon, c'est un idéaliste, et c'est une bonne chose. Il faut des saints parmi nous, Carlo, cela nous rend plus acceptables par le reste du monde.

Il claqua des doigts et un valet de chambre en veste blanche fit son apparition.

— Zibibbo, Alfredo.

— Tout de suite, Don Giovanni.

— Ça va te plaire, Asta, dit Luca. C'est un vin de l'île de Pantelleria, parfumé à l'anis. (Il se tourna vers Morgan.) Marco m'a emmené faire une promenade dans la campagne, l'autre jour, jusqu'à ta ferme de Valdini.

— En quel état est-elle ?

— Le gardien et sa femme semblent se la couler douce. Tu devrais en faire quelque chose.

— Mais mon grand-père y est né, oncle Giovanni, c'est un morceau de Sicile. Comment veux-tu que je change quoi que ce soit là-bas ?

— Tu es un bon garçon, Carlo, tu es peut-être à moitié américain, mais ton cœur est resté sicilien.

— Nous boirons donc à l'accord de Ch'ung-king, dit Morgan tandis qu'Alfredo ouvrait la bouteille. Qu'en penses-tu ?

— Nous avons des milliards de dollars investis à Hong Kong dans les hôtels et les casinos, et nos intérêts vont être sérieusement menacés lorsque les communistes viendront au pouvoir en 1997. Tout ce qui pourrait retarder cette arrivée serait un miracle.

— Mais est-ce que la production d'un tel document aurait vraiment un effet ? demanda Asta.

Luca prit le verre que lui tendait Alfredo.

— Les Chinois ont pris soin de faire adopter le changement de statut de Hong Kong par les Nations unies. Ils étaient candidats à l'organisation des jeux Olympiques, ils sont en quête de respectabilité internationale. Qui sait les conséquences que pourrait entraîner la mise au jour d'un document portant la signature sacrée de Mao Tsé-toung ?

— C'est vrai, reconnut Morgan, mais ils vont aussitôt prétendre qu'il s'agit d'un faux.

— Oui, rétorqua Asta, sauf que ça n'est pas un faux, nous le savons, et tous les experts devront bien en convenir.

— Cette fille est intelligente, dit Luca en lui tapotant le genou. Nous n'avons rien à perdre, Carlo. En produisant ce document, on peut au moins espérer retarder le processus de rétrocession du territoire à la Chine. Et même si nous perdons des millions de dollars, ça embêtera les Chinois, et surtout les Anglais. C'est leur faute : ils n'avaient qu'à régler cette affaire avant.

— C'est drôle que vous disiez ça, observa Asta. J'ai l'impression que c'était exactement ce que Mountbatten essayait de faire en 1944.

Luca éclata de rire et leva son verre.

— Sers-moi encore du vin, Alfredo.

— Que suggères-tu ? demanda Morgan.

— Trouve cette bible à couverture d'argent.

— D'après ce qu'a dit Tanner, elle doit être quelque part au château du Loch Dhu, dit Asta.

— Exactement, fit Luca. Dès que j'ai reçu ton fax, Carlo, j'ai chargé mon avocat à Londres de se renseigner sur le château. Pour le moment, il est loué à un cheikh du sultanat d'Oman, un prince de la famille royale : on ne peut rien faire. Il doit y rester encore un mois. Ensuite, mon avocat l'a loué à ton nom pour trois mois.

— Parfait, dit Morgan. Ça me donnera le temps de fouiller les lieux. Cette bible doit bien être quelque part.

— J'ai demandé à mon avocat de se rendre là-bas, et de signer le bail directement avec la propriétaire, Lady Katherine Rose. Il lui a parlé de la bible, lui a dit qu'il avait entendu parler de la légende qui veut que tous les lairds l'aient portée sur eux au combat. Mais, au téléphone, il m'a dit qu'elle était vieille et un peu gâteuse et que ça faisait des années qu'elle n'avait plus vu cette bible.

— Pourtant, d'après Tony Jackson, il aurait dit à Tanner : « Alors, la bible est retournée au Loch Dhu ? »

Morgan l'interrompit :

— Et Tanner aurait répondu : « On peut le dire. »

Asta acquiesça.

— Et à ce moment-là il se serait mis à rire. Je trouve ça curieux.

— Curieux ou pas, cette bible doit bien être quelque part, dit Luca. Tu la trouveras, Carlo. (Il se leva.) Et maintenant, allons dîner.

Marco Russo se tenait dans le couloir. Lorsqu'ils passèrent devant lui, Luca se tourna vers Morgan.

— Tu pourras prendre Marco avec toi au cas où une intervention musclée serait nécessaire. (Il tapota la joue de Marco.) Tu vas connaître les Highlands d'Ecosse, Marco, il va falloir te couvrir.

— A vos ordres, *capo*.

Marco ouvrit la porte de la salle à manger, où deux serveurs attendaient déjà les convives. Demeuré dans le salon, Alfredo prit la bouteille de vin et les verres et les amena dans la cuisine. Il annonça au cuisinier qu'il s'en allait et, après avoir allumé une cigarette, gagna les quartiers des domestiques, au fond du jardin. Alfredo était un excellent valet de chambre mais un policier meilleur encore ; il faisait partie des inspecteurs nouvellement arrivés de la péninsule, et avait réussi à obtenir ce poste chez Luca trois mois auparavant.

D'habitude, il quittait la maison pour appeler ses supérieurs, mais pour l'heure, les deux autres valets de chambre, le cuisinier et la bonne étaient occupés à leur travail : il se retrouvait seul. En outre, ce qu'il avait entendu lui paraissait suffisamment important pour qu'il prenne le risque de téléphoner sur-le-champ. Il saisit l'appareil accroché au mur du couloir et composa un numéro à Palerme. On lui répondit aussitôt.

— Gagini ? C'est moi, Ponti. J'ai quelque chose. Carl Morgan est arrivé ce soir avec sa belle-fille. Ils ont raconté une histoire très curieuse à Luca. Vous avez déjà entendu parler de l'accord de Ch'ung-king ?

L'interlocuteur du pseudo-Alfredo n'était autre que Paolo Gagini, l'un des dirigeants des services secrets italiens, installé à Palerme sous une couverture d'homme d'affaires.

— Jamais, dit-il. Attendez, laissez-moi brancher le magnétophone. Bon... allez-y, racontez-moi tout.

Alfredo s'exécuta.

— Vous avez fait du bon travail, dit Gagini lorsqu'il eut terminé, quoique je ne voie pas bien où ça nous mène. Je vous recontacterai. Soyez prudent.

Alfredo reposa le combiné et alla se coucher.

Dans son appartement de Palerme, Gagini réfléchissait. Il pouvait prévenir Rome, mais il y avait peu de chances qu'on s intéressât à son histoire. Tout le monde savait qui était en réalité Carl Morgan, bien sûr, mais l'homme avait su se bâtir une respectabilité. De toute façon, ses activités en Ecosse relevaient des autorités britanniques, ce qui lui donna l'idée de prévenir son vieil ami des services de renseignements britanniques. Gagini sourit. C'était quelqu'un qu'il aimait bien. Il sortit son agenda et composa le numéro du ministère de la Défense à Londres.

— Passez-moi le général Charles Ferguson, s'il vous plaît. Appel prioritaire.

Deux heures plus tard, alors que Morgan et Asta s'étaient retirés, Marco vint réveiller Alfredo.

— Le *capo* veut te voir.

— Qu'est-ce qui se passe ?

Marco haussa les épaules.

— J'en sais rien. Il est sur la terrasse.

Alfredo s'habilla à la hâte et suivit Marco dehors. Il n'éprouvait aucune appréhension particulière. Tout s'était bien passé depuis trois mois et il avait pris toutes les précautions nécessaires ; pourtant, à tout hasard, il glissa un petit automatique dans sa ceinture.

Giovanni Luca était assis sur la terrasse, sur une chaise cannée ; Marco alla s'appuyer à un pilier.

— Vous avez donné un coup de téléphone, tout à l'heure, lui dit le vieil homme.

Alfredo sentit sa bouche s'assécher.

— Oui, j'ai téléphoné à mon cousin de Palerme.

— Tu mens, dit Marco. Nous avons un mouchard électronique. Il a enregistré un code-barres vierge, ce qui rend impossible l'identification du numéro.

— Il n'y a que les services secrets qui utilisent ce système, dit Luca.

Alfredo pivota brutalement sur ses talons et s'enfuit à travers le jardin. Marco tira de sous son aisselle un pistolet équipé d'un silencieux.

— Ne le tue pas ! s'écria Luca.

Marco lui tira une balle dans la jambe. Le jeune homme s'écroula sur le sol mais parvint à sortir l'automatique de sa ceinture. Marco n'avait guère le choix. Il lui logea une balle entre les yeux.

Luca s'avança, appuyé sur sa canne.

— Pauvre garçon, si jeune ! Ils essayeront encore d'infiltrer des gens ici. Débarrasse-toi du corps, Marco.

Il tourna les talons et s'éloigna.

4

Hannah Bernstein déposa un dossier sur le bureau de Ferguson.

— Voilà tout ce que nous avons sur Carl Morgan.

Ferguson s'enfonça dans son fauteuil.

— Racontez-moi.

— Son père est général de brigade à la retraite, mais sa mère est la nièce de Giovanni Luca, ce qui veut dire que, malgré ses études à Yale et toutes ses histoires de bravoure pendant la guerre du Viêt-nam, malgré ses intérêts dans l'hôtellerie et l'immobilier, il travaille pour la Mafia.

— Certains vous diraient que c'est le visage nouveau et respectable de l'ancienne Mafia.

— Permettez général, tout ça, ce sont des conneries.

— Oh, madame l'inspecteur principal ! Voilà un mot bien grossier.

— Un voyou est un voyou, même s'il porte des complets Brioni et qu'il joue au polo avec le prince Charles.

— Entièrement d'accord avec vous. Qu'avez-vous appris sur le château du Loch Dhu ?

— Il est loué pour un mois encore au prince Ali ben Youssef, d'Oman.

— Ça n'est pas très réjouissant. Il est toujours très difficile de traiter avec les familles royales arabes.

— Il y a autre chose, général. Carl Morgan a déjà réservé trois mois de location dès le départ du prince.

— Pourquoi diable fait-il une chose pareille ? marmonna Ferguson, les sourcils froncés. Ça a ne peut être que pour récupérer cette bible. Je ne vois pas d'autre explication. Qu'avez-vous appris d'autre sur ce domaine ?

— Il appartient à une certaine Lady Rose, la sœur de Campbell. Elle vit dans le pavillon du gardien. Elle a quatre-vingts ans et une mauvaise santé. (Hannah consulta son dossier.) Je vois qu'il y a aussi un petit pavillon de chasse à louer. Il s'appelle Ardmurchan Lodge. A une quinzaine de kilomètres du château, en pleine forêt.

Ferguson hocha la tête.

— Essayons donc le moyen le plus simple. Prenez le Lear à l'aéroport de Gatwick dès que vous pourrez et allez voir cette Lady Katherine. Dites-lui que vous voulez louer le pavillon de chasse pour moi. Dites-lui aussi que cette région vous a toujours intéressée parce que votre grand-père a servi avec Campbell pendant la guerre. Profitez-en pour lui parler de la bible. Elle pourrait aussi bien être posée sur une table basse au milieu du salon.

— Entendu, je vais suivre vos instructions.

Le téléphone de Ferguson sonna et elle décrocha. Quelques instants plus tard, elle se tourna vers son supérieur :

— Dillon subit ses derniers examens à l'hôpital.

— Je sais, dit Ferguson.

— Et cette bible, général ? Vous croyez réellement qu'elle pourrait être tout simplement posée sur une table ?

— En fait, pas vraiment. Luca et Morgan ont dû avoir la même idée, mais le fait qu'ils aient loué le château pendant trois mois prouve que ça ne doit pas être aussi simple.

— Oui, ça me paraît logique. (Elle déposa un autre dossier sur le bureau de Ferguson.) Le rapport médical de Dillon, général. Il n'est pas bon.

— Oui, j'en ai parlé avec le professeur Bellamy. C'est lui qui procède aux derniers examens, ce matin. Ensuite, Dillon doit passer me voir.

— Il est fini, général ?

— Il semble bien, mais ça n'est pas votre problème, c'est le mien. Donc, allez en Ecosse et voyez ce que vous pouvez en ramener. Entre-temps, je parlerai au Premier ministre. Au stade où nous en sommes, un coup de téléphone devrait suffire, mais il faut absolument qu'il soit tenu au courant de ce qui se passe.

— Vous pouvez vous rhabiller, monsieur Dillon, dit Bellamy. Je vous reverrai dans mon bureau.

Dillon descendit de la table d'opération où le professeur l'avait examiné. La chair semblait s'être ratatinée sur ses os, et il avait de larges cernes noirs sous les yeux. En jetant un regard dans le miroir, il aperçut les cicatrices que lui avaient laissées les deux opérations.

Il s'habilla avec lenteur, éprouvant une fatigue tout à fait inhabituelle. Lorsqu'il enfila sa veste, le Walther qui se trouvait dans la poche gauche lui sembla peser une tonne. Il gagna le cabinet attenant, où Bellamy était assis derrière son bureau.

— Comment vous sentez-vous ?

Dillon s'effondra sur une chaise.

— Très mal. Je suis très faible, je n'ai plus aucune énergie, et puis il y a toujours la douleur. (Il secoua la tête.) Combien de temps va-t-elle durer ?

— Un certain temps, dit Bellamy. La lame a endommagé l'estomac, les reins, la vessie, elle a éraflé la colonne vertébrale. Vous vous rendez compte que vous êtes passé à deux doigts de la mort ?

— Je sais, je sais. Mais qu'est-ce qu'il faut que je fasse, maintenant ?

— Prenez de longues vacances, de préférence au soleil. Ferguson vous arrangera ça. Quant à la douleur... (Il poussa dans sa direction un flacon de comprimés.) J'ai augmenté vos doses de morphine.

— Merci infiniment, comme ça je ne vais pas tarder à me retrouver dans la peau d'un junkie. (Il se leva avec lenteur.) Bon, je vais y aller. Autant voir Ferguson et en finir rapidement.

Au moment où Dillon allait ouvrir la porte, Bellamy lui lança :

— Venez me voir quand vous voulez, Sean.

Une heure avant le décollage de Gatwick, Hannah se trouvait encore à son bureau où elle réglait les derniers détails de son voyage. Le château du Loch Dhu était situé dans une région nommée Moidart, sur la côte nord-ouest de l'Ecosse, non loin de la mer ; une région de landes et de montagnes, guère peuplée. Ce qui était une bonne chose. A sept kilomètres du Loch Dhu se trouvait un vieux terrain d'aviation abandonné baptisé Ardmurchan ; il avait été utilisé pendant la guerre par la RAF pour ses opérations de sauvetage en mer. Le Lear pourrait s'y poser sans problème. Les sept cent vingt kilomètres devraient être couverts en... disons, une heure et demie. Ensuite, il faudrait gagner le château. Elle trouva le numéro de téléphone du pavillon du gardien et appela Lady Katherine Rose.

Une voix de femme au fort accent écossais lui répondit, mais Hannah eut bientôt la maîtresse des lieux au bout du fil. La voix était différente, presque lasse, et un peu chevrotante :

— Katherine Rose à l'appareil.

— Lady Rose ? Serait-il possible que je vienne vous voir, pour le compte d'un de mes clients ?

Et elle expliqua l'objet de son coup de téléphone.

— Mais certainement, ma chère. J'enverrai mon jardinier, Angus, vous chercher en voiture. Je vous attends. Au fait, appelez-moi simplement Lady Katherine. C'est la coutume, ici.

Hannah raccrocha et alla chercher son manteau. Au même moment, la porte s'ouvrit, livrant passage à Dillon. Il avait une très mauvaise mine, et le cœur d'Hannah se serra.

— Oh, Dillon, ça fait plaisir de vous voir !

— J'en doute, ma chère enfant. D'un autre côté, je dois bien avouer que vous êtes mignonne à croquer. Le grand homme est là ?

— Oui. Il vous attend. Ecoutez, il faut que je me dépêche : le Lear m'attend à Gatwick, je dois me rendre en Ecosse.

— Dans ce cas, je ne vous retiens pas. Bon voyage.

Il alla frapper à la porte de Ferguson et entra dans le bureau.

— Bonjour tout le monde ! lança Dillon.

Ferguson leva les yeux.

— Vous avez une mine effroyable.

— Dans ce cas, si vous n'y voyez pas d'inconvénient, je vais me servir un verre du cognac que je vois là.

Il se versa un verre, l'avala d'un trait, puis alluma une cigarette.

— Voilà de bien vilaines manies pour un homme malade, fit remarquer Ferguson.

— Ne perdons pas de temps. Vous me mettez à l'écart ?

— J'en ai bien peur. Votre engagement n'a jamais été vraiment officiel, vous savez. C'est un peu gênant.

— Toutes les bonnes choses ont une fin !

Il se servit un deuxième verre de cognac.

— Normalement, vous auriez eu droit à une pension, dit Ferguson, mais dans votre cas, j'ai bien peur que ça ne soit pas possible.

Dillon sourit.

— Vous vous souvenez de Michael Aroun, le salaud que j'ai descendu en Bretagne, en 1991, après l'affaire de Downing Street ? Il était censé verser deux millions de livres sur mon compte en banque, mais il m'a baisé.

— Je m'en souviens, dit Ferguson.

— J'ai fait le ménage dans son coffre avant de partir. Il y avait environ six cent mille livres en différentes devises. Pour moi, ça ira. (Il termina son cognac.) Bon, eh bien ç'a été un vrai plaisir de travailler avec vous, mais maintenant il faut que j'y aille !

Il avait déjà la main sur la poignée de la porte, lorsque Ferguson lui dit, d'un ton très officiel :

— Autre chose encore, Dillon, je présume que vous portez encore sur vous votre Walther. Je vous serais très obligé de le laisser sur mon bureau.

— Allez vous faire foutre, mon général.

Et il sortit.

Pour gagner la Moidart, ils survolèrent des paysages somptueux : la région des lacs, en Angleterre, puis l'Ecosse avec l'estuaire du Forth, les monts Grampians sur la gauche, puis les îles Eigg et Rhum, et l'île de Skye, au nord. Puis le Lear vira vers l'est en direction de la grande étendue miroitante du Loch Shiel, passant d'abord au-dessus de la forêt, du château du Loch Dhu et du loch lui-même, noir et inquiétant. Le copilote qui était aux commandes montra du doigt les deux vieux baraquements, les deux hangars et l'ancienne tour de contrôle.

— Voilà l'aérodrome d'Ardmurchan. Il servait de base de sauvetage en mer pendant la guerre.

Le terrain d'aviation se trouvait de l'autre côté du

loch par rapport au château. Au moment où ils viraient sur l'aile pour atterrir, Hannah aperçut un vieux break qui approchait. Lorsque l'avion se fut immobilisé, les deux pilotes (qui appartenaient à la RAF) sortirent avec elle pour se dégourdir les jambes.

— On est en pleine cambrousse, ici ! lança le capitaine Lacey.

— Il va falloir vous y habituer, capitaine, parce que j'ai l'impression qu'on va y revenir souvent.

Puis elle s'avança vers le break.

Le chauffeur, vêtu d'une veste de tweed et coiffé d'une casquette de même étoffe, avait le visage rubicond d'un grand buveur de whisky.

— J'suis Angus, mademoiselle, c'est Lady Katherine qui m'envoie.

— Bonjour, je suis Hannah Bernstein, dit-elle en s'asseyant devant, à côté de lui.

Puis, tandis qu'ils s'éloignaient, elle ajouta :

— Vous ne pouvez pas savoir combien c'est excitant pour moi de me retrouver ici.

— Et pourquoi cela, mademoiselle ? demanda-t-il.

— Parce que mon grand-père a connu l'ancien laird, le major Campbell, pendant la guerre. Ils ont servi ensemble en Extrême-Orient, avec Lord Mountbatten.

— Ah ! Ah ! moi, je ne connais pas tout ça, mademoiselle. Je n'ai que soixante-quatre ans, et tout ce que j'ai fait, c'est le service national, en 1948.

— Je vois. Je me souviens que mon grand-père disait que le laird avait une ordonnance originaire du domaine, un certain caporal Tanner. Vous l'avez connu ?

— C'est sûr, il était régisseur ici pendant des années. Il était allé voir sa fille à New York et il est mort là-bas. C'est arrivé il y a quelques jours seulement.

— Oh, quelle tristesse !

— C'est notre lot à tous, dit-il d'un ton sentencieux.

Ce lieu commun assené avec un fort accent des Highlands ne donnait guère envie de poursuivre la conversation. Quelques instants plus tard, la voiture franchit les lourdes grilles du domaine et s'arrêta devant le pavillon du gardien.

Lady Katherine Rose était une femme âgée et fatiguée, et elle reçut Hannah assise dans un fauteuil à oreillettes, une couverture sur les genoux. Le salon où elle se tenait était agréablement meublé d'objets anciens. Un feu brûlait dans la cheminée, mais la porte-fenêtre était ouverte.

— J'espère que cela ne vous dérange pas, dit-elle à Hannah, mais vous voyez, j'ai besoin d'air. Je n'ai plus les poumons de mes vingt ans.

Une femme d'allure agréable, la cinquantaine, plutôt corpulente, fit son entrée avec un plateau sur lequel étaient disposés une théière, des tasses et des petits pains.

— Je vous sers ? dit-elle avec le même accent des Highlands qu'Angus, le jardinier.

— Ne vous dérangez pas, Jean, je suis sûre que Mlle Bernstein le fera très bien. Vous pouvez y aller.

En souriant, Jean ramassa un châle qui avait glissé par terre, le posa sur les épaules de la vieille dame et quitta la pièce. Hannah servit le thé.

— Ainsi, dit Lady Katherine, vous travaillez pour le général Charles Ferguson, c'est bien ce que vous m'avez dit ?

— Oui, il voudrait savoir s'il est possible de louer Ardmurchan Lodge pour la période de la chasse. J'ai contacté votre agent à Londres, mais j'ai cru comprendre que le château était déjà loué.

— Eh bien oui, et à un prince arabe, pas moins ; c'est un homme charmant, qui a plusieurs enfants qui viennent sans cesse me rendre visite à l'improviste. C'est aussi un homme généreux, bien trop, même : il m'envoie des mets que je ne peux pas manger et des bouteilles de dom-pérignon que je ne peux pas boire.

Hannah reposa sa tasse de thé sur la table basse.

— On m'a dit qu'il était encore là pour un mois, et qu'ensuite le château serait occupé par un Américain.

— Oui, un certain M. Morgan. Scandaleusement riche. J'ai vu sa photo dans *Tatler* : il jouait au polo avec le prince Charles. Son homme d'affaires est venu me voir comme vous, en avion privé. Il a loué le château pour trois mois. (Elle ne touchait toujours pas à sa tasse de thé.) Il y a des cigarettes dans la boîte en argent, là ; pourriez-vous m'en donner une ? Et servez-vous, si le cœur vous en dit. (En prenant la cigarette, sa main tremblait légèrement.) Ah ! ça va mieux, dit-elle en inhalant profondément la fumée. Ça dégage les poumons. Bon, revenons à nos affaires. Ardmurchan Logde est libre, et de nombreux droits de chasse y sont attachés. Le cerf, la grouse le mois prochain, et puis la pêche. Il y a deux salles de bains et cinq chambres. Je peux également vous fournir des domestiques.

— Inutile. Le général viendra avec son valet de chambre, qui est également cuisinier.

— Voilà qui est bien pratique ! Et vous viendrez aussi ?

— De temps en temps, oui.

— Le général doit être aussi riche que cet Américain, puisqu'il a lui aussi un avion privé. Que fait-il donc ?

— Diverses affaires avec l'étranger, répondit Hannah évasivement. Vous savez, je disais à votre jardinier que c'était très bouleversant pour moi de me retrouver ici. Quand j'étais jeune, mon grand-père maternel m'a parlé du Loch Dhu. Pendant la Deuxième Guerre mondiale, il a servi en Extrême-Orient à l'état-major de Lord Louis Mountbatten.

C'était le colonel Edward Gort. Votre frère vous a peut-être parlé de lui.

— Non, pas que je me souvienne. Vous savez, Ian a été grièvement blessé dans un accident d'avion en Inde en 1944. Il n'a dû la vie qu'au courage de son ordonnance, Jack Tanner, un garçon qui avait grandi avec lui sur le domaine. Mon frère a été hospitalisé pendant des années. Il avait subi des traumatismes cérébraux, et il n'a plus jamais été comme avant. Il ne parlait jamais de la guerre. Pour être franche, le pauvre ne parlait pratiquement de rien. Il n'y arrivait plus.

— Quelle tragédie ! s'exclama Hannah. Mon grand-père ne m'en a jamais rien dit. Je crois qu'il l'avait vu pour la dernière fois en Chine.

— Ce devait être avant l'accident.

Hannah se leva et se versa une nouvelle tasse de thé.

— Désirez-vous quelque chose ?

— Une autre cigarette, ma chère, c'est mon seul vice... mais à mon âge, quelle importance ?

Hannah lui donna donc une cigarette, puis gagna la porte-fenêtre par laquelle on voyait le château, à quelque distance.

— Oh, c'est merveilleux ! Il y a des créneaux et des tourelles, exactement comme je l'imaginais. (Elle se tourna vers la vieille dame.) Je suis une romantique incorrigible. C'est la façon dont mon grand-père me décrivait un laird de clan qui m'a poussée à venir vous voir. Les cornemuses, les kilts, tout ça... (Elle retourna près de Lady Katherine.) Oh, et puis il y avait cette histoire extraordinaire, aussi. Il me disait que le major Campbell gardait toujours sur lui une bible qui lui venait de sa famille. Il paraît qu'il l'avait à la bataille de Dunkerque, mais la légende voulait que les Campbell l'emmènent sur les champs de bataille depuis des siècles.

— Vous avez raison. Elle était dans la poche de Rory Campbell quand il a été tué à la bataille de

Culloden, dans les rangs de Charles Edouard Stuart. C'est curieux que vous m'en parliez. Cela fait des années que je n'ai plus pensé à cette bible. J'imagine qu'elle a dû être détruite quand l'avion s'est écrasé.

— Je vois, dit Hannah, prudemment.

— Seuls le pauvre Ian et Jack Tanner s'en sont sortis vivants, dit-elle en soupirant. J'ai appris l'autre jour que Jack est mort à New York alors qu'il rendait visite à sa fille. C'était un brave homme. C'est lui qui a dirigé le domaine pendant des années. Son remplaçant, Murdoch, est un vrai casse-pieds. Il a un diplôme universitaire de gestion des domaines agricoles, alors il croit tout savoir. Vous voyez le genre !

Hannah hocha la tête puis se leva.

— Donc, vous pouvez nous louer Ardmurchan Lodge ?

— Quand vous voudrez. Laissez-moi votre adresse et je demanderai à Murdoch de vous envoyer un contrat de location.

Hannah avait déjà tout prévu. Elle tira de son sac une enveloppe qu'elle déposa sur la table.

— Voilà. Les bureaux du général sont sur Cavendish Square. Je vais maintenant demander à Angus de me raccompagner à l'avion. Où pourrai-je le trouver ?

— Dans le jardin.

Hannah serra la main fraîche et légère de la vieille dame.

— Au revoir, Lady Katherine.

— Au revoir, ma chère, vous êtes une jeune femme tout à fait adorable.

— Je vous remercie.

Au moment où Hannah allait franchir la porte-fenêtre, Lady Katherine déclara :

— Je m'aperçois d'une coïncidence étrange. Lorsque l'avocat de cet Américain est venu, il m'a aussi parlé de la bible. Il m'a dit que M. Morgan en avait entendu parler grâce à un article sur les légendes des

Highlands, paru dans un magazine américain. N'est-ce pas extraordinaire ?

— Oui, vraiment, dit Hannah. Il a dû être déçu de ne pas pouvoir la voir.

— C'est l'impression que j'ai eue, en effet. (La vieille dame lui sourit.) Au revoir, ma chère.

Hanna trouva Angus occupé à bêcher dans le jardin.

— Vous voulez partir, mademoiselle ?

— Oui.

Tandis qu'ils faisaient le tour du pavillon, une Range Rover s'immobilisa dans l'allée, et un jeune homme vêtu d'une veste de chasse et coiffé d'une casquette en descendit. Il regarda Hannah d'un air interrogateur.

— Je vous présente Mlle Bernstein, dit Angus. Elle vient de rendre visite à Lady Katherine.

— Je suis envoyée par le général Charles Ferguson, expliqua Hannah. Lady Katherine a accepté de nous louer Ardmurchan Lodge.

Il fronça les sourcils.

— Elle ne m'en a pas parlé. (Après un instant d'hésitation, il tendit la main à la jeune femme :) Stewart Murdoch. Je suis le régisseur de ce domaine.

— Vous savez, je n'ai contacté Lady Katherine que ce matin.

— Ah ! tout s'explique. Je suis resté deux jours à Fort William.

— Je lui ai laissé toutes les références nécessaires, et j'attends maintenant le contrat de location. (Elle lui adressa un sourire et monta dans le break.) Il faut que je me dépêche, il y a un Lear qui m'attend sur l'aérodrome d'Ardmurchan. Au revoir, monsieur Murdoch, je suis sûre que nous nous reverrons.

Angus s'installa au volant et la voiture démarra. Murdoch les regarda s'éloigner, les sourcils froncés, puis entra dans le pavillon de Lady Katherine.

Le Lear quitta le sol et gagna rapidement l'altitude de neuf mille mètres. Hannah consulta sa montre. Deux heures un peu passées. Avec un peu de chance, elle serait à Gatwick à trois heures et demie, plus tôt, même, avec un vent arrière. Il fallait compter encore une heure pour gagner le ministère de la Défense. Elle prit son téléphone et demanda au copilote de lui passer Ferguson.

Une voix claire et tranchante à l'autre bout du fil :

— Vous avez fait bon voyage ?

— Excellent, général, et la location d'Ardmurchan Lodge est dans la poche. Mais je n'ai guère eu de chance avec la bible. Ça fait des années que la propriétaire des lieux ne l'a pas vue. Elle pense que le livre a disparu dans l'accident d'avion.

— Et pourtant, nous savons que ça n'est pas le cas.

— Nous voilà lancés dans une chasse au trésor, général.

— Et Morgan également, inspecteur.

— Comment allons-nous procéder ?

— Je ne sais pas, je vais y réfléchir. Venez me voir dès votre arrivée, je vous attends.

Elle reposa le combiné, se prépara une tasse de café instantané et se plongea dans la lecture d'un magazine.

A son arrivée, Ferguson faisait les cent pas dans son bureau.

— Ah, vous voilà ! Je commençais à désespérer. Inutile de retirer votre manteau. Nous n'allons pas faire attendre le Premier ministre.

Il enfila son propre manteau, prit sa canne et sortit.

Elle se précipita derrière lui.

— Que se passe-t-il, général ?

— J'ai eu le Premier ministre tout à l'heure, et il

m'a dit qu'il voulait nous voir dès votre retour, alors il n'y a pas de temps à perdre.

La Daimler franchit sans problème les barrières dressées à l'extrémité de Downing Street. La plus célèbre porte du monde s'ouvrit ensuite, à l'instant même où ils descendirent de voiture, un domestique prit leurs manteaux et les conduisit dans l'escalier. Après être passés devant les portraits des Premiers ministres précédents, ils arrivèrent devant le bureau du chef du gouvernement. Le domestique frappa doucement.

Ils pénétrèrent dans le bureau, la porte se referma derrière eux et le Premier ministre leva les yeux de son bureau.

— Ah ! général.

— Bonjour, monsieur le Premier ministre. Je voudrais vous présenter mon assistante, l'inspecteur principal Hannah Bernstein.

— Madame l'inspecteur principal. (Le Premier ministre inclina la tête puis se tourna vers Ferguson.) J'ai été très intrigué par votre coup de téléphone de ce matin. Et maintenant, expliquez-moi tout ça dans le détail.

Ferguson lui rapporta tout ce qu'il savait de l'affaire, sans rien omettre.

Le Premier ministre s'adressa ensuite à Hannah :

— Racontez-moi donc votre visite là-bas.

— Bien sûr, monsieur le Premier ministre.

Lorsqu'elle eut terminé son récit, le Premier ministre lui demanda :

— Cette Lady Katherine n'a pas pu se tromper, vous en êtes sûre ?

— Tout à fait. Elle était catégorique : cela faisait des années qu'elle n'avait plus revu cette bible.

Il y eut un long silence. Le Premier ministre semblait plongé dans ses réflexions.

— Que voulez-vous que nous fassions ? demanda finalement Ferguson.
— Trouvez ce document avant eux, général ! Nous avons eu suffisamment d'ennuis avec Hong Kong. C'est terminé, nous nous retirons, et donc, si ce document existe vraiment, trouvez-le et brûlez-le. Et je ne veux pas que les Chinois soient mêlés à cette affaire, ça nous coûterait trop cher. Et puis, tenez également nos cousins américains à l'écart.
Hannah eut la témérité d'interrompre le Premier ministre :
— Vous croyez maintenant que ce document existe, monsieur le Premier ministre ?
— J'en ai bien peur. Après le coup de téléphone du général, ce matin, j'ai eu une conversation avec un vieux monsieur très distingué, qui a maintenant plus de quatre-vingt-dix ans, et qui occupait des fonctions importantes au Colonial Office pendant la guerre. Il était au courant de rumeurs concernant cet accord de Ch'ung-king. Apparemment, elles ont toujours été démenties, on les qualifiait de légendes.
— Que voulez-vous que nous fassions, monsieur le Premier ministre ?
— Il est difficile de demander au prince Ali ben Youssef l'autorisation de fouiller le château, et nous ne pouvons pas non plus le faire clandestinement.
— Il s'en va dans un mois et Morgan s'installe aussitôt après son départ, dit Hannah.
— Pardi ! Une fois dans les lieux, il aura tout le temps de chercher à son aise. (Le Premier ministre se tourna vers Ferguson.) Mais vous, vous serez là-bas pour surveiller ce qui se passe. Comment comptez-vous procéder ?
— J'improviserai, répondit Ferguson en souriant.
Le Premier ministre lui rendit son sourire.
— Vous êtes assez doué pour ça. Alors faites pour le mieux, général. Si vous voulez bien m'excuser...
Lorsqu'ils furent à nouveau installés à l'arrière de la Daimler, Hannah demanda à son supérieur :

— Et maintenant ?

— Nous nous installerons à Ardmurchan Lodge d'ici trois ou quatre semaines, un peu avant l'arrivée de Morgan. D'ici là, je veux qu'il soit placé sous surveillance. Utilisez vos contacts dans les différents services de police à l'étranger. Je veux connaître tous ses déplacements et savoir tout ce qu'il fait.

— Entendu.

— Et maintenant, permettez-moi de vous inviter à dîner. Nous pourrions aller chez Blooms, à Whitechapel. Vous ne pouvez pas refuser, inspecteur, c'est le meilleur restaurant juif de Londres.

Après avoir quitté le ministère de la Défense, Dillon avait pris un taxi pour se rendre à Stable Mews, non loin de Cavendish Square où Ferguson avait son appartement. Il vivait là, dans un petit cottage de deux pièces, au fond d'une cour pavée. Il n'était pas plus tôt arrivé que la douleur recommençait à le tenailler : il prit une des gélules de morphine prescrites par Bellamy et se mit au lit.

Assommé par le médicament, il ne se réveilla qu'à la nuit tombée. Il se leva et alla s'asperger le visage d'eau froide. L'image que lui renvoya le miroir était effroyable. Il descendit au rez-de-chaussée et regarda sa montre. Sept heures et demie. Il fallait bien qu'il mange quelque chose, mais cette seule idée lui donnait la nausée.

Il opta pour une promenade en se disant qu'il trouverait peut-être un café ouvert. Il ouvrit la porte d'entrée. Au coin, la lumière du lampadaire était hachée par une petite pluie fine. En enfilant sa veste, il fut surpris par le poids du Walther et songea à le laisser chez lui, mais cette arme faisait depuis si longtemps partie de sa vie qu'il y renonça. Il passa un vieil imperméable Burberry par-dessus sa veste, prit un parapluie noir et s'aventura au-dehors.

Il erra le long des rues, ne s'arrêtant qu'une seule

fois dans un pub pour avaler un cognac et une part de tarte à la viande de porc ; mais la tarte était si infecte qu'à la première bouchée il eut envie de vomir.

Il continua de déambuler sans but précis. Le brouillard s'était levé, s'amoncelant au coin des rues, oppressant, lui donnant le sentiment d'être enfermé dans son monde intérieur. Il se sentait vaguement en danger, mais il mit cela sur le compte de la morphine ; quelque part, au loin, Big Ben sonna onze heures, mais le carillon était étrangement étouffé par le brouillard. Puis le silence revint, déchiré bientôt par la corne de brume d'un navire : il se rendit compte alors qu'il était à deux pas de la Tamise.

Il tourna le coin d'une rue et se retrouva le long du fleuve. Une échoppe était ouverte : il y entra et demanda un paquet de cigarettes.

— Y a-t-il un café dans les environs ? demanda Dillon au jeune Pakistanais qui tenait la boutique.

— Il y en a beaucoup dans High Street, mais si vous aimez les restaurants chinois, il y a le Red Dragon, quai de la Chine.

— C'est un nom curieux, fit remarquer Dillon en allumant sa cigarette d'une main tremblante.

— Les voiliers qui ramenaient du thé de Chine déchargeaient là leurs cargaisons. (Le jeune homme considéra Dillon d'un air inquiet.) Vous allez bien, monsieur ?

— Oh, ça va. C'est que je viens de sortir de l'hôpital. C'est gentil à vous de vous en inquiéter.

Il ressortit et poursuivit son chemin dans la rue bordée de hauts entrepôts. Il pleuvait fort à présent. Il aperçut un dragon en néon rouge, de trois mètres de haut, qui brillait sous la pluie. Il referma son parapluie et entra dans le restaurant.

Une salle longue, étroite, des murs lambrissés de bois sombre, un comptoir en acajou, et une vingtaine de tables recouvertes de nappes blanches impeccablement repassées. On apercevait de nombreux objets chinois et des aquarelles accrochées aux murs.

Il n'y avait qu'un seul client, un Chinois d'une soixantaine d'années, le crâne dégarni, le visage rond et énigmatique. Il ne faisait pas plus d'un mètre cinquante-cinq, était très gros et, en dépit de son complet sombre en gabardine, ressemblait de façon étonnante à la statue de Bouddha qui se trouvait dans un coin. Il mangeait un plat de seiche aux légumes avec une fourchette des plus occidentales, et ignora complètement Dillon.

Une jeune Chinoise se tenait derrière le comptoir. Elle avait une fleur dans les cheveux et portait une *cheongsam* en soie noire, brodée d'un dragon rouge identique à celui de l'enseigne.

— Excusez-moi, dit-elle dans un anglais parfait, mais nous venons de fermer.

— Un petit verre, comme ça, rapidement ? hasarda Dillon.

— Malheureusement, nous n'avons qu'une licence de restaurant.

Elle était très belle : les cheveux noirs, la peau claire, les yeux sombres, les pommettes hautes. Il eut envie d'effleurer son visage du bout des doigts, mais au même moment, le dragon rouge sur la robe noire sembla naître à la vie, se mit à onduler... il ferma les yeux et dut se raccrocher au comptoir.

Un jour, au cours d'une mission de plongée pour le compte des Israéliens (il devait s'emparer de deux vedettes rapides de l'OLP qui avaient servi à débarquer des terroristes), il avait manqué d'air à une profondeur de quinze mètres. Refaisant surface à moitié mort, il avait éprouvé la même sensation qu'à présent, celle de remonter des abysses vers la lumière.

Le gros homme le saisit avec une force surprenante et l'assit sur une chaise. Dillon respira plusieurs fois profondément puis réussit à sourire.

— Excusez-moi. J'ai été malade pendant un certain temps et ce soir j'ai dû un peu trop marcher.

Le visage du gros homme ne trahit pas la moindre émotion, et la fille s'adressa à lui en cantonais :

— Je m'en occupe, oncle Yuan, termine ton dîner.

Dillon, qui parlait assez bien le cantonais, écouta avec intérêt la suite de la conversation.

— Tu crois qu'ils vont encore venir ? demanda l'homme.

— Qui sait ? Ces diables étrangers sont comme le pus d'une blessure infectée. Je vais laisser la porte ouverte encore un peu. (Elle se tourna en souriant vers Dillon.) Excusez-nous, monsieur. Mon oncle parle très peu l'anglais.

— Ne vous excusez pas. Mais si je pouvais rester assis encore un moment...

— Je vais vous faire un café. Bien fort, avec un grand verre de cognac.

— D'accord pour le cognac, ma chère enfant, mais est-ce que je pourrais avoir du thé à la place du café ? Je bois ça au biberon depuis ma plus tendre enfance.

— Nous avons été élevés de la même manière, répondit-elle en souriant.

Elle passa derrière le comptoir et sortit une bouteille de cognac et un verre. A cet instant précis, une voiture se gara devant le restaurant. La jeune femme s'avança jusqu'à l'extrémité du comptoir et regarda par la fenêtre.

— Ils sont là, oncle Yuan.

La porte s'ouvrit, livrant passage à quatre hommes. Le chef faisait plus d'un mètre quatre-vingts, et il avait le visage dur, anguleux. Il portait un luxueux manteau de serge.

— Nous revoilà, dit-il avec un grand sourire. Vous avez ce que nous sommes venus chercher ?

Il parlait avec un accent de Belfast reconnaissable à mille lieues.

— Vous perdez votre temps, monsieur McGuire, dit la fille, il n'y a rien pour vous, ici.

Deux de ses compagnons étaient noirs, et le quatrième était un albinos aux cils si clairs qu'ils en semblaient presque transparents.

— Ne vous créez pas d'ennuis, ma chère, nous avons été très gentils avec vous. Mille livres par semaine pour un endroit comme celui-ci ? On peut dire que vous vous en tirez bien.

Elle secoua la tête.

— Vous n'aurez pas un penny.

En soupirant, McGuire lui prit la bouteille de cognac des mains et la lança contre le miroir du bar, qui explosa sous le choc.

— Ça, c'est pour commencer. Et maintenant, à toi, Terry !

L'albinos s'avança, et d'un geste vif arracha le haut de la robe en soie de la fille, dénudant l'un de ses seins. Puis il s'approcha tout près d'elle et lui prit le sein dans une main.

— Et maintenant, qu'est-ce qu'on fait ?

Le gros homme s'était levé, mais Dillon, d'un coup de pied, lança une chaise pour lui barrer le passage.

— Restez à l'écart, l'oncle, je m'en charge, dit-il en cantonais.

Les quatre hommes se tournèrent vers Dillon. McGuire avait encore un sourire accroché aux lèvres.

— Eh bien ? On veut jouer les héros ?

— Lâche-la, ordonna Dillon.

En souriant, le dénommé Terry attira la fille contre lui.

— Non, elle me plaît trop.

Toute la frustration, la colère et la douleur des dernières semaines semblaient lui remonter au fond de la gorge : Dillon sortit son Walther et acheva le miroir du bar d'une balle tirée au hasard.

— Hé, il tremble comme une feuille ! s'écria Terry en repoussant loin de lui la fille titubante.

McGuire ne montrait aucun signe de peur.

— Cet accent m'est familier, dit-il.

— Le tien ne m'est pas inconnu non plus, lança Dillon. Shankill ou Falls Road, pour moi c'est la même chose. Et maintenant, passe-moi ton portefeuille.

Sans hésiter, McGuire jeta son portefeuille sur la table. Il était bourré de billets de banque.

— Je vois que tu viens de faire la tournée. Ça devrait suffire, pour les dégâts.

— Hé, il y a presque deux mille livres ! s'exclama Terry.

— S'il y a de l'argent en trop, il ira aux veuves et aux orphelins, dit Dillon. (Il lança un rapide coup d'œil à la fille.) On n'appelle pas la police, c'est ça ?

— Non, pas la police.

Derrière elle, la porte de la cuisine s'ouvrit. Le cuisinier et deux serveurs firent leur apparition. Les serveurs brandissaient des couteaux de boucher et le cuisinier un hachoir à viande.

— A votre place, je m'en irais, conseilla Dillon. Ces gens peuvent devenir violents quand on les embête.

— Je me souviendrai de toi, mon ami, dit McGuire en souriant. Allez, les mecs, on y va.

Les quatre hommes tournèrent les talons et quittèrent le restaurant. On entendit la voiture démarrer puis s'éloigner. Dillon s'écroula sur sa chaise et replaça le Walther dans la poche de sa veste.

— Je prendrais volontiers ce cognac, maintenant.

Mais la fille ne répondit pas et s'engouffra dans la cuisine, l'air furieux.

— Qu'ai-je fait de mal ? demanda Dillon tandis que les serveurs la suivaient dans la cuisine.

— Ce n'est rien, dit le gros homme. Elle est bouleversée. Laissez-moi vous servir votre cognac.

Il alla chercher une autre bouteille et deux verres derrière le bar et vint s'asseoir à côté de Dillon.

— Vous m'avez parlé en cantonais. Vous êtes souvent allé en Chine ?

— Quelques fois, pas souvent. Surtout à Hong Kong.

— Comme c'est curieux. Je suis moi-même de Hong Kong, comme ma nièce. Je me présente : je m'appelle Yuan Tao.

— Sean Dillon.

— Vous êtes irlandais, vous n'êtes allé que quelques fois à Hong Kong, et pourtant votre cantonais est excellent. Comment cela se fait-il ?

— Bah, c'est comme ça. Il y a des gens qui mentalement peuvent réaliser des opérations mathématiques plus rapidement qu'un ordinateur.

— Et alors ?

— Je suis comme ça avec les langues. Je m'en imprègne très facilement. (Il avala une gorgée de cognac.) J'imagine que cette bande était déjà venue ici.

— C'est ce que j'ai cru comprendre. Je ne suis en Angleterre que depuis hier. Je crois que ça fait quelques semaines qu'ils présentent leurs exigences, ici et ailleurs.

La fille revint, vêtue d'un chandail et chaussée de sandales. Elle était encore furieuse et fusilla Dillon du regard.

— Qu'est-ce que vous voulez ?

Yuan Tao intervint sèchement :

— Nous sommes très redevables à M. Dillon.

— Nous ne lui devons rien, et il a tout fait rater. Sa présence ici est-elle vraiment une coïncidence ?

— Ça peut paraître curieux, mais c'est pourtant le cas, répondit Dillon. La vie est pleine de coïncidences, ma chère.

— Et qui êtes-vous, pour être armé d'un pistolet ? Vous êtes aussi un criminel, sans doute !

— Mon Dieu, quel manque de logique, s'écria Dillon. Je pourrais être un flic, ou bien un justicier à la Charles Bronson. (Le cognac lui était monté à la tête. Il se leva.) Bon, je me suis bien amusé, mais maintenant j'y vais.

Et avant qu'ils aient pu le retenir, il avait gagné la sortie.

5

Dillon était fatigué, très fatigué, et le sol semblait tanguer sous ses pas. Il suivit la rue et se retrouva le long de la Tamise. Appuyé au parapet, il observa presque sans le voir un bateau qui se déplaçait sur le fleuve. Les sensations lui parvenaient comme étouffées par le coton, et ce n'est qu'au dernier moment qu'il entendit des pas derrière lui. Un bras s'enroula autour de sa gorge. Il suffoqua. Une main se glissa dans la poche de sa veste et en retira le Walther. Dillon demeura un moment plaqué contre le parapet, puis il put se retourner.

Terry, l'albinos, se tenait devant lui, le Walther à la main.

— Nous revoilà.

Une limousine noire s'arrêta au coin de la rue. Sentant quelqu'un d'autre derrière lui, Dillon comprit qu'il n'y avait plus un instant à perdre. D'un violent coup de pied, il projeta le Walther par-dessus le parapet, puis, lançant la tête en arrière, il écrasa le nez de l'homme qui se tenait derrière lui. Il se rua en avant, tourna le coin de la rue et se retrouva sur un quai désert bloqué par de hautes grilles cadenassées.

Il se retourna. La limousine s'immobilisa et les hommes en jaillirent en même temps. La barre de fer du premier alla frapper contre la grille, car Dillon avait perdu l'équilibre. Roulant sur le sol, il chercha à éviter les coups de pied qui s'abattaient sur lui. Puis l'un des individus le souleva de terre et le plaqua contre la grille.

Appuyé contre la limousine, McGuire alluma une cigarette.

— Tu l'as cherché, faut dire. Allez, Terry, découpe-le en rondelles.

L'interpellé sortit de sa poche un rasoir à manche et l'ouvrit en avançant vers Dillon. Il semblait parfaitement calme, et faisait miroiter sous la lueur du lampadaire la lame de son rasoir. On entendit un cri ; Terry et McGuire se retournèrent d'un bloc : Yuan Tao s'avançait sous la pluie.

La veste de son complet de gabardine était trempée, mais il marchait de façon étrange, avec une manière d'inexorabilité, comme si rien ne pouvait l'arrêter.

— Allez, balayez-moi ce minable ! lança McGuire.

L'homme à la barre de fer se précipita vers Yuan Tao, mais le Chinois para le coup avec l'avant-bras comme si de rien n'était ; puis son poing jaillit et vint frapper l'homme au plexus. Celui-ci s'écroula sans un bruit.

Yuan Tao se pencha une seconde sur lui, mais déjà, contournant la limousine, McGuire lui lançait un violent coup de pied. Le Chinois saisit le pied au vol et projeta par-dessus le capot de la voiture son adversaire qui demeura étendu sur le sol en gémissant. Yuan Tao contourna à son tour la limousine et s'avança calmement. L'homme qui maintenait Dillon par-derrière s'enfuit sans demander son reste.

Terry, alors, brandit son rasoir.

— C'est bon, gros lard, à toi maintenant.

— Alors, salopard, on m'oublie ? lança Dillon.

Au moment où Terry se retournait vers lui, Dillon, rassemblant toutes ses forces, lui écrasa son poing sur la bouche.

Affalé sur le sol, Terry crachait du sang. Yuan Tao

lui écrasa la main sous sa semelle et se débarrassa du rasoir d'un coup de pied. Au même moment, une camionnette s'arrêta à quelques mètres d'eux dans un hurlement de freins. Comme le cuisinier en descendait, les deux serveurs firent leur apparition au coin de la rue, tenant l'homme qui s'était enfui.

— Dites-leur de ne pas le tailler en pièces, conseilla Dillon en cantonais. Vous aurez besoin de lui pour nous amener sa petite bande.

— Excellente idée, répondit Yuan Tao. Mais heureusement, vous, vous êtes encore en un seul morceau.

— Il s'en est fallu de peu. Je commence à comprendre pourquoi votre nièce était furieuse. J'imagine que vous deviez attendre l'arrivée de ce McGuire.

— Je suis venu spécialement de Hong Kong pour m'offrir ce plaisir. Ma nièce, Su Yin, m'avait envoyé un télégramme pour me demander mon aide. C'est une histoire de famille. Mais il était difficile pour moi de partir. Je faisais une retraite dans un monastère.

— Dans un monastère ? répéta Dillon, intrigué.

— Je vous dois des explications, monsieur Dillon : je suis un moine de Shaolin. Vous connaissez ?

Dillon éclata d'un rire nerveux.

— Et comment ! Pauvre McGuire, s'il avait su ! J'imagine que vous êtes expert en kung-fu.

— Je suis maître noir, monsieur Dillon, c'est notre grade le plus élevé. J'ai étudié toute ma vie. Je crois que je vais rester ici encore deux ou trois semaines, pour être sûr qu'il ne se passera plus rien.

— A votre place, je ne m'inquiéterais pas, je crois qu'ils ont compris la leçon.

McGuire, Terry et l'un des Noirs étaient toujours étendus sur le sol. Le cuisinier et les deux serveurs amenèrent le quatrième homme. Yuan Tao s'adressa à eux en cantonais, puis se retourna vers Dillon :

— Ils vont s'occuper de tous ces gaillards. Su Yin nous attend dans sa voiture, devant le restaurant.

Une berline noire était garée devant le Red Dragon. Lorsqu'elle les vit arriver, Su Yin en descendit, et, ignorant son oncle, s'adressa à Dillon en cantonais :

— Vous allez bien ?

— Maintenant, ça va mieux.

— Veuillez m'excuser, dit-elle en s'inclinant. Comme mon oncle me l'a dit, je mérite d'être blâmée. Je vous prie de me pardonner.

— Mais vous n'avez rien à vous faire pardonner.

On entendit un hurlement du côté de la Tamise.

Elle se tourna vers son oncle :

— Qu'est-ce que c'est ?

— La petite ordure aux cheveux blancs, celui qui t'a offensée devant nous, je leur ai dit de lui couper l'oreille droite.

Le visage de Su Yin demeura impassible.

— Merci, oncle Yuan, fit-elle en s'inclinant vers lui.

Puis, se tournant vers Dillon :

— Vous allez venir avec nous, maintenant, monsieur Dillon, dit-elle en anglais.

— Ma chère, pour rien au monde je ne refuserais une telle invitation.

Et il s'installa à l'arrière de la voiture.

— Si vous avez étudié le judo ou le karaté, vous avez dû entendre parler du *kiai*, le pouvoir qui permet à un homme d'accomplir des prouesses physiques. Seuls les grands maîtres peuvent l'acquérir et seulement après des années d'entraînement et de discipline, à la fois mentale et physique.

— Vous, en tout cas, vous le possédez, dit Dillon. Je revois encore la façon dont cette barre de fer a rebondi sur votre bras.

Il était plongé jusqu'au cou dans un bain d'eau si

chaude que la sueur ruisselait sur son visage. Yuan Tao, vêtu d'une vieille robe de chambre, était accroupi contre le mur et l'observait à travers la vapeur.

— Une fois, au Japon, reprit Dillon, on m'a emmené voir un vieux moine zen d'environ quatre-vingts ans, qui avait des bras comme des allumettes et ne devait pas peser plus de quarante-cinq kilos. Il était assis et deux ceintures noires ne cessaient de l'attaquer.

— Et alors ?

— Il les repoussait sans effort apparent. On m'a expliqué ensuite que sa force lui venait de ce qu'ils appellent le *tanden*, ou deuxième cerveau.

— Qui ne peut se développer qu'après des années de méditation. Cela s'apparente à l'art ancien de la boxe chinoise du temple de Shaolin. Cet art est venu d'Inde au VIe siècle avec le bouddhisme zen et il a été adopté par les moines du temple de Shaolin, dans la province de Ho-nan.

— N'est-ce pas une pratique un peu rude pour un moine ? J'avais bien un oncle, un prêtre catholique, qui m'a enseigné la boxe à poings nus quand j'étais enfant, et qui lui-même, quand il était jeune, avait remporté des concours de boxe, mais ça...

— Nous avons un proverbe qui dit que l'on n'évite la guerre qu'en y étant préparé. Les moines ont retenu cette leçon. Il y a plusieurs siècles, des membres de ma famille ont appris cet art et il s'est transmis ensuite de génération en génération. Au cours des siècles, mes ancêtres se sont battus en faveur des pauvres, et ils ont même affronté les forces de l'empereur lorsque c'était nécessaire. Nous servions notre société.

— Me parlez-vous d'une société de triade ? demanda Dillon. Je croyais que de telles sociétés n'étaient que des équivalents chinois de la Mafia.

— Comme la Mafia, ces sociétés secrètes se sont constituées à l'origine pour défendre les pauvres contre les riches propriétaires terriens et, comme la Mafia, elles se sont corrompues au fil des ans, mais ce n'est pas le cas de toutes.

— J'ai lu quelque chose à ce propos, dit Dillon. Vous faites donc partie d'une triade ?

— Comme mes ancêtres, je suis membre du Souffle secret, la plus ancienne de ces sociétés, fondée dans le Ho-nan au XVIe siècle. Mais à la différence des autres, la société à laquelle j'appartiens ne s'est pas corrompue. Je suis un moine de Shaolin, j'ai également des intérêts dans différentes affaires, il n'y a aucun mal à ça, mais je ne m'incline devant personne.

— Ainsi, tout cela, y compris votre art de la lutte, vous a été transmis ?

— Bien sûr. Il y a de nombreuses méthodes, de nombreuses écoles, mais sans le *ki* elles ne sont rien.

— Et qu'est-ce donc, au juste ?

— Une énergie particulière. Lorsqu'elle est accumulée juste au-dessous du nombril, elle produit une force élémentaire qui est infiniment plus puissante que la simple force physique. Ce qui veut dire qu'un poing est un simple instrument de visée. Nous n'avons pas besoin des coups terribles qu'assènent les boxeurs occidentaux. Je ne prends qu'un élan de quelques centimètres et mon poing s'enfonce comme une vis. Le résultat, ça peut être un éclatement de la rate ou une fracture des os.

— Je vous crois volontiers, mais repousser une barre de fer avec le bras ! Comment faites-vous ?

— C'est la pratique, monsieur Dillon, cinquante ans de pratique !

— Il ne m'en reste pas autant.

Dillon se leva et Yuan Tao lui passa une serviette.

— Avec de la volonté et de la discipline, on peut accomplir des miracles en quelques semaines, et avec un homme comme vous, monsieur Dillon, j'ai l'impression qu'on ne partirait pas de rien. Vous avez des cicatrices de coups de couteau dans le dos, et là, à l'épaule gauche, on voit la trace d'une ancienne blessure par balle, et puis vous aviez ce pistolet. (Il haussa les épaules.) Vous n'êtes pas un homme ordinaire.

— J'ai été poignardé dans le dos il y a peu, reconnut Dillon. J'ai subi deux opérations et je m'en suis sorti, mais je suis très affaibli.

— Et quel est votre métier ?

— Je travaillais pour les services de renseignements britanniques. On m'a licencié ce matin en m'expliquant que je n'étais plus capable d'exercer mes fonctions.

— Ils se trompent.

Il y eut un moment de silence.

— Vous voulez dire que vous pouvez vous occuper de moi ?

— Je suis en dette vis-à-vis de vous, monsieur Dillon.

— Mais enfin, vous n'aviez pas besoin de moi. Je suis plutôt venu contrarier vos plans.

— Mais vous ne le saviez pas, et ça change tout. Ce sont les intentions qui comptent. (Yuan Tao le regarda en souriant.) Vous aimeriez prouver à vos supérieurs qu'ils avaient tort ?

— Et comment ! (Yuan Tao lui tendit une robe de chambre, mais Dillon eut un moment d'hésitation.) Je voudrais que les choses soient claires dès le départ.

— C'est-à-dire ?

Dillon enfila la robe de chambre.

— Pendant des années, j'ai appartenu à l'IRA provisoire, j'étais recherché par la Royal Ulster Constabulary et par les services de renseignements britanniques.

— Et pourtant vous travaillez pour les Britanniques.

— Disons qu'au début, je n'ai pas vraiment eu le choix.

— Mais maintenant, quelque chose a changé en vous.

Dillon sourit.

— Y a-t-il donc des choses que vous ignoriez ? En tout cas, est-ce que pour vous ça change quelque chose ?

— En quoi ? J'ai vu la façon dont vous avez frappé l'un de ces hommes ce soir : vous avez dû étudier le karaté.

— Un peu. J'étais ceinture marron et j'ai préparé la ceinture noire, mais j'ai dû arrêter, faute de temps.

— C'est un bon départ. Je crois que nous pourrons accomplir de grandes choses. Mais d'abord, il faut manger. Vous devez vous remplumer.

Il le mena le long d'un long couloir à un salon meublé de meubles chinois et européens. Su Yin, vêtue d'un ensemble pantalon en soie noire, lisait, assise près d'un feu de cheminée. Elle se leva en les voyant entrer.

— J'ai des nouvelles, dit Yuan Tao. M. Dillon sera notre hôte pendant trois semaines. J'espère que ça ne te dérange pas.

— Bien sûr que non, oncle Yuan. Je vais aller préparer le dîner.

En ouvrant la porte, elle jeta un coup d'œil par-dessus son épaule, et, pour la première fois, adressa un sourire à Dillon.

Au matin du 4 juillet, Carl Morgan et Asta atterrirent sur l'aéroport londonien d'Heathrow. Une Rolls-Royce les y attendait, conduite par le directeur des bureaux de Morgan à Londres.

— On va au Berkeley ? demanda Asta.

— Où d'autre pourrait-on aller ? C'est le meilleur hôtel de la ville. J'ai réservé la suite Wellington : elle est située sur le toit, avec deux chambres et une serre merveilleuse.

— Et c'est si près de Harrods, c'est très pratique.

Il lui étreignit la main.

— T'ai-je jamais empêchée de dépenser mon argent ? Je te dépose là-bas, parce que j'ai des affaires à régler, mais je reviens ensuite. N'oublie pas que ce soir nous avons une réception à l'ambassade pour la fête nationale américaine. Fais-toi belle !

— Ils vont en être foudroyés !

— Comme d'habitude. Ah, ma chérie, ta mère aurait été fière de toi.

Et tandis que la Rolls les emportait, il lui étreignit tendrement la main.

Après avoir frappé, Hannah Bernstein pénétra dans le bureau de Ferguson. Celui-ci était assis à sa table, plongé dans son travail.

— Ah, la paperasse ! s'écria-t-il. Bon, qu'y a-t-il ?

— Je viens de recevoir un coup de téléphone de Kim, depuis Ardmurchan Lodge. Il y est arrivé hier soir, avec la Range Rover que vous lui avez fournie. Il a dit que le voyage était exténuant, que les montagnes lui rappelaient le Népal, mais que le pavillon est très beau. Apparemment, la cuisinière de Lady Katherine, Jeannie, est venue avec une tourte à la viande et aux pommes de terre pour s'assurer que tout allait bien.

Kim, ancien caporal des Gurkhas, était le valet de chambre, le cuisinier et l'homme à tout faire de Ferguson depuis de nombreuses années.

— Bon. Et Morgan ?

— Le prince s'en va dimanche matin. Il a déposé un plan de vol au départ de l'aérodrome d'Ardmurchan. Quant à Morgan, d'après le plan de vol qu'il a lui aussi déposé, le Citation de sa compagnie devrait y atterrir à l'heure du déjeuner. J'ai bien peur que nous n'ayons pas le temps de visiter discrètement les lieux avant son arrivée.

— Où est-il, pour le moment ?

— Il est arrivé à Heathrow il y a une heure avec sa

belle-fille, et il a réservé la suite Wellington, au Berkeley.

— Mon Dieu ! Le duc doit se retourner dans sa tombe.

— Il doit se rendre ce soir à la réception de l'ambassade des Etats-Unis.

— Ce qui veut dire qu'il va falloir que je m'y rende aussi. Tant pis. Et l'autre affaire ? C'est en bonne voie ?

— Oui, général.

— Parfait. Dans ce cas, je vous reverrai tout à l'heure.

Il se remit à son travail et elle sortit.

Une faible lumière filtrait par les rideaux lorsque Dillon s'éveilla d'un sommeil profond. Il était seul. Il se tourna et regarda sur l'autre oreiller la trace qu'elle avait laissée. Puis il se leva, gagna la fenêtre et, à travers l'interstice entre les rideaux, regarda la rue pavée de Stable Mews.

La soirée était belle. Détendu, il se dirigea vers l'armoire à vêtements. Il se sentait dans une forme éblouissante. Il avait les idées claires, et la douleur qu'il éprouvait à l'estomac ne trahissait qu'une faim des plus honnêtes. Il s'examina dans la glace de l'armoire. Il semblait avoir rajeuni. Il se tourna à moitié et constata que les cicatrices de son opération n'étaient déjà plus que des lignes blanches. C'était extraordinaire. A peine quatre semaines depuis cette soirée à Wapping. Yuan Tao avait accompli un véritable miracle. Il enfila un survêtement et ouvrit la porte de la salle de bains, où l'on entendait couler de l'eau. Su Yin était sous la douche.

— C'est moi, dit-il. On dîne ensemble, ce soir ?

— N'oublie pas que je m'occupe d'un restaurant.

— On pourrait dîner après.

— Bon, on verra. Maintenant, va faire tes exercices.

Il ferma la porte et regagna la chambre. Il y faisait frais, et le bruit de la circulation ne lui parvenait que très étouffé. Debout au milieu de la pièce, il se détendit complètement et se rappela ces vers taoïstes très anciens que lui avait appris Yuan Tao :

En mouvement, sois comme l'eau,
Au repos, comme un miroir,
Réagis comme l'écho,
Sois subtil comme si tu n'existais
pas.

La faculté de se détendre complètement est un bien précieux, que l'homme, seul de tous les animaux, ne pratique pas spontanément. Cultivée au moyen d'une discipline rigoureuse et d'exercices vieux d'au moins un millénaire, elle confère pourtant un pouvoir quasi surhumain. C'est de cette détente complète que jaillit le *ki*, la force vitale qui, au repos, donne à l'homme la souplesse de l'enfant, et, dans l'effort, la puissance du tigre.

Il s'assit sur le sol, jambes croisées, et se détendit complètement, inspirant par le nez et expirant par la bouche. Il ferma les yeux et couvrit son oreille gauche de sa main droite. Il inversa la posture au bout de cinq minutes, sans cesser de respirer profondément et régulièrement. Puis, les bras croisés sur la poitrine, il se couvrit les deux oreilles.

L'obscurité l'enveloppa complètement, et lorsqu'il ouvrit enfin les yeux, sa bouche était d'une fraîcheur étonnante. Il prit une longue inspiration et se releva : ses membres semblaient avoir emmagasiné une puissance formidable. Il se demanda quelle serait la réaction du professeur Bellamy s'il le voyait, et pourtant les résultats étaient incontestables. Ses mains ne tremblaient plus, il avait le regard assuré, et possédait une force qu'il n'aurait jamais soupçonnée en lui.

Su Yin fit alors son apparition, vêtue d'une chemise orange vif et chaussée de sandales de couleur crème. Elle se peignait les cheveux.

— Tu as l'air content de toi, dit-elle.

— Pourquoi ne le serais-je pas ? J'ai passé l'après-midi au lit avec une femme suprêmement belle et je me sens encore la vigueur de Samson.

Elle éclara de rire.

— Tu es impossible, Sean. Appelle-moi un taxi, veux-tu ?

Il composa le numéro habituel, puis se tourna vers elle.

— Et ce soir ? On pourrait souper au Ritz et assister ensuite à un spectacle de cabaret.

— C'est impossible, dit-elle en lui posant la main sur la joue. Je sais que tu te sens dans une forme éblouissante, mais dans la vie, on ne peut pas tout avoir. (Elle hésita.) Yuan Tao te manque, n'est-ce pas ?

— Oui, beaucoup. Et pourtant, ça fait seulement cinq jours qu'il est parti.

— Tu me regretteras autant ?

— Bien sûr. Pourquoi me demandes-tu ça ?

— Je rentre à Hong Kong, Sean. Ma sœur et son mari ouvrent là-bas une nouvelle boîte de nuit. Mon oncle m'a appelée hier soir : ils ont besoin de moi.

— Et le Red Dragon ?

— C'est le maître d'hôtel qui va en prendre la direction. Tout se passera bien.

— Et moi ? Qu'est-ce que je deviens, dans tout ça ?

— Qu'est-ce que tu essayes de me dire ? Que tu m'aimes ? (Comme il hésitait avant de répondre, elle poursuivit :) Non, Sean, on a passé des moments merveilleux ensemble, mais toutes les bonnes choses ont une fin et, pour moi, le moment est venu de rentrer dans mon pays.

— Quand ?

— Probablement en fin de semaine. (On sonna à

la porte. Elle ramassa sa valise.) Voilà mon taxi. Il faut que j'y aille. J'ai plein de choses à faire.

Il l'accompagna jusqu'à la porte. Le chauffeur attendait dans sa voiture, moteur en marche. Elle s'immobilisa sur le perron.

— Ça ne veut pas dire que tout est fini, Sean. Tu m'appelleras ?

Il l'embrassa sur les deux joues.

— Bien sûr.

Mais tous deux savaient qu'il n'en ferait rien. Il le comprit à la façon qu'elle eut de se retourner avant de monter dans le taxi, comme si c'était la dernière fois qu'elle le voyait. La portière claqua et la voiture s'éloigna.

Il était sous sa douche depuis un bon quart d'heure lorsque retentit la sonnette de la porte d'entrée. Revenait-elle ? Il s'enveloppa dans une robe de chambre et, tout en se séchant les cheveux avec une serviette, alla ouvrir. Un homme vêtu d'une salopette brune, une planchette avec des papiers à la main, se tenait sur le perron. Derrière lui était garée une camionnette des British Telecom.

— Excusez-moi de vous ennuyer, monsieur, mais depuis ce matin, nous avons eu quatre dérangements sur les lignes, dans les Mews. Est-ce que je pourrais vérifier votre installation ?

Il tendit une carte des British Telecom portant le nom de J. Smith, avec sa photo.

— Bien sûr.

Il le précéda dans le couloir.

— La boîte se trouve sous l'escalier. Je monte m'habiller et je suis à vous.

Il grimpa l'escalier en terminant de se sécher les cheveux, enfila un survêtement, chaussa des tennis et redescendit. Le technicien se trouvait sous l'escalier.

— Ça va, ça marche ?

— Oui, je crois.

Dillon voulut gagner la cuisine et aperçut alors un gros panier de linge sale au milieu du salon.

— Mais qu'est-ce que c'est que ça ? s'exclama-t-il.

— Oh ! ça, c'est pour vous.

Un homme vêtu de la même combinaison brune des British Telecom sortit de derrière la porte où il se dissimulait, un Beretta automatique à la main. Il s'avança de quelques pas. Il avait le visage ridé, l'air plutôt bonhomme.

— Inutile de brandir un tel engin ! s'écria Dillon. Dites-moi plutôt ce que vous voulez.

Il s'avança jusqu'à la cheminée et s'appuya d'une main au manteau.

— A votre place, monsieur, je ne chercherais pas le Walther qui est d'ordinaire accroché à l'intérieur de la cheminée : nous l'avons déjà enlevé. Allongez-vous sur le sol, les mains derrière la nuque.

Dillon obéit et le dénommé Smith les rejoignit.

— Détendez-vous, monsieur Dillon.

Il sentit qu'on lui enfonçait dans la fesse l'aiguille d'une seringue.

L'impression était agréable. Il avait cessé d'être là, c'était aussi simple que ça.

Il revint à la vie aussi rapidement qu'il l'avait quittée. Il faisait nuit, et la seule lumière était celle que dispensait la veilleuse disposée sur la table de nuit, près du lit où il était allongé. Il portait encore son survêtement, et on ne lui avait même pas ôté ses chaussures de tennis. Il se leva, prit quelques profondes inspirations et entendit alors un bruit de clé dans la serrure. Il se recoucha en hâte et ferma les yeux.

— Il est toujours endormi. C'est normal, docteur ?

Dillon reconnut la voix de Smith.

— Laissez-moi voir, répondit quelqu'un.

On lui prit le pouls, on ouvrit la fermeture Eclair

de sa veste de survêtement, et il sentit qu'on lui appliquait un stéthoscope sur la poitrine.

— Le pouls est bon, le cœur normal. (On lui souleva les paupières et on lui braqua un rayon lumineux dans chaque œil. Dillon aperçut un Indien cadavérique vêtu d'une blouse blanche mais, par un suprême effort de volonté, parvint à garder le regard fixe.) Il va bientôt se réveiller, reprit le médecin. Avec ce genre de médicaments, on n'est jamais sûr du temps d'endormissement. Les réactions varient suivant les sujets. On reviendra dans une heure.

La porte se referma. Bruit de clé dans la serrure. Puis celui de deux verrous qu'on tire. Dillon se leva et colla son oreille à la porte. Visiblement, il était inutile de s'acharner sur celle-ci. Il alla tirer les rideaux de la fenêtre et découvrit de solides barreaux. Il scruta l'obscurité au-dehors. Il pleuvait fort, et l'eau coulait d'une gouttière qui se trouvait juste au-dessus de lui. Il y avait un jardin, bordé à une cinquantaine de mètres par un haut mur.

Si la gouttière se trouvait juste au-dessus de lui, cela voulait dire que la pièce était sous le toit. Ce pouvait être un grenier, mais il n'y avait qu'une seule façon de s'en assurer.

Il tira la table qui se trouvait dans un coin près de la fenêtre et grimpa dessus. Le plafond était en mauvais état : un coup de coude, et il en fit dégringoler le plâtre. Il élargit rapidement le trou, puis entreprit d'arracher à mains nues les lattes de bois. Lorsque le trou fut suffisamment large, il mit la chaise sur la table, se hissa dans l'ouverture et se retrouva juste sous le toit, dans un vaste espace mal éclairé par quelques fentes.

Avec précaution, il s'avança sur les poutres. Les combles étaient vastes et semblaient recouvrir la totalité du bâtiment. Il finit par rencontrer une trappe qu'il ouvrit avec lenteur, découvrant un palier plongé dans l'obscurité.

Il sauta le plus silencieusement possible, attendit

un instant puis s'engagea dans l'escalier. Il aboutit à l'extrémité d'un couloir brillamment éclairé, hésita une seconde... Au même instant, une porte s'ouvrit sur sa gauche, livrant passage à Smith et au médecin indien. Smith réagit aussitôt, tirant un Walther de sa poche, mais Dillon lui enfonça son poing dans l'estomac et lui assena un violent coup de genou au visage quand il se plia en deux. Smith s'écroula sur le sol et Dillon ramassa son Walther.

— Et maintenant, lança-t-il au médecin, je veux des explications. D'abord, où suis-je ?

L'Indien semblait pris de panique.

— A la maison de repos St. Mark, à Holland Park. Je vous en prie, monsieur Dillon, dit-il en agitant les mains, je déteste les armes.

— Vous les détesterez encore plus quand j'en aurai fini avec vous. Que se passe-t-il ? Qui m'a enlevé ?

— Je vous en prie, monsieur Dillon, dit l'homme d'un ton suppliant. Je ne fais que mon travail.

Dillon entendit un cri et, se retournant, reconnut à l'extrémité du couloir son autre ravisseur. Celui-ci sortit le Beretta de son étui, mais Dillon tira le premier et l'homme tomba à la renverse. Dillon poussa alors le médecin dans une pièce, tourna le verrou et se rua dans l'escalier. Avant qu'il ait atteint le rez-de-chaussée, une sonnerie monotone retentissait dans tout le bâtiment. En quelques bonds, Dillon atteignit la porte d'entrée et se précipita dans le jardin.

Il pleuvait fort. Il devait se trouver à l'arrière du bâtiment, et de l'autre côté lui parvenaient des voix et les aboiements d'un chien. Il traversa une pelouse, puis des buissons, levant la main pour se protéger le visage, et finit par se retrouver devant le mur. Il faisait environ 4,50 mètres de haut et le sommet s'ornait de fil de fer barbelé. Il était peut-être possible de grimper sur un arbre et de sauter par-dessus, mais le fil noir tendu au milieu des barbelés ne lui disait rien qui vaille. Il ramassa une longue branche et le toucha, provoquant immédiatement un éclair.

Il se mit alors à courir parallèlement au mur. Plusieurs chiens aboyaient à présent, mais il espérait que la pluie effacerait ses traces. Il finit par arriver au bout de la rangée d'arbres, face à l'allée menant au portail principal. Mais celui-ci était fermé, et gardé par deux hommes vêtus de tenues de camouflage, coiffés de bérets et armés de fusils d'assaut.

Une Land Rover s'immobilisa devant le portail, un homme en civil en descendit et s'entretint brièvement avec les deux gardes. Dillon fit demi-tour et se dirigea vers la maison. Au moment où il atteignait la porte de derrière par laquelle il était sorti, la sonnerie s'interrompit brutalement. Il demeura un instant aux aguets, puis entra. Il suivit en silence le couloir jusqu'au pied de l'escalier et s'immobilisa.

Des voix, au loin. Il s'engagea prudemment dans l'escalier. C'était bien le dernier endroit où ils le chercheraient. Il gagna ainsi le couloir du dernier étage. Smith et le deuxième homme avaient disparu mais, pour la deuxième fois ce soir-là, une porte s'ouvrit sur sa droite, et le médecin indien fit son apparition.

Sa détresse avait quelque chose de comique.

— Oh, monsieur Dillon ! Je vous croyais loin à l'heure qu'il est.

— Je suis revenu vous hanter, répondit Dillon. Au fait, vous ne m'avez pas dit votre nom.

— Je suis... le docteur Emas Chowdray.

— Parfait. Je vais vous dire ce que nous allons faire. Il doit bien y avoir un responsable dans cet endroit. Vous allez me conduire à lui. Et si jamais... (il enfonça le canon de son Walther sous le menton de Chowdray)... vous aurez de bonnes raisons de détester les armes.

— Inutile d'être violent, monsieur Dillon, je vous assure. Je vous obéirai.

Il le conduisit au premier étage et s'engagea dans

un couloir menant à un palier recouvert de tapis. De là, un escalier de style Régence descendait jusqu'à une somptueuse entrée. Les chiens aboyaient encore dans le jardin, mais il régnait dans cette vaste entrée un silence si profond qu'on entendait le tic-tac de la vieille horloge dans le coin.

— Où allons-nous ? chuchota Dillon.

— Là-bas, la porte en acajou, fit Chowdray.

— Passez devant.

Ils descendirent les marches recouvertes d'un tapis et traversèrent l'entrée.

— C'est la bibliothèque, dit le médecin.

— Ouvrez doucement la porte.

Chowdray s'exécuta et Dillon le poussa devant lui. Les murs étaient recouverts de livres et un feu brûlait dans la cheminée. Debout près de la cheminée, l'inspecteur principal Hannah Bernstein s'entretenait avec les deux faux techniciens des British Telecom.

Elle se tourna vers lui et lui adressa un sourire.

— Entrez, monsieur Dillon, entrez. Vous venez de me faire gagner cinq livres sterling. J'ai en effet parié avec ces deux messieurs que c'est très exactement ici que vous aboutiriez.

6

Une voiture conduisit Dillon à sa maison de Stable Mews et l'attendit, rangée le long du trottoir. Il enfila un pantalon gris, un polo en soie bleu marine et une veste en tweed. Il prit son portefeuille, son étui à cigarettes, son briquet et, quelques minutes plus tard, la voiture le conduisait chez Ferguson, sur Cavendish Square. Il sonna à la porte : ce fut Hannah Bernstein qui vint lui ouvrir.

— Vous faites office de domestique à présent ? demanda-t-il. Où est Kim ?

— En Ecosse, répondit-elle. Vous saurez bientôt pourquoi. Il nous attend.

Ferguson était assis au salon, devant la cheminée, et lisait le journal du soir. Il leva les yeux en les voyant entrer.

— Ah, vous voilà, Dillon, dit-il d'un air enjoué. Je dois dire que vous m'avez l'air dans une forme remarquable.

— Vous m'avez encore joué un tour de cochon, remarqua Dillon.

— Bah, ce n'était qu'une épreuve destinée à me faire gagner du temps et à confirmer la véracité des rapports que j'avais reçus à votre sujet. (Il se tourna vers Hannah :) Vous avez tout pris en vidéo ?

— Oui, général.

Ferguson se tourna de nouveau vers Dillon :

— Vous avez donné du fil à retordre à ce pauvre vieux Smith, quant à son collègue, il est heureux que vous n'ayez eu que des balles à blanc dans votre Walther. (Il secoua la tête.) Mon Dieu, Dillon, quand vous vous y mettez, vous êtes vraiment terrible !

— Je vous remercie du compliment, mais pourriez-vous me dire au juste à quoi rime toute cette histoire ?

— Mais certainement. Il y a une bouteille de Bushmills sur l'étagère. Inspecteur, voulez-vous me sortir le dossier, je vous prie ?

Dillon remercia Ferguson d'un air ironique et alla se servir un verre de whisky.

— Si je ne vous avais pas vu de mes propres yeux, reprit Ferguson, je n'y croirais pas. Ce Yuan Tao est un type remarquable. J'aimerais bien qu'il travaille pour moi.

— J'imagine que vous pourriez l'acheter.

— Pas vraiment, dit Ferguson. Il est propriétaire de trois usines à Hong Kong et d'une des plus grandes compagnies maritimes du Sud-Est asiatique, sans compter des affaires de moindre importance, comme des restaurants. Il ne vous en a pas parlé ?

— Non, dit Dillon dont le visage s'éclaira ensuite d'un large sourire, ça n'est pas son genre.

— Sa nièce m'a l'air d'une fort jolie fille.

— Elle est effectivement très jolie. Elle retourne à Hong Kong en fin de semaine. Je parie que vous ne le saviez pas.

— Quel dommage ! Nous allons devoir trouver un autre moyen de vous occuper.

— Je suis sûr que vous n'aurez pas la moindre difficulté.

— Comme d'habitude, vous voyez juste. Je tenais absolument à vous récupérer, c'est un fait, mais de plus il s'est produit un certain nombre de choses, et nous allons avoir besoin de vos talents particuliers. Avant tout parce que se trouve impliquée dans cette affaire une jeune personne tout à fait charmante. Inspecteur, le dossier s'il vous plaît.

— Le voici, général.

— Avez-vous entendu parler d'un nommé Carl Morgan ?

— C'est un milliardaire, propriétaire d'hôtels, homme d'affaires, entre autres. On le voit partout dans les pages mondaines des magazines. Il est lié à la Mafia. Son oncle se nomme Don Giovanni Luca. En Sicile, c'est le *capo di tutti capi,* le patron des patrons.

Ferguson sembla sincèrement impressionné.

— Mais comment diable savez-vous tout ça ?

— Oh, il y a environ un millier d'années, quand je travaillais avec une organisation illégale, une certaine IRA, la mafia sicilienne était l'un de nos fournisseurs d'armement.

— Ah, vraiment ? lança sèchement Hannah Bernstein. Ça ne serait peut-être pas mal de vous faire asseoir ici et de dresser procès-verbal : vous pourriez nous raconter vos souvenirs dans ce domaine.

— C'est une idée.

— Tenez, regardez ça, dit-elle en lui tendant un dossier.

— Mais comment donc !

— Je vais faire du thé, général, annonça Hannah Bernstein.

Elle sortit, et Dillon s'installa dans un fauteuil près de la fenêtre, une cigarette à la main. Lorsqu'elle revint avec un plateau, il avait terminé sa lecture.

— C'est passionnant, cette histoire d'accord de Ch'ung-king, dit-il. (Dans le dossier figuraient quelques photos de Morgan, en costume de polo.) Voilà notre homme. On dirait une publicité pour une lotion après-rasage.

— C'est un homme dangereux, dit Hannah en lui versant une tasse de thé. Ne vous y trompez pas.

— Je sais, ma chère, je sais.

Sur d'autres photos, on le voyait en compagnie de grands de ce monde, ou au côté de Luca.

— Et celle-là ? demanda Dillon.

Sur le dernier cliché, on voyait Morgan sur son yacht, dans le port de Cannes, étendu sur une chaise longue, un verre de champagne à la main, le regard tourné vers une jeune fille appuyée au bastingage. Elle semblait avoir seize ans. Ses cheveux blonds tombaient sur ses épaules, elle était en bikini.

— C'est sa belle-fille, Asta, mais elle porte son nom, dit Hannah.

— Suédoise ?

— Oui. La photo a été prise il y a plus de quatre ans. Elle aura vingt et un ans dans trois semaines environ. Nous avons une photo d'elle parue dans *Tatler,* où on la voit aux courses de Goodwood en compagnie de Morgan. Elle est très, très attirante.

— Vu la façon dont il la regarde sur cette photo, j'ai l'impression que Morgan serait d'accord avec vous.

— Pourquoi dites-vous cela ? demanda Ferguson.

— Sur toutes les autres photos il sourit, mais pas sur celle-là. C'est comme s'il disait : « Je te prends au sérieux. » Où est la mère ? Vous ne me l'avez pas montrée.

— Elle s'est noyée l'année dernière, alors qu'elle faisait de la plongée sous-marine. C'était en Grèce, au large de l'île d'Hydra.

— Un accident ?

— D'après l'autopsie, la mort serait due à la défectuosité d'une bouteille d'oxygène, dit Hannah, mais nous avons ici la copie d'un rapport d'enquête de la police d'Athènes. Le général m'a dit que vous étiez un plongeur émérite. Je crois que vous le trouverez intéressant.

Elle lui tendit le document. Dillon le parcourut rapidement puis releva la tête, les sourcils froncés.

— Il ne s'agit pas d'un accident. La valve d'admission d'air a dû être sabotée. C'en est resté là ?

— La police n'a même pas évoqué l'affaire avec Morgan. Cette information figure dans un dossier confidentiel, et je l'ai eu par l'intermédiaire d'un ami au sein des services de renseignements grecs, dit Ferguson. Morgan possède de gros intérêts en Grèce : transport maritime, hôtels, casinos. L'ordre d'étouffer l'affaire est venu d'en haut.

— De toute façon, dit Hannah, avec l'influence et l'argent dont il dispose, l'enquête ne serait pas allée bien loin.

— Mais pourquoi aurait-il tué ou fait tuer sa femme ? dit Dillon. Elle était riche ?

— Oui, mais pas autant que lui, répondit Ferguson. J'ai idée que peut-être elle en savait trop.

— Vous le pensez aussi ? demanda Dillon à Hannah Bernstein.

— C'est possible. (Elle sortit la photo prise sur le yacht.) Mais il y avait peut-être autre chose. C'était peut-être Asta qu'il voulait.

Dillon acquiesça.

— C'est ce que je pensais. (Il se tourna vers Ferguson :) Alors, qu'est-ce qu'on fait avec lui ?

Ferguson hocha la tête en direction de Hannah, et ce fut elle qui répondit.

— Morgan emménage lundi dans le château du Loch Dhu. Le vendredi précédent, le général et moi nous atterrirons sur le vieil aérodrome militaire d'Ardmurchan et nous installerons à Ardmurchan Lodge, où se trouve déjà Kim.

— Et moi ?

— Vous, vous êtes mon neveu, dit Ferguson. Ma mère était irlandaise, vous vous rappelez, n'est-ce pas ? Vous nous rejoindrez quelques jours plus tard.

— Pourquoi ?

— Nous avons appris qu'Asta n'accompagnera pas Morgan, dit Hannah. Elle assistera au bal de l'ambassade du Brésil, qui aura lieu lundi soir au Dorchester. Morgan y était invité, et elle le représentera. Nous avons également appris qu'elle prendra l'avion pour Glasgow mardi, puis le train jusqu'à Fort William et Arisaig, où on viendra la chercher en voiture.

— Comment savez-vous tout cela ? demanda Dillon.

— Oh, disons que nous avons un ami dans le personnel de l'hôtel Berkeley, dit-elle.

— Pourquoi prendre le train à Glasgow, alors qu'elle pourrait se rendre directement à Ardmurchan avec le Citation de Morgan ?

— Allez savoir ! dit Ferguson. Elle a peut-être envie d'admirer le paysage. Le train traverse l'une des régions les plus extraordinaires d'Europe.

— Et donc, que dois-je faire ?

— L'inspecteur principal va vous remettre une invitation bordée d'or pour le bal de l'ambassade du Brésil, lundi soir. L'invitation est au nom de M. Sean Dillon. Vous avez un smoking ?

— Bien sûr. Il m'en faut bien un pour les soirs où je suis serveur au Savoy. Et une fois là-bas ?

Pour la première fois, Hannah Bernstein sembla hésiter.

— Eh bien... essayez de faire sa connaissance.

— Vous voulez dire de la draguer ? Ça n'aura pas l'air un peu bizarre lorsque je ferai mon apparition, plus tard, à Ardmurchan Lodge ?

— C'est tout à fait intentionnel de ma part, mon garçon, dit Ferguson. Vous vous souvenez de notre petite aventure aux îles Vierges américaines [1] ? (Ferguson se tourna vers Hannah.) Je suis sûr que vous avez lu le dossier, inspecteur. Le regretté M. Santiago et son équipe savaient exactement qui nous étions et pourquoi nous étions là. C'est le genre de situation « je sais que tu sais que je sais que tu sais ».

— Et donc ? dit Dillon.

— Notre Morgan, qui séjourne pour des raisons inavouables au Loch Dhu, un domaine isolé des

1. Voir *Opération Virgin*, Albin Michel, 1994.

Highlands, va découvrir qu'il a des voisins venus chasser de l'autre côté du loch, à Ardmurchan Lodge. A la minute même où il l'apprendra, il cherchera à savoir qui nous sommes, mon cher, et il sera inutile de nous dissimuler derrière de faux noms. Avec les contacts qu'il a, notamment dans la Mafia de Londres, il n'aura aucun mal à nous identifier.

— Bon, d'accord. Mais comme je sais que vous êtes un vieux renard, je suis persuadé que vous avez une idée derrière la tête.

— N'est-ce pas une manière charmante de s'exprimer, inspecteur ? dit Ferguson en souriant. Oui, mon cher, vous avez raison : j'ai une idée derrière la tête. D'abord, je veux qu'il sache que nous sommes là à épier le moindre de ses mouvements. Je vais faire en sorte que la présence d'Asta au bal de l'ambassade du Brésil, parce que Morgan s'est rendu en Ecosse, soit signalée dans la rubrique mondaine du *Daily Mail.* Vous pourrez dire ensuite que vous avez lu l'article et que vous avez été intrigué parce que vous vous rendiez au même endroit. De toute façon, ça ne changera rien : Morgan reniflera quand même la combine.

— Ça ne risque pas d'être dangereux, général ? demanda Hannah Bernstein.

— Mais bien sûr, ce sera dangereux, voilà pourquoi nous aurons Dillon avec nous. (Il se leva en souriant.) Il se fait tard, je crois qu'il est temps d'aller dîner. Vous devez être affamés. Je vous emmène au River Room, au Savoy. Il y a un excellent orchestre de danse, inspecteur, vous pourrez tournoyer sur le parquet avec le desperado ici présent. Vous risquez d'être surprise.

Le lundi soir, Dillon arriva tôt au Dorchester et laissa au vestiaire son imperméable Burberry bleu marine. Il était vêtu d'un magnifique smoking Armani en soie et espérait qu'Asta serait sensible à son charme. Il se donna du courage en vidant une coupe de champagne au piano-bar, puis, après avoir présenté son carton d'invitation, fut admis dans la grande salle de bal où l'ambassadeur du Brésil et son épouse accueillaient leurs invités.

On annonça son nom et il s'avança.

— Monsieur Dillon ? dit l'ambassadeur, d'un ton légèrement interrogatif.

— Du ministère de la Défense. Je suis très honoré de votre invitation. (Il se tourna vers la femme de l'ambassadeur et lui baisa galamment la main.) Cette robe vous va à ravir, madame, mes compliments.

Elle rougit de plaisir, et en s'éloignant il l'entendit dire à son mari, en portugais : « Quel homme charmant ! »

Il y avait beaucoup de monde dans la salle de bal où l'orchestre jouait déjà : des femmes vêtues de robes exquises, des hommes en smoking, quelques uniformes de gala, et même un dignitaire ecclésiastique. La lumière des chandeliers en cristal se reflétait dans les miroirs, ajoutant au brillant de la scène ; il prit une coupe de champagne sur le plateau d'un serviteur qui se promenait dans la foule et se mit en quête d'Asta Morgan. Ne la trouvant pas, il finit par se poster près de l'entrée et alluma une cigarette.

Près d'une heure plus tard, il entendit annoncer son nom. Ses cheveux relevés en chignon mettaient en valeur son beau visage scandinave aux pommettes hautes, et elle arborait un air d'arrogance qui semblait un défi jeté à la face du monde. Elle portait une robe de soie noire d'une simplicité outrageuse, fort courte, serrée à la taille, et tenait à la main un petit sac de soirée en mailles noires. Les regards se tournèrent vers elle tandis qu'elle échangeait quelques mots avec l'ambassadeur et sa femme.

Elle doit présenter ses excuses pour Morgan, se dit Dillon.

Elle finit par descendre les quelques marches menant à la salle de bal et s'immobilisa pour ouvrir son sac. Elle en tira un étui en or, y prit une cigarette et se mit à la recherche de son briquet.

— Flûte ! dit-elle.

Dillon s'avança, le Zippo allumé dans la main droite.

— C'est le genre de chose qu'on ne trouve jamais quand on en a besoin, n'est-ce pas ?

Elle le dévisagea un bref instant, puis posa la main sur le poignet de Dillon et alluma sa cigarette.

— Merci.

Au moment où elle s'apprêtait à poursuivre son chemin, Dillon lança gaiement :

— Voilà des talons qui font au moins vingt centimètres. Faites attention quand vous marchez, mademoiselle, un plâtre n'irait pas du tout avec cette petite robe toute symbolique.

Elle eut l'air sidéré, puis éclata de rire et s'éloigna.

Elle semblait connaître beaucoup de gens, passait de groupe en groupe, s'arrêtant de temps à autre pour répondre à la demande d'un photographe de presse. Elle avait du succès. Dillon la suivait de loin, attendant de voir ce que la soirée lui réservait.

Elle dansa beaucoup, avec différents cavaliers, dont l'ambassadeur lui-même, deux ministres et quelques acteurs. Dillon sentit la chance lui sourire lorsqu'il la vit danser avec un parlementaire connu pour être un coureur de jupons. La danse terminée, celui-ci garda en effet le bras passé autour de la taille de sa cavalière et l'entraîna vers le buffet. Elle chercha à se libérer, mais il la tenait désormais fermement par le poignet.

Dillon s'avança rapidement vers eux.

— Oh, Asta, excuse-moi pour ce retard. Les affaires, que veux-tu !

L'homme, surpris, lâcha le poignet d'Asta, et

Dillon en profita pour déposer un baiser sur les lèvres de la jeune fille.

— Sean Dillon, lui murmura-t-il.

Elle le repoussa en feignant l'exaspération.

— Tu es odieux, Sean ! Les affaires ! C'est tout ce que tu as trouvé pour te faire pardonner ?

Dillon lui prit la main, totalement indifférent au parlementaire qui se tenait à leurs côtés.

— Ecoute, je vais essayer de trouver quelque chose de mieux. En attendant, allons danser.

L'orchestre jouait un fox-trot et elle était légère entre ses bras.

— Mon Dieu, mais vous dansez à merveille ! s'écria-t-il.

— J'ai appris quand j'étais en pension. Nous dansions deux fois par semaine, dans la grande salle. Les filles dansaient ensemble, bien sûr. Nous menions chacune à tour de rôle.

— Je vois ça d'ici. Moi, quand j'étais jeune, à Belfast, nous nous cotisions, entre copains, pour payer à l'un d'entre nous l'entrée de la salle de bal ; ensuite, il allait nous ouvrir une des sorties de secours.

— Jolie mentalité !

— Bah, à seize ans on n'avait jamais d'argent, mais une fois à l'intérieur, c'était le rêve. Toutes ces filles en robe de coton, qui sentaient le talc ! (Elle sourit.) Hé oui, nous vivions dans un quartier ouvrier. Le parfum était beaucoup trop cher.

— Est-ce là que vous avez appris vos belles manières ?

— Quelles belles manières ?

— Oh, je vous en prie ! Je parle de la façon galante dont vous m'avez tirée d'affaire. J'imagine que je devrais me montrer reconnaissante, non ?

— Vous voulez dire que nous allons nous perdre dans la nuit pour que je donne libre cours à ma nature de goujat ? (Il sourit.) Je regrette, ma chérie, mais j'ai d'autres projets, et je suis sûr que c'est également votre cas.

Il s'immobilisa sur le bord de la piste de danse et s'inclina pour lui baiser la main.

— Ce fut un moment délicieux, mais tâchez maintenant de mieux choisir vos cavaliers.

Et il s'éloigna, sous le regard stupéfait d'Asta Morgan.

De tous les pianistes de bar de Londres, celui du Dorchester était le préféré de Dillon. Lorsqu'il vit apparaître l'Irlandais, il lui adressa un grand signe et Dillon vint le rejoindre à son piano.

— Dis moi, tu es sur ton trente-et-un. Qu'y a-t-il de spécial, ce soir ?

— Le bal de l'ambassade du Brésil : on y voit parfois les grands de ce monde se ridiculiser.

— Dis-moi, tu ne voudrais pas me remplacer un moment ? Il faut que j'aille aux toilettes.

— Avec plaisir.

Dillon se glissa sur le tabouret. Une serveuse s'approcha en souriant.

— Comme d'habitude, monsieur Dillon ?

— Oui, ma chérie, un Krug, non millésimé.

Dillon prit une cigarette dans son étui en argent et attaqua l'un de ses morceaux favoris, *A Foggy Day in London Town.*

Il était là, assis devant son piano, la cigarette aux lèvres, apparemment absorbé par sa musique, mais il aperçut tout de suite Asta Morgan qui se dirigeait vers lui.

— Vous êtes un homme de talent, je vois.

— Comme l'a dit un jour un de mes vieux ennemis, je suis un pianiste de bar acceptable : c'est le résultat d'une jeunesse dissipée.

— Vous avez bien dit un ennemi ?

— Nous luttions pour la même cause, mais disons que nous n'étions pas d'accord sur les moyens.

— Une cause, monsieur Dillon ? Cela a l'air bien sérieux.

— Un vrai fardeau, ne m'en parlez pas ! (La serveuse fit son apparition avec le champagne dans un seau.) Pourriez-vous rajouter un verre pour madame ? Nous nous installerons à la table là-bas.

— *I was a stranger in the city,* se mit-elle à fredonner.

— *Out of town were the people I knew,* poursuivit Dillon. Remercions donc George et Ira Gershwin pour cette chanson. Ils ont dû beaucoup aimer cette ville. Ils l'ont écrite pour un film intitulé *A Damsel in Distress.* C'est Fred Astaire qui la chantait.

— Je me suis laissé dire qu'il savait aussi un peu danser.

Le pianiste noir revint au même moment.

— Hé, c'est bien, ça !

— Bah, je ne joue pas aussi bien que toi. Vas-y, reprends ta place.

Dillon se leva et le pianiste se rassit sur le tabouret. Ils s'installèrent dans la stalle ; Dillon alluma la cigarette de sa compagne et lui versa un verre de champagne.

— Je vous croyais un homme du monde, et pourtant je vois que vous buvez du champagne non millésimé, dit-elle en regardant la bouteille de Krug.

— Les champagnes non millésimés sont les meilleurs, rétorqua-t-il, mais peu de gens le savent. Ils se fient à l'étiquette, ils ne vont pas au-delà de la surface des choses.

— Je vois que vous êtes également un philosophe. Que faites-vous dans la vie, monsieur Dillon ?

— Le moins de choses possible.

— Comme tout le monde, non ? Vous avez parlé d'une cause, et non d'un travail ni d'un métier. Voilà quelque chose que je trouve intéressant.

— Mon Dieu, chère Asta Morgan, nous sommes ici dans le meilleur bar de Londres, à boire du champagne Krug, et voilà que vous vous lancez dans les discussions sérieuses !

— Comment savez-vous mon nom ?

— Eh bien, grâce au *Tatler*, à *Hello*, et à tous ces magazines mondains qui rapportent vos faits et gestes. Votre père et vous fréquentez tellement de gens de la haute que votre nom ne peut guère rester secret. Le mois dernier, vous étiez même au Royal Enclosure, à Ascot, avec la reine mère — que Dieu l'ait en Sa sainte garde — et moi, pauvre petit paysan irlandais, j'avais le nez écrasé contre la vitre.

— J'étais à l'Enclosure parce que mon père y faisait courir un cheval. Quant à vous, monsieur Dillon, je doute que vous ayez jamais écrasé votre nez contre une vitre : je vous vois plutôt les descendre à coups de pied. (Elle se leva.) C'est à mon tour de m'en aller. J'ai été heureuse de faire votre connaissance, et je vous remercie encore pour votre intervention de tout à l'heure. Lorsqu'il a bu, Hamish Hunt est un vrai porc.

— Une fille comme vous tenterait un cardinal, même à jeun !

L'espace d'un instant, elle eut l'air désarçonnée, toute superbe envolée, et ses joues empourprées trahirent son embarras.

— Des compliments, monsieur Dillon ? A cette heure avancée de la nuit ? Que me réserve la suite ?

Dillon la regarda s'éloigner, puis régla l'addition et prit le même chemin. Il alla retirer son imperméable au vestiaire puis traversa le hall magnifique du Dorchester. Elle n'était pas devant l'entrée. Le portier s'approcha.

— Un taxi, monsieur ?

— Je cherche Mlle Asta Morgan, dit Dillon, mais j'ai l'impression que je l'ai perdue.

— Je connais bien Mlle Morgan, monsieur. Elle était au bal, ce soir. Je crois que son chauffeur doit la prendre à l'entrée latérale.

— Merci.

Dillon fit le tour de l'hôtel ; les phares des voitures illuminaient Park Lane. De nombreuses limousines attendaient devant l'entrée, et il finit par apercevoir

Asta Morgan, vêtue d'un ample manteau noir dont elle avait rabattu le capuchon sur la tête. Elle s'immobilisa, regarda les grosses voitures les unes après les autres et, ne trouvant apparemment pas celle qui devait l'attendre, se mit à marcher sur le trottoir. Au même moment, le dénommé Hamish Hunt sortit de l'hôtel et lui emboîta le pas.

Dillon se précipita, mais déjà Hunt avait plaqué Asta contre le mur et glissait les mains sous son manteau. Il parlait fort, d'une voix rendue pâteuse par l'alcool :

— Allez, Asta, rien qu'un baiser.

Dillon lui tapota l'épaule. Surpris, Hunt se retourna. Dillon lui écrasa brutalement le pied puis lui administra un violent coup de tête. Hunt tituba en arrière et glissa le long du mur.

— Encore soûl, fit l'Irlandais, je me demande ce que vont en penser ses électeurs.

Il prit Asta par la main et s'éloigna avec elle.

Une grosse Mercedes fit alors son apparition et un chauffeur en uniforme en jaillit.

— J'espère que je ne vous ai pas fait attendre, mademoiselle Asta. La police nous a interdit de stationner devant l'hôtel, et j'ai dû tourner autour.

— Ça ira, Henry.

Un policier en uniforme s'approchait de Hunt, assis contre le mur ; Asta ouvrit la portière arrière de la Mercedes, prit Dillon par la main et le tira à l'intérieur.

— Venez, il vaut mieux ne pas s'attarder ici.

Il prit place à côté d'elle ; le chauffeur se mit au volant et ils se glissèrent dans la circulation.

— Dites donc, m'dame, chouette de voiture que vous avez là, et moi qui suis qu'un pauvre Irlandais d'la campagne venu à Londres pour gagner quelques livres.

Elle éclata de rire.

— Vous, un pauvre gosse irlandais, monsieur

Dillon ? Ça serait bien le premier, en tout cas, que je verrais porter des vêtements de chez Armani.

— Ah bon, vous avez remarqué ?

— S'il y a quelque chose que je connais bien, c'est la mode. C'est là le fruit de ma jeunesse dissipée à moi.

— Il faut dire que vous êtes devenue une redoutable vieille dame, Asta.

— Bon, où puis-je vous conduire ?

— N'importe où ?

— C'est le moins que je puisse faire.

Il appuya sur un bouton, faisant descendre la glace qui les séparait du chauffeur.

— Conduisez-nous à l'Embankment, chauffeur, dit-il avant de relever la glace.

— L'Embankment ? Pourquoi ?

Il lui offrit une cigarette.

— N'avez-vous jamais vu ces vieux films où l'on voit un garçon et une fille qui marchent sur le trottoir de l'Embankment en regardant la Tamise ?

— Ça n'est pas de mon temps, monsieur Dillon... (elle se pencha pour allumer sa cigarette au briquet qu'il avait allumé pour elle)... mais j'ai bien envie d'essayer.

Lorsqu'ils atteignirent l'Embankment, il se mit à pleuvoir.

— Voulez-vous quand même admirer le paysage ? demanda-t-il.

Elle baissa la glace de séparation.

— Nous allons marcher un peu, Henry. Reprenez-nous à Lambeth Bridge. Vous avez un parapluie ?

— Bien sûr, mademoiselle Asta.

Il sortit pour ouvrir les portières et déploya un grand parapluie qu'il confia à Dillon. Asta glissa une main sous son bras et ils se mirent en marche.

— Est-ce assez romantique pour vous ? demanda-t-il.

— Je ne vous aurais pas cru du genre romantique, dit-elle. Mais si vous voulez savoir si ça me plaît, eh bien oui. J'aime la pluie, Londres la nuit, l'idée qu'on pourrait rencontrer quelqu'un au coin de la rue.

— De nos jours, ce serait probablement un agresseur.

— Ah, maintenant je vois bien que vous n'êtes pas un romantique !

Il s'arrêta un instant pour prendre une cigarette, et lui en offrit une.

— Non, je vous comprends. Quand j'étais jeune et insouciant, il y a de cela un bon millier d'années, la vie me semblait receler une infinité de possibles.

— Et que s'est-il passé, depuis ?

— La vie, dit-il en riant.

— Vous ne faites pas les choses à moitié, n'est-ce pas ? Tout à l'heure, par exemple, avec cet horrible Hamish Hunt, vous avez été très violent.

— Et qu'en déduisez-vous ?

— Que vous savez vous défendre, et c'est assez rare chez les gens qui portent des smokings qui valent au bas mot mille cinq cents livres. Que faites-vous donc dans la vie ?

— Euh... voyons. J'ai suivi les cours de l'Académie royale d'art dramatique, mais c'était il y a longtemps. J'ai joué le rôle de Lyngstrand dans une pièce d'Ibsen, *La Dame de la mer,* au National Theatre. C'est un personnage qui tousse beaucoup.

— Et ensuite ? Vous avez certainement cessé de jouer au théâtre, sans cela j'aurais entendu parler de vous.

— Pas tout à fait. Disons que je me suis beaucoup intéressé à ce qu'on pourrait appeler le théâtre de la rue, chez moi, en Irlande.

— C'est drôle, dit-elle. Je suis prête à parier que vous avez été soldat.

— En voilà une fine mouche !

— Cessez donc de jouer les personnages mystérieux, Dillon !

— Pour savoir qui je suis, il faudrait m'éplucher comme un oignon, mais ça prendrait du temps.

— Justement, je n'en ai pas. Je pars pour l'Ecosse demain.

— Je sais. Nigel Dempster en parlait dans sa rubrique mondaine du *Mail,* ce matin. « Carl Morgan part chasser en Ecosse, où il va louer une grande propriété ». C'était le titre. Il racontait aussi que vous deviez le représenter ce soir au bal de l'ambassade du Brésil.

— Vous êtes vraiment très bien informé.

Ils avaient atteint Lambeth Bridge ; la Mercedes les attendait. Dillon lui ouvrit la portière.

— J'ai passé un excellent moment en votre compagnie.

— Je vous dépose, dit-elle.

— Inutile.

— Ne refusez pas. Je suis curieuse de savoir où vous vivez.

— Je ne peux pas prendre le risque de vous offenser. (Il s'installa à côté d'elle.) A Stable Mews, Henry, c'est près de Cavendish Square. Je vous indiquerai le chemin quand nous y serons.

Il pleuvait encore lorsqu'ils s'engagèrent dans la rue pavée. Il descendit de voiture et referma la portière. Asta baissa la vitre et contempla le cottage.

— Tout est sombre. Vous vivez seul, Dillon ?

— Hélas, oui, mais je vous invite volontiers à venir boire une tasse de thé, si le cœur vous en dit.

Elle se mit à rire.

— Oh, non, je crois que j'ai eu mon compte d'aventures pour ce soir.

— Une autre fois, peut-être ?

— Je ne crois pas. En fait, j'ai l'impression que nous ne nous reverrons jamais.

— Comme des navires qui s'évanouissent dans la nuit ?

— Quelque chose comme ça. Bon, on rentre, Henry.

Elle releva la glace et la Mercedes s'éloigna.

Dillon la regarda disparaître et ouvrit la porte de chez lui. Il souriait.

7

La petite gare, sur la berge du loch, semblait assoupie. Dillon, installé dans le wagon de queue, jeta un coup d'œil au-dehors. Il avait réussi à suivre Asta sans la moindre difficulté. Le Lear l'avait conduit à l'aéroport de Glasgow à l'heure du petit déjeuner et il y avait attendu l'arrivée de la jeune fille. Puis il l'avait suivie jusqu'à la gare centrale où elle avait pris le train pour Fort William. La présence de nombreux touristes venus voir le Loch Lomond et l'admirable paysage des Highlands lui avait permis de se dissimuler sans peine dans le train.

Les choses s'étaient compliquées lorsqu'ils avaient pris le petit train assurant la liaison entre Fort William et Arisaig : il n'y avait plus que quelques voyageurs, et il lui avait fallu se glisser au dernier moment dans le wagon de queue. D'après le panneau, la gare où ils se trouvaient en ce moment (et où l'arrêt se prolongeait) se nommait Shiel. L'endroit était plaisant : une montagne s'élevait à mille mètres environ, tandis que les rayons du soleil jouaient avec la cascade éclaboussant les bouleaux.

Soudain, Asta Morgan descendit sur le quai. Elle était vêtue d'une veste en cuir et de pantalons en toile et portait des chaussures de marche. Elle s'avança vers le contrôleur qui se tenait près de la barrière, eut avec lui une brève conversation entrecoupée d'éclats de rire, puis quitta la gare.

Le contrôleur vint rejoindre le chef de train qui se trouvait à côté de Dillon, près de la portière ouverte.

— Tu as perdu une voyageuse, Tom.

— Ah bon ?

— Un beau brin de fille, cette Mlle Morgan : des cheveux couleur de paille et un visage d'ange. Son père, c'est ce Morgan qui vient de louer le château du Loch Dhu. Elle va passer par la montagne. Tu laisseras ses bagages à Arisaig avec un message.

Dillon attrapa son Burberry et se précipita au-dehors.

— Y a-t-il un raccourci à travers la montagne ?

— Ça dépend où vous voulez aller.

— A Ardmurchan Lodge.

Le chef de train hocha la tête.

— Faut franchir le sommet du Ben Breac et marcher ensuite une vingtaine de kilomètres de l'autre côté. Vous allez rejoindre le nouveau locataire, le général Ferguson ?

— C'est mon oncle ; il doit m'attendre à Arisaig. Pourriez-vous lui dire où je me trouve et lui donner ma valise ?

Dillon lui glissa un billet de cinq livres dans la main.

— Comptez sur moi, monsieur.

Le chef de train donna un coup de sifflet et monta en voiture. Dillon se tourna vers le contrôleur :

— Par où dois-je passer ?

— Vous traversez le village et vous franchissez le pont. Il y a un sentier au milieu des bouleaux, il est difficile mais vous ne pouvez pas le perdre grâce aux cairns qui le bordent. Ensuite, du sommet, on voit bien le chemin qui descend dans le vallon.

— A votre avis, quel temps va-t-il faire ?

L'homme leva les yeux vers la montagne.

— Y aura un peu de pluie et de brouillard dans la soirée. A votre place, je marcherais d'un bon pas et je ne m'attarderais pas au sommet. (Il sourit.) Et puis, il faudrait dire à cette jeune demoiselle que c'est pas un endroit pour se promener toute seule.

Dillon sourit à son tour.

— Je le lui dirai. Ce serait dommage qu'elle soit trempée par la pluie.

— Ça c'est sûr, vraiment dommage.

A la petite boutique du village il fit l'emplette de deux paquets de cigarettes et de deux barres de chocolat au lait. La route promettait d'être longue, et quelque chose lui disait qu'il aurait faim avant d'atteindre Ardmurchan Lodge.

Comme on le lui avait indiqué, il traversa le village, franchit le pont et s'engagea sur le raidillon bordé de fougères qui serpentait au milieu des bouleaux. Il faisait froid et sombre sur ce chemin perdu, mais, à son énergie retrouvée, Dillon savourait ces instants de grâce solitaire. Il ne voyait pas Asta, ce qui pour l'instant lui convenait à merveille.

Les arbres finirent par s'espacer et il se retrouva sur une pente recouverte de fougères d'où s'envolaient de temps à autre une grouse ou un pluvier dérangés par sa présence. Un peu plus tard, il atteignit une plaine semée de rochers qui s'étendait jusqu'aux contreforts du Ben Breac. Il aperçut alors Asta qui cheminait à flanc de montagne, à six ou sept cents mètres de lui.

Elle se retourna pour regarder en bas, puis disparut dans les fougères. Elle marchait vite, mais il faut dire qu'elle était jeune, vigoureuse, et que le chemin était bien tracé. Il attendit encore quelques instants, mais dut bien convenir qu'il l'avait perdue de vue.

Il y avait un autre moyen de gagner le sommet, en coupant à travers les falaises de granit, mais seul un fou s'y serait risqué. Il tira une carte d'état-major de sa poche et l'étudia avec attention. Puis il leva les yeux. Il suffisait d'avoir le cœur bien accroché, et avec un peu de chance il arriverait avant elle. Il serra la ceinture de son imperméable et se mit en route.

La pente était douce au début, mais au bout d'une demi-heure il atteignit un éboulis qui rendit sa progression infiniment plus pénible. Obliquant sur la gauche, il passa devant la cascade aperçue depuis la gare, et poursuivit son ascension.

Il finit par atteindre le plateau et les falaises de granit sillonnées de failles qui permettaient de rejoindre le sommet ; il fut soulagé en constatant qu'elles étaient moins impressionnantes de près que de loin. Il s'arrêta un instant pour croquer la moitié d'une barre de chocolat, puis entreprit l'ascension, lentement, avec précaution. Il regarda une fois en bas, derrière lui, et la gare lui apparut minuscule comme un jouet d'enfant. Lorsqu'il se retourna la fois suivante, elle avait disparu, dérobée aux regards par la brume. Un vent froid s'était levé et il frissonna.

Quelques minutes plus tard, il atteignait le sommet noyé dans le brouillard ; il avait suffisamment arpenté la montagne pour savoir qu'en pareil cas il n'y a qu'une solution : attendre. Il s'assit donc, alluma une cigarette et se demanda où pouvait se trouver Asta Morgan. Une heure plus tard, une bourrasque de vent déchira le manteau de brume, et il aperçut les vallées en contrebas, éclairées par le soleil couchant.

Au loin, il vit un cairn marquant le dernier sommet, mais nulle trace d'Asta. Il rejoignit le sentier et rebroussa chemin jusqu'à apercevoir la voie ferrée : toujours aucune trace d'Asta. Elle avait donc atteint le sommet avant lui, ce qui n'était guère surprenant car, le sentier étant bien tracé, elle n'avait pas été obligée de s'arrêter à cause du brouillard.

Il reprit donc sa route en sens inverse et s'immobilisa brutalement au bout de quelques instants, frappé par la splendeur du paysage qui s'offrait à lui.

Au loin, la mer était calme, les îles de Rhum et d'Eigg semblaient sorties tout droit d'une carte postale, tandis qu'à l'horizon l'île de Skye formait la dernière barrière avant l'Atlantique. Il demeura immobile un moment, contemplant l'un des plus beaux paysages du monde, puis reprit sa descente.

Asta était fatiguée et, souvenir d'un accident de ski, sa cheville droite lui faisait mal. Le chemin jusqu'au sommet du Ben Breac s'était révélé plus fatigant qu'elle ne l'avait cru, et il lui restait encore une vingtaine de kilomètres à parcourir. Ce qui semblait au départ une idée amusante se révélait à présent une pénible corvée.

Le chemin qui suivait le fond du vallon était sec et poussiéreux, et au bout de quelque temps elle le trouva coupé par une barrière ornée d'un écriteau : « Domaine du Loch Dhu. Entrée interdite ». Elle l'escalada et se trouva peu après, au détour du chemin, devant une petite cabane de chasse. La porte était fermée mais, en faisant le tour, elle découvrit une fenêtre entrouverte et réussit à se glisser à l'intérieur.

Elle atterrit dans une petite cuisine sombre où elle finit pourtant par dénicher une lampe à pétrole et une boîte d'allumettes. Après avoir allumé la lampe, elle alla explorer l'autre pièce et fut agréablement surprise à la vue du parquet, des murs blanchis à la chaux et des bûches disposées dans la cheminée. Elle alluma le feu, et, épuisée, s'installa dans un des fauteuils. La chaleur du feu lui fit du bien, et sa douleur à la cheville commença de s'estomper. Elle ajoutait des bûches dans la cheminée lorsqu'elle entendit un véhicule s'immobiliser au-dehors. Un bruit de clé dans la serrure, et la porte d'entrée s'ouvrit.

L'homme qui se tenait dans l'encadrement de la porte était de taille moyenne, le visage veule, mal rasé, les cheveux jaunes tombant jusqu'aux épaules. Il était vêtu d'une vieille veste en tweed, coiffé d'une casquette de même tissu, et tenait à la main un fusil de chasse à double canon.

— Vous avez vu ce que j'ai là ? dit-il.

— Que voulez-vous ? demanda calmement Asta.

— Elle est bien bonne, celle-là ! C'est vous qu'êtes entrée par effraction. Et d'abord, comment vous avez fait ?

— Par la fenêtre de la cuisine.

— Je crois qu'à mon patron, ça va pas lui plaire. Il est nouveau. Il s'appelle M. Morgan et il est arrivé qu'hier sur le domaine, mais je sais reconnaître un dur quand j'en vois un. S'il savait, il vous dénoncerait sûrement à la police.

— Ne soyez pas idiot. Je me suis foulé la cheville en escaladant le Ben Breac. J'avais besoin de me reposer, c'est tout. Mais maintenant que vous êtes là, vous allez pouvoir m'accompagner en voiture.

Il s'avança vers elle et posa sur l'épaule d'Asta une main tremblante.

— Ça dépend, hein ?

En voyant son visage couperosé tout près du sien, en sentant son haleine chargée de whisky, Asta eut un mouvement de répulsion.

— Comment vous appelez-vous ? demanda-t-elle.

— Ah ! c'est plus gentil, ça. Fergus... Fergus Munro.

Elle se leva et le repoussa d'une bourrade vigoureuse.

— Eh bien ! ne soyez pas idiot, monsieur Fergus Munro.

Avec colère, il jeta son fusil à terre.

— Tu vas voir, espèce de salope !

Il saisit la chemise d'Asta sous sa veste en cuir et la déchira brutalement, dénudant sa poitrine.

Avec un cri de rage, elle se rua vers lui, lui griffa la joue avec violence... et aperçut alors une silhouette qui se découpait dans l'embrasure de la porte.

Dillon frappa violemment Munro dans les reins, le saisit par la peau du cou et le projeta de l'autre côté de la pièce. Munro heurta le mur et tomba sur un genou. Il voulut ramasser son fusil, mais d'un coup de pied Dillon l'envoya au loin. Après quoi, il l'attrapa par le poignet, le lui tordit violemment et le jeta tête la première contre le mur. L'homme tituba un instant, le visage ruisselant de sang, puis se rua à l'extérieur par la porte restée ouverte.

— Laissez-le partir ! s'écria Asta en voyant que Dillon s'apprêtait à le poursuivre.

Les deux mains appuyées au chambranle de la porte, Dillon hésita un instant, puis il referma le battant et se tourna vers Asta.

— Ça va ?

Dehors, on entendit un moteur démarrer.

— Oui, ça va. Qu'est-ce que c'est que ce bruit ?

— Il s'en va avec son Shogun.

Asta se rassit dans son fauteuil.

— Je commençais à désespérer, Dillon, je me disais que jamais vous n'alliez me retrouver. Et maintenant, pouvez-vous m'expliquer ce que vous faites ici ?

— Le moment est venu de passer aux aveux. J'ai un oncle, le général Charles Ferguson, qui a loué un pavillon non loin d'ici, Ardmurchan Lodge ; il partage ses droits de chasse avec le domaine du Loch Dhu.

— Vraiment ? Mon père va être surpris. Il déteste partager quoi que ce soit.

— Eh bien... quand j'ai lu l'article du *Daily Mail* et que j'ai vu votre photo, je n'ai pas pu résister au plaisir de me faire inviter au bal de l'ambassade du Brésil pour pouvoir vous rencontrer.

— Comme ça, simplement ?

— J'ai d'excellentes relations. Si vous les connaissiez, vous seriez surprise.

— Plus rien ne me surprendra, venant de vous, mais cela dit, je ne crois pas un mot de ce que vous me racontez. (Elle posa le pied droit par terre et grimaça de douleur.) Aïe !

— Vous avez mal ?

— Une vieille blessure, ce n'est rien.

Elle releva la jambe droite de son pantalon et ôta sa chaussure et sa chaussette.

— Je pensais que vous me rejoindriez plus tôt.

— J'ai essayé de prendre un raccourci, mais en fait ça m'a ralenti puisque j'ai dû attendre que le brouillard se dissipe.

— Moi, j'ai marché sans m'arrêter. Je vous ai vu à la gare de Glasgow. Je sortais des toilettes et je vous ai aperçu en train d'acheter une carte au kiosque. J'ai attendu que vous montiez dans le train avant d'y monter moi-même. Ça m'a paru encore plus bizarre quand je vous ai vu prendre la correspondance comme moi à Fort William.

— Alors vous êtes descendue pour m'attirer dans la montagne ?

— Bien sûr.

— Vous êtes infernale, Asta, je devrais vous donner une fessée !

— C'est une promesse ? Vous savez, nous autres Suédoises, nous avons la réputation d'avoir le sang chaud.

Il éclata d'un grand rire.

— Je ferais bien de m'occuper de votre cheville tant que notre Fergus Munro raconte sa petite histoire au château du Loch Dhu. Je crois que nous allons avoir bientôt de la compagnie.

— Je l'espère bien. Je n'ai pas la moindre intention de terminer la route à pied.

Dillon souleva la jambe d'Asta et remarqua une légère enflure et une cicatrice au niveau de la cheville.

— Comment vous êtes-vous fait ça ?

— A ski. A une époque, j'ai failli disputer les jeux Olympiques.

— C'est dommage. Je vais emmener la lampe pendant un instant.

Il se rendit à la cuisine, inspecta les tiroirs et finit par trouver des torchons. Il en imbiba un d'eau froide et revint au salon.

— Une compresse froide vous fera du bien, dit-il en lui bandant adroitement la cheville. Vous n'êtes pas fatiguée ?

— Pas trop. Mais j'ai faim.

Il tira une barre de chocolat de la poche de son imperméable.

— C'est mauvais pour la ligne, mais ça vous calera.

— Vous êtes un magicien, Dillon.

Après qu'elle eut mangé son chocolat, Dillon alluma une cigarette et s'installa à côté d'elle devant le feu.

— Et vous ? demanda-t-elle brusquement. Vous ne voulez pas de chocolat ?

— J'en ai déjà mangé une barre, dit-il en s'étirant. Ah, quel endroit agréable ! Des poissons dans le ruisseau, des cerfs dans la forêt, un toit sur la tête, et une belle fille vigoureuse comme vous pour aider à tenir le domaine.

— Merci beaucoup, mais c'est une vie qui me paraîtrait un peu aride.

— On peut pourtant parfaitement vivre d'amour et d'eau fraîche.

— Ou de chocolat, dit-elle en agitant ce qui restait de sa barre.

Ils éclatèrent tous deux de rire.

Dillon se leva et alla ouvrir la porte. La lune était pleine et le seul bruit qu'on entendait était celui du ruisseau tout proche.

— Nous pourrions être les deux derniers êtres sur la Terre, dit-elle.

— Pas pour longtemps : j'entends venir une voiture.

Il s'avança devant la maison et attendit.

Deux Shogun s'immobilisèrent. Fergus Munro conduisait le premier, Murdoch assis à côté de lui. Tandis que Munro descendait, le régisseur fit le tour du véhicule, un fusil à la main. Carl Morgan, qui conduisait l'autre voiture, descendit à son tour ; il était vêtu d'une veste en peau de mouton, et il émanait de lui une formidable impression de puissance.

Murdoch dit quelques mots à Munro et tira en arrière les percuteurs du fusil. Munro ouvrit la portière du Shogun et Murdoch siffla doucement. On entendit un bruit, puis une ombre noire vint se matérialiser à côté de lui.

— Vas-y, va chercher !

Le chien se rua vers lui, et Dillon s'aperçut qu'il s'agissait d'un pinscher doberman, l'un des chiens de combat les plus dangereux du monde. Il s'avança à sa rencontre.

— Oh, c'est un bon chien, ça ! dit-il en tendant la main.

Le chien s'immobilisa et un grondement se fit entendre au fond de sa gorge.

— C'est lui, monsieur Morgan ! s'écria Munro. C'est ce salaud qui m'a attaqué, et c'est sûr que sa jolie petite femme elle est encore à l'intérieur.

— C'est une propriété privée, mon ami, dit alors Morgan. Vous n'auriez pas dû y pénétrer.

Le chien reprit alors son grognement et Dillon se mit à siffler d'étrange façon, propre à faire grincer les dents de tous les gens présents. Le chien coucha les oreilles en arrière, et Dillon lui caressa alors le museau et les flancs.

— Incroyable ! s'exclama Murdoch.

— C'est facile quand on sait, lui dit Dillon. C'est un ancien ami qui m'a appris ça. (Il sourit.) Par la suite, il a regretté de m'avoir appris tout ce qu'il m'a appris, mais enfin, c'est la vie !

— Qui êtes-vous ? demanda calmement Morgan.

Asta choisit ce moment pour apparaître.

— Carl, c'est toi ? Oh, Dieu merci, tu es là.

Elle chancelait sur le seuil de la maison, et Morgan se précipita pour la prendre dans ses bras.

— Asta, mais enfin, que s'est-il passé ?

Il l'aida à rentrer. Fergus Munro se tourna vers Murdoch :

— Asta ? Qui c'est donc, cette Asta ?

— Quelque chose me dit que vous allez avoir une bien mauvaise surprise, mon ami, lui dit Dillon avant de les suivre à l'intérieur, le doberman sur ses talons.

Asta était assise dans le fauteuil, et Morgan, agenouillé devant elle, lui tenait la main.

— C'était horrible, Carl. Je suis descendue du train à Lochailort, j'ai coupé à travers la montagne mais je me suis tordu la cheville, alors j'ai trouvé cette cabane et je suis entrée par la fenêtre de la cuisine. Et puis cet homme est arrivé, l'homme qui est dehors. Il a été horrible.

Morgan se leva, le visage livide.

— L'homme qui est dehors ?

— Oui, Carl, il m'a menacée. (Ses mains se portèrent à sa chemise déchirée.) Il a même été violent avec moi. Heureusement, M. Dillon est arrivé, ils se sont battus et il l'a jeté dehors.

Une lueur de meurtre passa dans les yeux de Morgan. Il se tourna vers Murdoch, qui se tenait dans l'embrasure de la porte :

— Vous savez qui est cette jeune fille ? C'est ma fille Asta. Où est le salopard qui nous a amenés ici, ce dénommé Fergus ?

Le rugissement d'un moteur lui répondit et il se rua au-dehors pour voir s'éloigner l'un des Shogun.

— Je le poursuis ? demanda Murdoch.

— Non, dit Morgan. (Ses poings s'ouvrirent lentement.) Nous nous occuperons de lui plus tard. (Il se tourna vers Dillon et lui tendit la main :) Je m'appelle Carl Morgan, et je vous suis grandement redevable.

— Enchanté. Je m'appelle Sean Dillon.

Morgan se tourna vers Asta :

— Tu m'as dit que tu as traversé la montagne à pied ?

— Ça me paraissait amusant. J'avais envie de te faire une surprise.

Morgan se tourna alors vers Dillon qui allumait une cigarette, mais celui-ci devança sa question :

— J'allais rejoindre mon oncle, le général Ferguson, qui est venu chasser dans la région. Il a loué un pavillon appelé Ardmurchan Lodge.

Un éclair passa rapidement dans les yeux de Morgan, mais c'est le plus naturellement du monde qu'il répondit :

— Dans ce cas, nous sommes voisins. J'imagine que vous aussi, vous trouviez amusant de marcher dans la montagne ?

— Pas du tout. Je pensais même que c'était une très mauvaise idée, et c'était également l'avis du contrôleur lorsque votre fille est descendue du train. Pour être franc, j'avais vu sa destination sur les étiquettes de ses bagages, et j'étais descendu me dégourdir les jambes sur le quai quand je l'ai vue quitter la gare. Quand le contrôleur m'a dit qu'elle comptait traverser la montagne, nous avons pensé tous les deux que c'était très risqué, et j'ai décidé de la suivre. Malheureusement, j'ai pris une autre route et j'ai été retardé par le brouillard. Je ne l'ai rejointe que lorsqu'elle était déjà dans la cabane.

— Je crois que j'ai fait une grosse bêtise, dit Asta d'une voix faible. Est-ce qu'on peut y aller, maintenant, Carl ?

Elle jouait la comédie, et Dillon, acteur lui-même, s'en rendait parfaitement compte ; Morgan, en revanche, ne se doutait de rien et lui passa le bras autour des épaules, visiblement inquiet.

— Bien sûr, on y va. (Il se tourna vers Dillon :) Nous vous déposerons au passage.

— Volontiers.

Murdoch se mit au volant, tandis qu'Asta prenait place à l'arrière, entre Morgan et Dillon. Ce dernier caressa la tête du doberman couché à leurs pieds.

— Et on appelle ça un chien de garde ! dit Morgan en hochant la tête. Avec vous, on dirait un gros matou.

— Entre lui et moi c'est une affaire de sentiments, monsieur Morgan. Il m'aime bien.

— Il vous adore, oui ! renchérit Asta. Je n'ai jamais vu une chose pareille.

— Il n'empêche : j'aimerais mieux ne pas être le cambrioleur qui se retrouverait face à lui après avoir escaladé le mur de votre maison.

— Ainsi, le général Ferguson est votre oncle ? demanda Morgan. Je n'ai pas encore eu le plaisir de faire sa connaissance, mais il faut dire que je ne suis arrivé qu'hier au château du Loch Dhu.

— Oui, dit Dillon, c'est ce que j'ai compris.

— Votre oncle est-il encore en service actif, ou bien est-il retraité ? S'est-il lancé dans les affaires ?

— Oh, il a quitté l'armée il y a un certain temps, et maintenant il travaille comme consultant pour différentes sociétés de par le monde.

— Et vous, si ce n'est pas indiscret ?

— Eh bien, je lui donne un coup de main. Disons que je suis une sorte d'intermédiaire. J'ai un certain don pour les langues, alors je peux me rendre utile.

— Je n'en doute pas.

Quittant la route, Murdoch franchit un portail et s'engagea sur un étroit chemin vers une maison éclairée. Il s'arrêta devant.

— Voici Ardmurchan Lodge.

La pluie tambourinait sur le pare-brise, et Morgan s'exclama :

— C'est comme ça six jours sur sept, ici ! Ça vient de l'Atlantique.

— Quand je pense, soupira Asta, qu'on pourrait être à la Barbade.

— Oh, je suis sûr que l'endroit doit avoir ses bons côtés, remarqua Dillon.

Elle lui prit la main.

— J'espère avoir l'occasion de vous remercier comme vous le méritez. Demain, peut-être ?

— Nous avons tout le temps, dit Morgan, je vais arranger quelque chose. Il faut vous laisser le temps de vous installer, à tous les deux.

Dillon descendit de voiture, et Morgan le suivit.

— Je vous accompagne jusqu'à la porte.

Au même moment, celle-ci s'ouvrit, livrant passage à Ferguson.

— Sean, enfin ! Nous avons eu ton message à Arisaig, mais nous commencions à être inquiets. Que s'est-il passé ?

— C'est une longue histoire, je vous la raconterai plus tard. En attendant, permettez-moi de vous présenter notre voisin, Carl Morgan.

— Enchanté, dit Ferguson en serrant la main de Morgan. Votre réputation vous a précédé. Voulez-vous venir prendre un verre avant de repartir ?

— Non merci, il faut que je reconduise ma fille. Une autre fois.

— Je crois que nous partageons nos droits de chasse, dit Ferguson d'un ton cordial.

— Oui, on ne m'en avait pas prévenu lorsque j'ai signé le bail.

— Mon Dieu, j'espère que ce ne sera pas un problème !

— Oh, je ne vois pas pourquoi il y aurait des problèmes, du moment que nous ne nous mettons pas en face les uns des autres pour tirer, dit Morgan en souriant. Eh bien, je vous souhaite une bonne nuit.

Il remonta dans le Shogun qui fit demi-tour et s'éloigna.

— Il sait, fit Dillon.

— Bien sûr qu'il sait, répondit Ferguson. Et maintenant, allons nous mettre à l'abri, parce qu'il pleut des cordes, et vous me raconterez ce qui s'est passé.

Dès qu'ils arrivèrent au château du Loch Dhu, Morgan aida Asta à descendre du Shogun puis se tourna vers Murdoch.

— Venez aussi, il faut qu'on parle.

— Très bien, monsieur Morgan.

Marco Russo, vêtu d'une veste noire en alpaga et d'un pantalon rayé, ouvrit la lourde porte en chêne bardée de fer.

— Mon Dieu, Marco ! s'écria Asta. Vous voilà déguisé en valet de chambre, maintenant ?

Asta était probablement le seul être humain à pouvoir arracher un sourire à cet homme. Elle y parvint une fois encore.

— Ce n'est qu'un bref engagement, mademoiselle Asta.

— Dis à la femme de chambre de faire couler un bain, lui ordonna Morgan. (Il se tourna vers Murdoch :) Vous, attendez-moi dans le bureau.

Il prit Asta par la main et alla l'installer dans un fauteuil près du feu qui flambait dans la cheminée.

— Bon, et maintenant raconte-moi pourquoi ce Dillon t'a suivie à travers la montagne.

— Il te l'a dit.

— Bobards !

— Eh bien, il savait qui j'étais et où j'allais, mais ce n'était pas grâce aux étiquettes sur mes bagages.

— Explique-moi, alors.

Ce qu'elle fit : le bal de l'ambassade du Brésil, l'article paru dans le *Daily Mail*, etc.

— J'aurais dû m'en douter ! s'exclama Morgan lorsqu'elle eut terminé.

— Pourquoi dis-tu ça ?

— Dès que j'ai su qu'il y avait un nouveau locataire à Ardmurchan Lodge, j'ai fait procéder à des vérifications. Sache donc que le général Charles Ferguson dirige une section d'élite des services de renseignements britanniques, chargée ordinairement des questions de terrorisme, et qu'il n'est responsable que devant le Premier ministre.

— Je ne comprends pas.

— Ils sont au courant, pour l'accord de Ch'ungking.

— Mon Dieu ! Et Dillon travaille pour lui ? (Elle se mit à hocher la tête.) Je comprends, maintenant.

— Qu'est-ce que tu comprends ?

— Je t'ai raconté que, pendant le bal, Dillon m'avait sauvé des griffes de cet horrible Hamish Hunt. Mais ce que j'ai oublié de te dire, c'est que Hunt m'a rattrapée ensuite sur Park Lane. Il était complètement soûl et il s'est conduit de façon horrible.

Morgan pâlit.

— Et alors ?

— Alors, Dillon est arrivé et lui a cassé la figure. En quelques coups précis. Je n'avais jamais vu une chose pareille.

— Ça ne m'étonne pas, c'est un vrai professionnel. Je m'en doutais. (Morgan se prit à sourire.) Ainsi, je lui suis doublement redevable. (Il l'aida à se lever.) Allez, va prendre ton bain, nous dînerons ensuite.

Il s'éloigna et lança :

— Marco ?

Le Sicilien surgit de l'ombre.

— Monsieur ?

— Ecoute ça.

Rapidement, en italien, il lui fit le résumé de ce qu'il venait d'apprendre.

— Ça a l'air d'être un dur, ce Dillon, dit Marco lorsque son patron eut terminé son récit.

— Contacte Londres tout de suite. Dans une heure je veux tous les renseignements sur lui. Une heure, pas plus, sois bien clair !

— Entendu, monsieur.

Marco s'éloigna et Morgan alla ouvrir la porte du bureau. C'était une pièce agréable, aux murs recouverts de livres, dont les baies vitrées donnaient sur une terrasse ; un feu brûlait dans la cheminée. Murdoch, debout au milieu de la pièce, contemplait les flammes en fumant une cigarette.

Morgan alla s'asseoir à son bureau, ouvrit un tiroir et en tira un carnet de chèques.

— Approchez.

Morgan remplit un chèque et le tendit à Murdoch. Le régisseur le lut d'un air ébahi.

— Vingt-cinq mille livres ? Mais pourquoi, monsieur Morgan ?

— Pour votre loyauté, Murdoch. J'aime les gens avides, et j'ai l'impression que vous l'êtes.

Murdoch se raidit.

— Si vous le dites, monsieur...

— Parfaitement, et ce n'est pas tout, Murdoch. A mon départ, vous recevrez la même somme... pour services rendus, évidemment.

Murdoch avait retrouvé la maîtrise de lui-même, et un petit sourire se dessina sur ses lèvres.

— Bien sûr, monsieur, à votre service.

— Pendant des siècles, Murdoch, les lairds du Loch Dhu ont emporté une bible recouverte d'argent lorsqu'ils partaient en guerre. Cette bible a toujours été récupérée, même lorsqu'ils étaient tués sur les champs de bataille. Le vieux laird l'avait sur lui lorsque son avion s'est écrasé en Inde, en 1944. J'ai des raisons de croire qu'on l'a ramenée au château, mais je ne sais pas où elle se trouve. En avez-vous idée ?

— Eh bien, Lady Katherine...

— ... ne sait pas où elle est. Ça fait des années

qu'elle ne l'a pas vue. Pourtant, elle est ici, Murdoch, dissimulée quelque part, et nous allons finir par la trouver. Vous me comprenez ?

— Oui, monsieur.

— Parlez-en aux domestiques. Dites-leur simplement qu'il s'agit d'un souvenir de famille et qu'il y aura une récompense pour celui qui la trouvera.

— Bien, monsieur.

— Vous pouvez disposer, maintenant. (Murdoch avait déjà la main sur la poignée de la porte lorsque Morgan le rappela :) Au fait, Murdoch !

— Monsieur ?

— Le général Ferguson et Dillon ne sont pas de notre côté.

— Je comprends, monsieur.

— Bon. Et n'oubliez pas : je veux savoir où se trouve ce salaud de Fergus Munro, dès ce soir si possible.

— Entendu, monsieur.

— Autre chose encore. Y a-t-il un employé du domaine qui travaille à Ardmurchan Lodge ?

— Ferguson a son propre valet de chambre, un Gurkha. Mais le jardinier de Lady Katherine, Angus, s'occupe du jardin et amène tous les jours la provision de bois.

— On peut l'acheter ?

Murdoch hocha la tête.

— Je pense que oui.

— Bon. Il me faut des yeux et des oreilles là-bas. Occupez-vous-en. Et trouvez Fergus.

— Entendu, monsieur.

Murdoch sortit et referma la porte derrière lui.

Morgan demeura un moment assis, l'air pensif, puis avisa l'échelle posée contre les étagères de la bibliothèque. Comme pris d'une inspiration soudaine, il grimpa tout en haut, déplaça les livres avec précaution et regarda derrière.

8

Après avoir pris un bain et enfilé un survêtement, Dillon était allé rejoindre Hannah Bernstein et Ferguson devant le feu de cheminée. Lorsqu'il eut terminé le récit des événements de la journée, Ferguson se leva pour aller servir des verres.

— Je vous sers quelque chose, inspecteur ?

— Non, merci, général.

— En tout cas, je suis sûr que notre homme ne refusera pas un cognac.

— La randonnée a été plutôt longue, dit Dillon en acceptant le verre que lui tendait Ferguson. Alors, qu'en pensez-vous ?

— De Morgan ? Oh, il sait qui nous sommes, ça se sentait dans les propos que nous avons échangés.

— Que va-t-il se passer, maintenant ? demanda Hannah.

— Je ne sais pas, on verra ça demain, dit Ferguson en se rasseyant. En tout cas, le fait que nous partagions les droits de chasse et de pêche crée une situation intéressante. Kim m'a raconté qu'il est allé pêcher dans le Loch Dhu la veille de notre arrivée, et que des nervis qui travaillent comme gardiens pour Murdoch sont arrivés et lui ont donné l'ordre de déguerpir, et cela de façon peu aimable.

— Qui sont ces gens ?

— Je me suis renseigné. Des vagabonds, les derniers descendants d'un clan détruit. Vous savez... c'est le genre d'absurdité bien écossaise. Ils errent dans les Highlands depuis la bataille de Culloden, en 1746. Il y a le vieil Hector Munro et sa tribu. Je les ai aperçus au village d'Ardmurchan, hier, et je peux vous dire qu'ils n'ont rien de romantique. Une bande de brutes dépenaillées et malodorantes : le vieux Hector, Fergus...

— Ça doit être celui que j'ai corrigé.

— ... puis un autre frère, Rory, costaud, l'air pas commode, les cheveux ramenés en queue-de-cheval. Et ils ont même des boucles d'oreilles ! Mais enfin, d'où sortent-ils, Dillon, à votre avis ? On n'est quand même plus au XVIIIe siècle.

Hannah éclata de rire et Dillon lança :

— Eh non, mon général, ils ont brisé le moule après vous. Et vous dites qu'ils ont chassé Kim ?

— Oui. Alors je l'ai envoyé directement au château avec une lettre plutôt sèche pour le dénommé Murdoch, le régisseur, lui disant que j'envisageais de porter plainte devant le chef de la police du comté.

— Et que s'est-il passé ?

— Murdoch s'est écrasé comme une limande et s'est confondu en excuses. Il m'a quand même sorti une histoire à dormir debout à propos de sternes arctiques qui viendraient nicher près du Loch Dhu et qu'il ne faudrait pas déranger. Cela dit, il a promis qu'il passerait un savon d'importance aux Munro, et tout le baratin.

Dillon alla se servir un autre cognac et revint s'installer devant la cheminée.

— Nous avons bien le droit de pêcher dans le loch et de chasser le cerf dans la forêt, n'est-ce pas ?

— Bien sûr, dit Ferguson, mais vous avez bien vu que ça ne plaît pas à M. Morgan, il me l'a clairement fait comprendre lors de notre petite conversation sur le pas de la porte.

— Eh bien demain, je vais aller mettre ma tête

dans la gueule du tigre. Nous avons tout ce qu'il faut pour la pêche ?

— Oui, et aussi pour la chasse.

— Bon. Demain matin j'irai pêcher dans le Loch Dhu. J'imagine qu'il y a plein de truites.

— En pagaille, cher ami. Des truites d'une demi-livre, voire d'une livre !

— Parfait. J'irai là-bas après le petit déjeuner.

— Les Munro pourraient se révéler dangereux s'ils vous rencontrent, dit Hannah, surtout après votre bagarre avec Fergus. J'étais avec le général quand nous les avons vus à Ardmurchan. Je peux vous dire qu'ils sont assez effrayants. Ça n'est pas le genre à apprécier les raclées.

— Moi non plus, fit Dillon en terminant son verre. On se revoit après le petit déjeuner.

Et il monta se coucher.

Au même moment, Asta était assise devant le feu, face à Morgan, et Marco faisait son entrée dans la grande salle, une feuille de papier à la main.

— Un fax de Londres, monsieur.

Morgan le parcourut rapidement puis éclata de rire.

— Bon sang, écoutez ça, vous deux. La dénommée Hannah Bernstein est inspecteur principal de la Special Branch, à Scotland Yard, mais c'est Dillon qui emporte le pompon. Sean Dillon, ancien élève de l'Académie royale d'art dramatique, a joué au National Theatre, parle plusieurs langues. Excellent pilote d'avion, spécialiste de plongée sous-marine. Bon Dieu ! Il a même travaillé pour les Israéliens à Beyrouth.

— Qu'est-ce qu'il faisait là-bas ?

— Apparemment, il coulait des bateaux de l'OLP. Pas très regardant, notre cher Dillon. Il a travaillé pour tout le monde, y compris pour le KGB.

— Ce serait un genre de mercenaire ? demanda Asta.

— C'est une façon de voir les choses, mais avant ça, il a fréquenté quelques années l'IRA provisoire, dont il était un des principaux activistes. On le soupçonne même d'avoir organisé l'attentat contre Downing Street pendant la guerre du Golfe.

— Dans ce cas, pourquoi serait-il avec Ferguson ?

— J'imagine que les Britanniques étaient les seuls pour lesquels il n'avait pas encore travaillé, et tu connais leur absence de scrupules. Ils utiliseraient n'importe qui pour parvenir à leurs fins.

— C'est un homme dangereux, dit Asta. C'est très excitant.

Morgan rendit le fax à Marco.

— Oh, nous avons déjà eu affaire à des gens très dangereux, n'est-ce pas, Marco ?

— Très souvent, monsieur. Y aura-t-il autre chose ?

— Oui, apporte-moi du café et dis à Murdoch que je veux le voir.

Asta se leva.

— Je vais me coucher. On pourrait aller faire du cheval, demain ?

— Pourquoi pas ? (Il lui prit la main.) Dors bien.

Elle l'embrassa sur le front et monta le grand escalier qui menait aux chambres. Morgan prit un cigare, en coupa le bout et l'alluma au moment même où Murdoch faisait son entrée, son ciré dégoulinant d'eau.

— Alors ? demanda Morgan.

— Cette vieille bourrique d'Hector Munro s'est montrée intraitable. Il dit que Fergus est parti faire une de ses rondes de nuit, et que depuis il ne l'a pas revu. Il ment, bien sûr.

— Qu'avez-vous fait, alors ?

— J'ai fouillé leurs caravanes puantes, ce qui ne lui a pas plu, mais je l'ai fait quand même.

— Je veux ce Fergus, dit Morgan. Je veux pouvoir

m'en occuper personnellement. Il a mis ses mains sales sur ma fille, et aucun homme ne peut se vanter d'avoir fait une chose pareille. Essayez encore demain.

— Oui, monsieur Morgan. Bonne nuit, monsieur.

Murdoch sortit et Marco apporta le café.

— Que penses-tu de lui ? demanda Morgan en italien tandis que Marco remplissait la tasse.

— Murdoch ? Une pourriture, monsieur, aucun honneur. Pour lui, il n'y a que l'argent.

— C'est aussi ce que je pense. Garde un œil sur lui. Tu peux aller te coucher, maintenant.

Une fois Marco sorti, Morgan demeura un long moment au salon, dégustant son café à petites gorgées, le regard perdu dans le feu de cheminée.

Le lendemain matin, à huit heures, il travaillait à son bureau lorsqu'on frappa à la porte. Murdoch entra.

— Angus est ici, monsieur.

— Faites-le entrer.

Angus fit son apparition, triturant sa casquette entre ses mains.

— Monsieur Morgan...

Morgan leva les yeux vers lui.

— Vous m'avez l'air d'un homme doué de bon sens. Est-ce que je me trompe ?

— Vous avez raison, monsieur.

Morgan sortit d'un tiroir une liasse de billets de banque qu'il tendit à Angus.

— Voici cinq cents livres. S'il se passe quoi que ce soit d'inhabituel à Ardmurchan Lodge, vous téléphonez à Murdoch.

— Entendu, monsieur.

Il transpirait un peu.

— Vous étiez là-bas, ce matin ?

— Oui, pour apporter la provision de bois.

— Que s'est-il passé ?

— M. Dillon a pris son petit déjeuner avant d'aller pêcher au Loch Dhu. Il m'a demandé quelques conseils.

Morgan hocha la tête.

— Parfait. Au revoir, Angus.

Après son départ, Murdoch se tourna vers Morgan :

— Si les Munro tombent sur lui, il pourrait avoir des ennuis.

— C'est exactement ce que je me disais, répondit Morgan en souriant

A ce moment, Asta fit son entrée dans le bureau, vêtue d'une veste et d'une culotte d'équitation.

— Tu m'avais dit qu'on pourrait aller faire du cheval, dit-elle.

— Pourquoi pas ? (Il lança un coup d'œil à Murdoch :) Faites seller les chevaux. Vous venez avec nous. (Il sourit.) Nous allons faire un tour du côté du loch.

Les eaux du Loch Dhu étaient plus noires encore que ne le laissait supposer son nom gaélique, et la pluie qui tombait dessinait à sa surface de petits cercles concentriques. Dillon portait des bottes de pêcheur, un vieux chapeau de pluie et une cape de berger imperméable qu'il avait trouvés au pavillon.

Il alluma une cigarette et prit son temps pour monter sa canne. Une rangée d'arbres derrière lui, un pluvier qui s'envole, et puis, derrière le banc de sable, une truite qui saute hors de l'eau, à une trentaine de centimètres, et disparaît à nouveau.

Dillon oublia alors toutes les raisons qui l'avaient amené dans la région pour se rappeler seulement son enfance et les leçons de pêche de son oncle dans sa ferme du comté de Down. Il fixa à sa ligne la mouche que Ferguson lui avait recommandée (une mouche de sa fabrication, apparemment) et se mit à l'ouvrage.

Sa première dizaine de lancers fut maladroite, mais petit à petit, retrouvant son habileté d'antan, il se mit à ferrer des poissons et attrapa deux truites d'un quart de livre. La pluie continuait de tomber avec une régularité monotone. Il lâcha deux mètres de ligne, leva le bout de la canne, et lança l'hameçon de l'autre côté du banc de sable, là où il avait aperçu une nageoire noire fendant la surface de l'eau. Le coup était joli, la mouche se mit à dériver sur l'eau, et soudain sa ligne se tendit.

La truite s'enfonça dans l'eau et il se mit à marcher le long du banc de sable. Lorsqu'il sentit du mou dans la ligne, il se dit qu'il l'avait perdue, mais la truite n'avait fait que se reposer un instant, et la ligne se tendit à nouveau. Il batailla ainsi pendant dix bonnes minutes avant de se retourner pour prendre son épuisette. Il sortit son poisson de l'eau et se dirigea vers la rive.

— Hé, les mecs ! Voilà un chouette dîner pour nous !

L'homme qui venait de parler était âgé d'au moins soixante-dix ans, mais sa voix était dure. Il était vêtu d'un complet en tweed qui avait connu des jours meilleurs, et ses cheveux blancs dépassaient de son bonnet de Glengarry. Il avait un visage tanné par les intempéries, ridé, mangé par une barbe de plusieurs jours, et portait un fusil de chasse cassé au creux du bras droit.

Derrière lui, deux hommes émergèrent des bruyères. L'un était grand, anguleux, un sourire perpétuellement accroché au visage, et Dillon se dit qu'il devait s'agir de Rory. L'autre était Fergus : il avait les lèvres gonflées et un gros hématome ornait l'une de ses joues.

— C'est lui, p'a, c'est lui le salaud qui m'a agressé.

Il leva son fusil à hauteur de la hanche.

Rory l'écarta d'un coup sec, et le coup partit dans le sol.

— Essaye de pas faire l'imbécile comme d'habitude, petit frère, dit-il en gaélique.

Dillon, qui parlait le gaélique irlandais, n'eut aucun mal à le comprendre, tout comme le père qui lança : « Y me paraît pas bien costaud », en lui envoyant un formidable coup de poing.

Dillon réussit à l'éviter, mais il glissa et tomba dans l'eau peu profonde. Lorsqu'il se releva, le vieil homme braquait sur lui son fusil.

— Pas maintenant, mon petit bonhomme, dit-il en anglais. T'auras ta chance plus tard. Alors du calme. Allez, avance.

Lorsque Dillon eut avancé de quelques pas, Fergus voulut le frapper avec la crosse de son fusil, mais Dillon esquiva facilement le coup, et Fergus se retrouva un genou à terre.

Rory le releva par la peau du cou.

— Tu vas écouter ou il faut que je te botte le cul ? lança-t-il en gaélique avant de l'expédier devant lui d'une bourrade.

— Que Dieu lui vienne en aide, parce qu'il n'apprendra jamais, lui dit alors Dillon en irlandais. Il y a des hommes qui resteront des enfants toute leur vie.

Rory le considéra d'un air stupéfait.

— Dis donc, p'a, c'est le gaélique le plus drôle que j'aie jamais entendu.

— Parce que c'est de l'irlandais, la langue des rois, dit Dillon. Mais les deux langues sont suffisamment proches pour que nous puissions nous comprendre.

Et il se mit en marche devant eux.

Il y avait de la fumée derrière les arbres, et on entendait des cris d'enfants : donc, il s'était trompé, ils ne l'emmenaient pas chez Morgan. Ils débouchèrent dans un creux abritant leur campement. Les trois roulottes hors d'âge était tendues de toiles et ne ressemblaient en rien à l'idée romantique que l'on se fait d'ordinaire de ce genre d'habitat. Les vêtements miteux des femmes accroupies devant le feu et qui buvaient du thé, les pieds sales des enfants jouant dans l'herbe à côté de chevaux étiques, toute la scène respirait la misère.

Fergus poussa Dillon en avant d'un coup dans le dos, ce qui le jeta, chancelant, au milieu des femmes qui s'égaillèrent. Les enfants interrompirent leurs jeux pour regarder. Hector Munro s'assit sur une vieille caisse abandonnée par l'une des femmes, posa son fusil sur ses genoux et sortit sa pipe. Fergus et Rory se tenaient debout derrière Dillon.

— S'attaquer à l'un d'entre nous c'est s'attaquer à nous tous, monsieur Dillon, si c'est comme ça votre nom. Vous le saviez pas, hein ? C'est dommage pour vous. (Il bourra le tabac dans sa pipe.) Rory !

Rapidement, Rory tordit le bras de Dillon derrière son dos.

— Vas-y, Fergus, amuse-toi ! lança le vieil homme.

Vif comme l'éclair, Fergus frappa deux fois Dillon au ventre, une droite et une gauche. Dillon ne bougea pas, se contentant de durcir ses abdominaux. Fergus le frappa alors dans les côtes, du côté droit.

— Et maintenant, sur son joli petit visage ! Relève-lui la tête, Rory !

Pour attraper Dillon par les cheveux, Rory dut lui lâcher un bras. Dillon réussit alors à balancer un coup de pied dans les parties de Fergus, puis un violent coup de coude dans la mâchoire de Rory. Le colosse chancela, Dillon se précipita sur lui mais s'étala de tout son long car l'une des femmes lui avait fait un croche-pied.

Une pluie de coups s'abattit alors sur lui, même les enfants se mettaient de la partie, et il se roula en boule pour se protéger. Soudain, on entendit une galopade et une voix hurla :

— Ça suffit !

Il y eut un coup de feu.

Les femmes et les enfants s'enfuirent comme une

volée de moineaux. Dillon se releva et vit Morgan à cheval, un fusil de chasse posé sur la cuisse. Asta et Murdoch, eux aussi à cheval, le rejoignaient. Du coin de l'œil, Dillon aperçut Fergus qui se glissait sous l'une des roulottes.

— Reste où tu es, imbécile ! lança Rory en gaélique.

Mais brusquement, il se rendit compte que Dillon avait entendu, et il lui lança un regard inquiet.

Carl Morgan descendit dans le vallon. Les sabots du cheval dispersèrent les braises du feu, puis il fit brutalement volter sa monture de façon que sa croupe vienne heurter le vieux Munro, qui vacilla sous le choc.

Il tira sur les rênes.

— Dites-leur qui je suis ! ordonna-t-il.

— Voici M. Carl Morgan, le nouveau locataire du château du Loch Dhu, dit Murdoch, et votre employeur.

— Ah bon ? fit Hector Munro.

Murdoch se pencha sur son cheval, arracha son bonnet de la tête du vieux Munro et le jeta au loin.

— Alors découvrez-vous, espèce d'insolent !

Rory s'avança d'un pas, mais Dillon lui lança en gaélique :

— Du calme, mon garçon, il y a un moment pour chaque chose.

Rory parvint à garder son sang-froid et ce fut son père qui prit la parole.

— Ce Dillon pêchait dans le loch, on faisait que notre devoir.

— Inutile de mentir, Munro ! dit Murdoch. M. Dillon est le neveu du général Ferguson, qui loue Ardmurchan Lodge, ne me dites pas que vous ne le saviez pas ! Vous savez tout ce qui se passe ici, la moindre chose !

— Bon, ça suffit ! coupa Morgan en toisant le vieux Munro. Vous voulez continuer à travailler sur le domaine ?

— Oh oui, monsieur !

— Alors, à l'avenir, vous saurez comment vous comporter.

— Oui, monsieur, dit Munro en ramassant son bonnet et en le recoiffant.

— Quant à votre fils Fergus, il a agressé ma fille. Je le veux.

— Comme je l'ai dit à M. Murdoch, on ne l'a pas vu. S'il a offensé la jeune demoiselle je le regrette beaucoup, mais Fergus, vous savez, il va, il vient, on sait jamais quand il rentre.

— Parfois, il part pendant des jours, ajouta Rory. Allez savoir où il est, maintenant !

Il jeta un bref coup d'œil à Dillon, mais ce dernier ne réagit pas.

— J'attendrai, dit Morgan. On peut y aller, maintenant, monsieur Dillon.

— Ça ira, répondit Dillon. Je souhaite récupérer mon matériel de pêche. Je peux rentrer à pied.

Il s'avança vers Asta et leva les yeux.

— Vous allez bien ? demanda-t-elle.

— Oui, ça va. Je pratique souvent ce genre de sport le matin : ça me met en appétit pour le déjeuner.

— A bientôt, Dillon, lança Morgan. Viens, Asta.

Et ils s'éloignèrent.

Dillon se tourna alors vers les Munro. Fergus sortit en rampant de sous sa roulotte, et Dillon lui cria en gaélique :

— Espèce de petit salaud, à ta place, je ferais attention.

Il retourna jusqu'aux berges du loch et rassembla son matériel de pêche. Alors qu'il s'apprêtait à repartir, Rory Munro sortit de l'abri des arbres.

— Pourquoi que vous avez fait ça pour Fergus, alors que vous êtes ennemis ? demanda-t-il en gaélique.

— Parce que je déteste encore plus Morgan. Faites

attention, la fille c'est pas la même chose. Si Fergus la touche encore une fois, je lui casse les deux bras.

Rory éclata de rire.

— On joue les durs, petit bonhomme ?

— Quand tu veux, à ta disposition.

Rory le considéra un instant, les sourcils froncés, puis un sourire éclaira lentement son visage.

— Ça viendra peut-être bientôt.

Puis il tourna les talons et disparut entre les arbres.

Installé devant le feu à Ardmurchan Lodge avec Ferguson et Hannah Bernstein, Dillon leur raconta les événements de la matinée.

— Le complot se précise, dit Ferguson.

— Vous avez eu de la chance que Morgan soit arrivé à ce moment-là, dit Hannah. Vous auriez pu vous retrouver à l'hôpital.

— Oui, c'est une heureuse coïncidence, dit Ferguson.

— Et vous savez à quel point j'y crois, renchérit Dillon.

Hannah fronça les sourcils.

— Vous croyez que Morgan était derrière cette histoire ?

— Je n'en suis pas sûr, mais à mon avis il s'y attendait. Voilà pourquoi il est venu voir.

— C'est tout à fait possible, dit Ferguson en hochant la tête. Ce qui pose la question de savoir comment il a appris que vous alliez pêcher ce matin.

— C'est vrai, la vie est pleine de mystères, dit Dillon. Et que fait-on, maintenant ?

— D'abord, mon garçon, nous allons déjeuner : je me suis dit que nous pourrions aller au village d'Ardmurchan pour y savourer les délices du pub local. Ils doivent bien servir quelque chose à manger.

— Vous, général, avaler de la tambouille de pub ? demanda Hannah.

— Vous nous accompagnerez, inspecteur, bien qu'à mon avis la cuisine ait peu de chance d'être casher.

— Je vais me renseigner, dit-elle. Je crois que le dénommé Angus travaille au jardin.

Elle ouvrit les baies vitrées, descendit au jardin et en revint quelques instants plus tard.

— Il dit qu'on sert à déjeuner au Campbell Arms. Du hachis Parmentier, des choses comme ça.

— Ah, ça m'a l'air excellent ! s'écria Ferguson. Allons-y.

Morgan se tenait sur la terrasse avec Asta lorsque Murdoch vint les rejoindre.

— Je viens de recevoir un coup de téléphone d'Angus. Nos amis vont aller déjeuner au Campbell Arms.

— Vraiment ? dit Morgan.

— La situation pourrait être amusante. Après-demain, il y a la fête du village et les jeux des Highlands. Il y aura des vagabonds, des marchands de chevaux, tout ça. Les Munro y seront probablement.

— Ah bon ? (Il se tourna vers Asta en souriant :) On ne peut pas manquer une chose pareille, n'est-ce pas ?

Puis, d'une voix plus forte :

— Marco ? (Russo apparut dans l'encadrement de la porte-fenêtre.) Amène le break : nous allons boire un verre au village. Tu conduiras. J'ai comme l'impression que nous allons avoir besoin de toi.

Le Campbell Arms était installé dans une vieille maison en granit gris, mais l'enseigne au-dessus de la porte avait été fraîchement repeinte. Lorsqu'ils descendirent de voiture, quatre bohémiens montés à cru sur leurs chevaux passèrent devant eux. Sur le mur du pub était apposée une affiche annonçant la fête d'Ardmurchan et les jeux des Highlands.

Ferguson en tête, ils pénétrèrent dans le pub.

Il y avait d'abord une petite pièce d'allure confortable, de celles qui étaient autrefois réservées aux femmes. Elle était vide, mais on accédait ensuite à un vaste salon avec des poutres au plafond. On y apercevait un long comptoir avec une tablette en marbre, et des rangées de bouteilles devant le grand miroir. Un feu brûlait dans la cheminée, il y avait des tables avec des chaises, et des stalles délimitées par des sièges en bois à haut dossier. Une trentaine de personnes se pressaient dans la salle, dont des gypsies venus pour la fête, mais aussi des gens du village, des vieux en leggings, coiffés de casquettes, d'autres coiffés des bonnets des Highlands, comme Hector Munro, qui se tenait à une extrémité du comptoir en compagnie de Rory et de Fergus.

Le brouhaha des conversations s'interrompit brusquement lorsque Ferguson fit son entrée avec Hannah Bernstein et Dillon. La femme qui se tenait derrière le comptoir s'avança vers eux en s'essuyant les mains à un torchon. Elle portait un vieux chandail tricoté à la main et un pantalon.

— Bienvenue dans cet établissement, général, dit-elle avec un fort accent des Highlands. (Elle lui tendit la main.) Je m'appelle Molly.

— Ravi de faire votre connaissance. On m'a dit que vous faisiez une excellente cuisine.

— Par ici.

Elle les conduisit à l'une des stalles près du feu et se tourna vers la salle.

— Vous pouvez recommencer à boire, moi je m'occupe de ces satanés Anglais, lança-t-elle en gaélique.

— En ce qui me concerne, vous faites une grossière erreur, lui rétorqua Dillon en gaélique, mais je vous pardonnerai si vous arrivez à me trouver une bouteille de Bushmills.

Elle se retourna, sidérée, puis porta les mains à son visage.

— Irlandais, c'est ça ? Vous êtes un brave garçon et je vais vous étonner. (Ils s'installèrent et elle s'adressa alors à eux en anglais :) Aujourd'hui, il y a de la tourte au poisson : cabillaud et pommes de terre. Si ça vous dit...

— Ça me semble excellent, dit Ferguson. Pour moi vous me donnerez une Guiness, une bière blonde pour madame, et à mon ami, ce qu'il vous demandera.

— Lui, c'est un homme selon mon cœur, et vous, vous avez un vrai nom écossais.

Elle s'éloigna et les conversations reprirent dans la salle. Dillon alluma une cigarette.

— Le vieux bonhomme au bout du comptoir, avec son visage de pierre et son bonnet, c'est Hector Munro ; celui qui a le visage esquinté, c'est Fergus, et le dur aux larges épaules, qui vous regarde avec tant d'admiration, Hannah, mon amour, c'est Rory.

Elle rougit.

— Il n'est pas mon genre.

— Oh, allez savoir, en fin de soirée, avec quelques verres dans le nez.

— Dillon, vous êtes un mufle.

— Je sais, on me l'a déjà dit.

Dillon lui ayant adressé un bref signe de tête, Munro se leva, s'essuya la bouche d'un revers de main et se fraya un chemin dans la foule jusqu'à leur table.

— Monsieur Dillon, dit-il en anglais, vous avez rendu un service à mon fils, et pour ça je vous remercie. Peut-être que ça s'est mal engagé entre nous.

— Voici mon oncle, le général Ferguson, fit Dillon.

— Je connais le nom de Ferguson, dit Munro. Il y en a quelques-uns, pas très loin d'ici, sur la route de Tomentoul ; ils étaient sur notre flanc gauche à la bataille de Culloden, à lutter contre les foutus Allemands du roi George.

— Votre mémoire remonte loin, dit Ferguson. A près de deux cent cinquante ans. Mais c'est vrai, mes ancêtres ont combattu pour le prince Charles à la bataille de Culloden.

— Vous aussi vous êtes un homme brave, lui dit Munro en lui secouant vigoureusement la main.

Après quoi il retourna au bar.

— Nous voilà en pleine nostalgie, dit Ferguson tandis que Molly apportait les boissons.

Au même moment, Morgan et Asta firent leur entrée, suivis de Murdoch et de Marco.

Le même silence que précédemment accueillit les visiteurs. Morgan parcourut la salle du regard, puis s'avança avec Asta, tandis que Marco s'installait au comptoir et que Murdoch allait s'entretenir avec Molly. Morgan et Asta prirent place dans une stalle face à celle de Ferguson.

— Oh, mon général, quel plaisir de vous retrouver ici ! L'autre soir, je n'ai pas eu le plaisir de vous présenter ma fille. Asta... le général Ferguson.

— Enchanté, mademoiselle, dit Ferguson. Vous connaissez déjà mon neveu. Quant à cette charmante dame, c'est ma secrétaire, Hannah Bernstein.

Murdoch revint alors avec des verres et une bouteille de vin blanc.

— C'est un chablis, monsieur, il n'y a guère de choix.

— Du moment qu'ils ne le fabriquent pas ici, dans l'arrière-cour, dit Morgan. Et qu'y a-t-il à manger ?

— De la tourte au cabillaud et aux pommes de terre, dit Ferguson. Ils ne font qu'un seul plat par jour.

— Alors va pour la tourte au cabillaud !

Murdoch servit le vin et Morgan leva son verre.

— A quoi boirons-nous ?

— A la déroute de nos ennemis, suggéra Dillon. C'est un bon toast irlandais.

— Tout à fait indiqué.

— Je suis très heureuse de faire votre connaissance, mademoiselle Bernstein, dit Asta après avoir bu un peu de vin. C'est curieux, pendant les moments que nous avons passés ensemble, Dillon ne m'a jamais parlé de vous. Mais maintenant que je vous connais, je comprends pourquoi.

— Vous ne pourriez pas essayer de vous conduire décemment ? lui dit Dillon.

Asta eut l'air choquée et Morgan fronça un sourcil désapprobateur, mais au même moment, Murdoch se pencha vers lui et lui murmura quelques mots à l'oreille. Morgan se tourna vers le bar et aperçut Fergus qui se faufilait vers la porte.

— Arrête-le, Marco ! lança Morgan en italien. C'est lui que je veux.

Marco posa la main sur la poitrine de Fergus et le repoussa. Hector et Rory Munro s'avancèrent en même temps.

— Laissez mon fils tranquille, sinon vous aurez affaire à moi, dit le vieil homme.

— Munro, s'écria alors Morgan, je vous ai demandé tout à l'heure où était votre fils et vous m'avez dit que vous ne le saviez pas. Je suis votre employeur, je m'attendais à une autre réaction.

— Mon fils, ça me regarde. Ce qui le concerne lui nous concerne tous.

— Epargnez-moi ce baratin de paysan. Il a agressé ma fille, et il doit payer.

Fergus était livide, la peur se lisait sur son visage. Il tenta de contourner Marco, mais celui-ci l'agrippa par le col et le jeta violemment en direction de Morgan. Il tomba à genoux.

Un silence total s'était abattu sur la salle.

— Et maintenant, espèce de porc ? s'écria Morgan.

Rory se précipita alors sur Marco et lui assena un violent coup de poing dans les lombaires. Le Sicilien pivota sur lui-même, bloqua le coup suivant et, d'un direct du droit, envoya Rory s'affaler contre le comptoir.

Profitant de la confusion, Fergus bondit en direction de la porte. Marco voulut lui couper la retraite, mais Hannah Bernstein tendit opportunément le pied et il s'étala de tout son long. Comme un furet, Fergus se glissa à l'extérieur.

— C'est affreux, dit Ferguson à Morgan. Elle est insortable.

Au moment où Marco se relevait, Rory s'avança, l'air menaçant, mais Dillon s'interposa.

— Ce salaud est pour moi, dit-il à Rory en irlandais. Et maintenant, laisse tomber et termine tranquillement ta bière.

Un éclair de fureur passa dans les yeux de Rory.

— D'accord, l'Irlandais, mais s'il porte encore une seule fois la main sur moi, je l'écrabouille.

Il tourna les talons et rejoignit le comptoir.

— C'est curieux, dit Ferguson à Morgan, mais depuis que je vous ai rencontré, la vie est pleine d'imprévus.

— Vraiment ? fit Morgan d'un ton aimable.

Molly arriva alors avec un grand plateau sur lequel étaient posées les assiettes de tourte au cabillaud.

— Mmm, ça sent bon, dit Ferguson, l'air réjoui. Je sens que nous allons faire un véritable festin.

Après le repas, ils se retrouvèrent dans la rue, devant le pub.

— Accepteriez-vous de venir dîner demain soir ? demanda Morgan. Je comptais également inviter Lady Katherine, qu'en pensez-vous ?

— Excellente idée, dit Ferguson. J'accepte avec plaisir.

— Savez-vous monter à cheval, monsieur Dillon ? demanda Asta.

— Un peu, oui.

— Vous pourriez peut-être vous joindre à nous demain matin.

— Malheureusement, mon oncle a promis de m'emmener chasser le cerf demain. Avez-vous déjà chassé le cerf ?

— Non, mais je suis sûre que ça me plairait beaucoup. (Elle se tourna vers Morgan :) Tu veux bien, Carl ? J'aimerais tant y aller.

— Ça n'est pas mon genre, et demain j'ai des affaires à régler.

— Nous serions ravis de vous emmener, Asta, si bien entendu votre père n'y voit pas d'objection, dit Ferguson.

— Aucune, bien sûr. C'est une excellente idée.

— Dans ce cas, nous passerons vous prendre à neuf heures et demie. (Ferguson souleva son chapeau en tweed.) Au revoir.

Le petit groupe se dirigea vers la Range Rover.

— Bon, nous aussi on y va, dit Morgan en se dirigeant vers le break garé à proximité.

— Un instant, monsieur, dit Murdoch à voix basse. Je crois savoir où Fergus a pu aller.

— Vraiment ? Dans ce cas, nous allons raccompagner Mlle Asta au château et ensuite vous m'y conduirez.

A Ardmurchan Lodge, Ferguson se débarrassa de son manteau et se plaça devant la cheminée, le dos au feu.

— Alors, qu'en dites-vous ?

— Le costaud qui bloquait la porte, dit Hannah Bernstein, est son garde du corps du moment. Il s'appelle Marco Russo. J'ai vérifié à l'immigration. Il est venu avec Morgan. D'après les informations transmises par la police italienne, c'est un homme de main de la Mafia et un membre de la famille Luca.

— Une véritable fripouille, dit Ferguson avant de

se tourner vers Dillon. Bon, expliquez-moi, qu'est-ce que c'est que cette histoire de chasse au cerf ?

— Vous n'avez jamais chassé le cerf, mon général ? (Dillon secoua la tête d'un air faussement peiné.) Un membre de la classe dirigeante ! Vous me décevez.

— Mais bien sûr, j'ai chassé le cerf, rétorqua Ferguson. Et je vous serais reconnaissant de garder pour vous vos réflexions condescendantes. Ce que je voudrais savoir, c'est pourquoi nous emmenons cette fille demain. Visiblement, vous y teniez beaucoup, voilà pourquoi je vous ai posé la question.

— Je ne sais pas exactement, mais j'aimerais la connaître un peu mieux. Ça pourrait nous mener quelque part.

— Ecoutez, Dillon, dit Hannah, dites-vous bien que cette jeune femme est dure, intelligente, et qu'elle sait ce qu'elle veut. Si vous croyez qu'elle ignore d'où vient la fortune de Morgan, vous vous racontez des histoires. Regardez-les, tous les deux. Ils forment un vrai couple. Je vous parie qu'elle est parfaitement au courant de ce qu'ils sont venus faire ici.

— C'est précisément pour ça que je veux cultiver ma relation avec elle.

— Je suis d'accord avec vous, dit Ferguson. Donc, demain nous ferons comme il était prévu. Kim portera le fusil, et vous, inspecteur, vous resterez ici pour garder le fort.

— A vos ordres, général.

Ferguson se tourna vers Dillon :

— Rien d'autre ?

— Si. J'ai décidé d'aller faire une petite visite au château ce soir. Voir un peu comment ça se passe là-bas. Vous y voyez un inconvénient ?

— Pas du tout. Je dirais même que c'est une excellente idée. (Un sourire se dessina sur les lèvres de Ferguson.) C'est curieux, mais quand on parle avec lui, ce Morgan se révèle un homme très courtois, vous ne trouvez pas ?

— Pas vraiment, dit Hannah Bernstein. Pour moi, ça n'est jamais qu'un truand, derrière sa façade respectable.

9

Dans la petite cabane de chasse située à une extrémité du Loch Dhu, Fergus était accroupi sur un lit pliant et buvait du whisky à même la bouteille. Il n'avait plus peur, les événements du pub s'estompaient un peu dans les brumes de son esprit, mais la colère était là, vivace, quand il songeait à Asta.

Salope, se disait-il. Tout ça c'est de ta faute. Il avala une gorgée de whisky. Attends un peu que je remette la main sur toi...

Un craquement... la porte s'ouvrit, livrant passage à Murdoch.

— Il est là, monsieur.

Morgan fit alors son apparition, une cravache à la main, flanqué de Marco.

— Te voilà, espèce de salopard ! siffla Morgan.

Terrifié, Fergus se leva, la bouteille de whisky à la main.

— Ecoutez... c'était une erreur... je ne savais pas qui elle était.

— Une erreur ? dit Morgan. Ça, c'est sûr, tu as commis une erreur, espèce de porc. (Il se retourna.) Marco !

Ce dernier enfilait une paire de gants en cuir. Fergus fracassa la bouteille contre le montant du lit et brandit le goulot de façon menaçante.

— N'approche pas ! Sinon j't'en donne un !

Marco avança lentement. Fergus agita devant lui le goulot tranchant. Marco lui bloqua alors le bras sur le côté et lui enfonça son poing dans les côtes avec une violence inouïe. Fergus lâcha la bouteille et retomba sur le lit.

— Laisse-le, dit Morgan.

Marco recula de quelques pas pour laisser passer Morgan.

— Tu as posé tes mains crasseuses sur ma fille.

Il se mit à cingler de coups de cravache le visage de Fergus qui hurlait en tentant de se protéger avec ses bras. Après un long moment, Morgan céda la place à Marco qui étendit Fergus à terre d'un formidable direct dans la figure. Après quoi, il le roua de coups de pied avec une brutalité des plus efficaces.

— Ça suffit.

Marco fit un pas en arrière. Morgan se retourna et vit Murdoch dans l'encadrement de la porte, aussi effrayé que Fergus à leur arrivée.

— Vous avez un problème ? demanda Morgan.

— Non, non, monsieur Morgan.

— Bon. Alors, on y va.

Il sortit le premier et ils regagnèrent le break. Marco se mit au volant et ils quittèrent les lieux.

Un peu plus tard, au crépuscule, Fergus apparut sur le seuil de la cabane, le visage sanguinolent. Il gagna le bord du loch en titubant, tomba à genoux dans l'eau froide et peu profonde et s'aspergea. Jamais il n'avait eu aussi mal à la tête, et ce fut avec un véritable soulagement qu'il vit tout s'obscurcir autour de lui et qu'il s'abattit dans l'eau.

Il était onze heures du soir et il pleuvait très fort lorsque Hannah Bernstein arrêta la Range Rover sous le mur du château du Loch Dhu.

— Ici, c'est un vrai miracle quand il s'arrête de pleuvoir, dit-elle en soupirant.

— C'est l'Ecosse, fit Dillon.

Il était tout de noir vêtu, depuis le chandail et le jean jusqu'aux chaussures de tennis, et il compléta sa tenue en enfilant une cagoule de ski noire qui ne laissait apparaître que ses yeux et sa bouche. Il prit ensuite une paire de gants en cuir souple de même couleur, tira un Walther de la boîte à gants et y adapta le nouveau silencieux Harley.

— Mais enfin, Dillon, vous n'allez quand même pas à la guerre !

— C'est ce que vous croyez, mon amour. (Il glissa le pistolet dans sa ceinture et un sourire découvrit ses dents blanches dans l'ouverture de la cagoule.) Bon, j'y vais. Rendez-vous ici dans une heure.

Il ouvrit la portière et disparut dans la nuit.

Le mur ne faisait que trois mètres cinquante de haut, et il n'eut aucun mal à l'escalader. Il franchit un bosquet, traversa une pelouse au pas de course et s'immobilisa dans un autre bouquet d'arbres. Une courte bande de gazon le séparait à présent des fenêtres éclairées du château.

Il pleuvait toujours aussi fort. Dissimulé derrière un arbre, il vit la grande porte du château s'ouvrir, et Marco Russo apparut sur le seuil, le doberman à ses côtés. Il poussa doucement le chien dehors du bout du pied, visiblement pour qu'il aille satisfaire ses besoins, et rentra. Le chien demeura un moment à humer la pluie, puis se décida à lever la patte. Dillon répéta alors le curieux sifflement qui lui avait si bien réussi une première fois ; le doberman dressa les oreilles et s'avança joyeusement vers lui.

Dillon lui caressa les oreilles et lui tendit la main, de façon qu'il la lèche.

— Tu es un bon chien, dit-il doucement. Et maintenant, tiens-toi tranquille.

Il traversa le bout de pelouse et, en guignant à travers la porte-fenêtre, aperçut Asta qui lisait dans le bureau, devant le feu. Avec son pyjama de soie noire, elle était superbe. Il s'éloigna, le chien sur ses talons, et à travers une autre fenêtre étroite aperçut le vestibule désert.

Contournant le bâtiment, il remarqua une baie vitrée restée entrouverte. Les rideaux étaient à moitié tirés et, en jetant un coup d'œil à l'intérieur, il reconnut Morgan et Murdoch dans un grand salon. Morgan était occupé à replacer des livres sur des étagères.

— J'ai inspecté cette pièce centimètre par centimètre, j'ai ôté tous les livres, fouillé le moindre placard, le moindre tiroir, et j'ai fait la même chose dans le bureau. Rien. Et les domestiques ?

— Je leur ai transmis la consigne, monsieur, et ils ont tous très envie de gagner les mille livres de récompense que vous avez promises, mais pour l'instant il n'y a rien.

— Elle doit bien être quelque part, dites-leur de redoubler d'efforts.

Avec un gémissement, le doberman se glissa alors par la porte-fenêtre ouverte et se précipita vers Morgan qui l'accueillit avec plaisir.

— Alors, espèce d'empoté, où étais-tu ? (Il se pencha pour caresser le chien.) Mon Dieu, il est trempé, il pourrait attraper une pneumonie. Amenez-le à la cuisine, Murdoch, et séchez-le avec une serviette, moi, je vais me coucher.

Murdoch sortit, tenant le doberman par le collier, et Morgan s'avança jusqu'à la porte-fenêtre. Il demeura là un moment, le regard perdu sur la nuit, puis retraversa la pièce, éteignit la lumière et sortit.

Dillon se glissa à l'intérieur, écouta un moment, alla coller l'oreille à la porte, puis l'entrebâilla. Le bureau, de l'autre côté du couloir, était ouvert, et il entendit les voix de Morgan et d'Asta.

— Je vais me coucher, dit Morgan. Et toi ?

— Moi aussi. Si je veux aller chasser le cerf demain, il faut que je sois en forme.

— Il faudra aussi que tu sois sur tes gardes. Ecoute tout ce que diront Dillon et Ferguson et rapporte-le-moi.

— Oui, ô mon maître.

Elle éclata de rire et, lorsqu'ils sortirent du bureau, Morgan lui passa le bras autour de la taille.

— Tu es une fille extraordinaire, Asta.

Ils montèrent l'escalier ensemble, mais en les observant, Dillon ne put s'empêcher de remarquer que l'intimité qui régnait entre eux n'évoquait en rien celle de deux amants. Lorsqu'ils furent arrivés en haut des marches, Morgan déposa un baiser sur le front d'Asta.

— Bonne nuit, ma chérie.

Et chacun s'en alla de son côté.

— Je veux bien être pendu..., murmura Dillon.

Il demeura immobile un long moment. Les pensées se bousculaient dans sa tête. Inutile de poursuivre ses investigations, il avait appris une chose essentielle : ils ne savaient toujours pas où chercher la bible.

Mais au même moment, il éprouva une furieuse envie de boire un verre. Apercevant le placard aux alcools par la porte du bureau restée ouverte, il traversa rapidement le couloir et se glissa dans la pièce. Au même instant, faisant cliqueter ses griffes sur le carrelage, le doberman vint le rejoindre.

Dillon ferma la porte, alluma une lampe de bureau et caressa la tête du chien.

— Oui, tu es une brave bête.

Il ouvrit le placard aux alcools, et, ne trouvant pas de whisky irlandais, se rabattit sur le scotch. Il était debout devant le feu, l'air pensif, lorsque la porte s'ouvrit derrière lui. Il tira le Walther de sa ceinture et se retourna. Asta ne le vit tout d'abord pas et referma la porte.

Pourtant, lorsqu'elle s'aperçut de sa présence, elle ne montra aucun signe de peur.

— Ça n'est quand même pas vous, Dillon ? dit-elle calmement.

Dillon se mit à rire.

— Vous êtes vraiment du côté de Morgan, n'est-ce pas ?

Il replaça le Walther au creux de ses reins et retira sa cagoule de ski.

— Pourquoi pas ? dit-elle. C'est mon père.

— Votre beau-père.

Dillon prit une cigarette dans une boîte en argent posée sur une table basse et l'alluma avec son éternel Zippo.

— Un beau-père mafieux, ajouta-t-il.

— Pour moi, c'est mon père, c'est le seul vrai père que j'aie eu, parce que le premier n'était qu'un chien qui courait après tous les jupons qui lui passaient sous le nez. Il a empoisonné la vie de ma mère. Ç'a été une vraie bénédiction le jour où il est mort brûlé dans un accident de voiture.

— Ç'a dû être dur, pour vous.

— Non, Dillon, je vous le répète : ç'a été une vraie bénédiction ; et puis, un an ou deux après, ma mère a rencontré Carl, le meilleur homme du monde.

— Vraiment ?

Elle prit une cigarette dans la boîte.

— Ecoutez, Dillon, je sais tout de vous, l'IRA, tout ça, et je sais aussi qui est le brave vieux Ferguson, Carl m'a tout raconté.

— Je parie qu'il vous dit tout. J'imagine que vous connaissez toute l'histoire de l'accord de Ch'ung-king.

— Bien sûr. Carl me dit tout.

— Je me le demande. Car enfin, il y a le Carl Morgan des rubriques mondaines, le joueur de polo, l'homme de l'année, le milliardaire, mais derrière tout ça, il y a les mêmes éternelles activités mafieuses, la drogue, la prostitution, le jeu, le racket.

Elle gagna l'une des portes-fenêtres, l'ouvrit et se mit à contempler la pluie.

— Vous me fatiguez, Dillon, et puis après tout, vous pouvez parler. Et toutes ces années que vous avez passées au sein de l'IRA provisoire ? Combien de soldats, combien de femmes et d'enfants avez-vous tués ?

— Désolé de vous décevoir, mais je n'ai jamais tué de femmes ni d'enfants de ma vie. Des soldats, oui, j'en ai tué quelques-uns, mais enfin, c'était la guerre. Et maintenant que j'y pense, j'ai aussi coulé quelques bateaux de l'OLP dans le port de Beyrouth, mais ils devaient débarquer sur la côte d'Israël des terroristes chargés précisément de tuer des femmes et des enfants.

— Bon, d'accord. En attendant, que faites-vous ici ?

— Je suis curieux, c'est tout. Je me demandais si vous étiez arrivés à quelque chose dans vos recherches, mais j'ai entendu la conversation entre Morgan et Murdoch : apparemment, il n'y a rien de nouveau à propos de cette bible.

— Elle doit se trouver ici. Tanner a dit qu'elle avait été ramenée. (Elle fronça les sourcils.) Je ne trahis aucun secret, n'est-ce pas ? Ferguson et vous ne seriez pas venus si vous n'étiez pas au courant.

— Nous savons tout, dit-il. Lord Louis Mountbatten, le laird, Ian Campbell, le Dakota qui s'est écrasé en Inde.

— Je suis sûre que Carl serait ravi de savoir comment vous avez appris tout ça, mais j'imagine que vous ne me le direz pas.

— Confidentiel Défense ! (Il termina son verre, mais au même moment on entendit un bruit dans le couloir.) Je m'en vais !

Il rabattit sa cagoule de ski sur son visage, se glissa au-dehors par la porte-fenêtre et se retourna.

— A demain matin.

La porte du salon s'ouvrit et Morgan pénétra dans la pièce. Il eut l'air surpris.

— Mon Dieu, Asta, tu m'as fait peur. Je te croyais couchée.

— Je suis redescendue chercher mon livre, et devine qui j'ai trouvé ici ? Dillon.

Le visage de Morgan se durcit.

— Ah bon ?

— Il était terrifiant. Tout en noir, avec une cagoule noire. On aurait dit Carlos le Chacal à Beyrouth. Il vient de partir, à l'instant.

— Qu'était-il venu faire ?

— Simplement glaner des informations, voir ce qui se passait. Apparemment, il a entendu ta conversation avec Murdoch à propos de la bible. (Morgan se servit un cognac et vint la rejoindre près de la porte-fenêtre.) Ils savent tout, Carl : Mountbatten, le caporal Tanner, le laird, tout.

— Il t'a raconté tout ça ?

— Parce qu'il m'aime bien, Carl, mais il ne trahissait aucun secret. Il ne m'a pas dit comment ils avaient obtenu leurs informations, et, tu l'as supposé toi-même, ils étaient au courant, sans ça ils n'auraient pas envoyé ici un homme comme Ferguson.

Il acquiesça.

— Et peu leur importe que nous sachions. La tactique est intéressante. (Il avala une gorgée de cognac.) Ils doivent toujours venir te chercher demain matin ?

— Oui.

— Parfait. (Il vida son verre et ferma la porte-fenêtre.) Et maintenant, au lit ! Pour de bon.

— Donc, maintenant, les choses sont claires, dit Ferguson.

— Vous avez dit vous-même qu'ils devaient sentir

que nous ne les lâchions pas d'une semelle, lui rappela Dillon.

— Oui, c'est une bonne tactique, vous n'êtes pas d'accord, inspecteur ?

Il se tourna vers Hannah Bernstein qui était appuyée contre le bureau du général.

— Puisque nous sommes en train de nous amuser, alors oui, c'est une bonne tactique.

— C'est comme ça que vous voyez les choses ?

— Je regrette, général, mais j'ai l'impression que nous ne maîtrisons plus rien dans cette affaire. Nous savons ce que Morgan est venu faire ici, et lui sait qui nous sommes ; je ne suis pas sûre que ça rime à quelque chose.

— Lorsque cette bible fera son apparition, vous verrez que tout ça prendra un sens.

— Vous croyez ? Imaginons que, ce soir, il la trouve brusquement au fond d'un tiroir. Il pourrait sauter dans son Citation et avoir quitté le pays demain matin sans que nous puissions rien y faire.

— On verra bien.

Kim fit son apparition avec le thé et Ferguson secoua la tête d'un air las.

— Bon, moi je vais me coucher. A demain.

Kim les servit puis se retira.

— Qu'en pensez-vous ? demanda Hannah à Dillon.

— Vous pourriez avoir raison, mais quelque chose me dit que ça n'est pas le cas. (Il alla ouvrir la fenêtre et se mit à regarder la pluie qui flagellait les dalles de la terrasse.) Je ne crois pas que cette bible soit dissimulée dans un endroit où une femme de chambre pourrait la trouver en faisant la poussière. (Il se tourna vers Hannah :) Vous vous souvenez des paroles de Tanner lorsque le médecin lui a demandé si la bible était retournée au Loch Dhu ?

— Oui, il a répondu : « On peut le dire. »

— Et il s'est mis à rire. Pourquoi a-t-il réagi comme ça ?

Hannah haussa les épaules.
— Pour des raisons connues de lui seul.
— Exactement. C'est assez mystérieux. Et, ce soir, j'ai découvert un autre mystère.
— Ah ! Lequel ?
— Quand j'étais au château, j'ai vu Morgan et Asta qui montaient se coucher.
— Et alors ?
— Eh bien, ce n'est pas ce que je croyais, ils ne sont pas amants. En haut de l'escalier, Morgan a embrassé Asta sur le front et ils sont allés se coucher chacun de leur côté.
— Ça, c'est intéressant.
— Oui, surtout si on revient sur l'idée qu'il a tué sa femme parce qu'il avait des visées sur Asta. (Dillon termina sa tasse de thé et sourit.) Je vous laisse cogiter là-dessus, madame l'inspecteur principal de la Special Branch, mon cher amour. Moi, je vais me coucher.

Pour la première fois depuis deux jours, le lendemain matin il ne pleuvait pas. Lorsqu'ils arrivèrent au château du Loch Dhu dans leur Range Rover, Asta et Morgan sortirent sur le perron. Elle portait un bonnet de Glengarry, une veste en cuir et une jupe écossaise.
— Très couleur locale, dit Dillon en descendant de voiture.
— Bonjour ! lança Ferguson. La journée s'annonce parfaite pour la chasse. Je suis heureux que cette satanée pluie ait cessé.
— Moi aussi, dit Morgan. Vous avez bien dormi, mon général ?
— Très bien. Comme une marmotte. C'est l'air des Highlands.
Morgan se tourna vers Dillon :
— Et vous ?
— Je suis comme un chat, je ne dors que d'un œil.

— Ça peut être utile. (Il se tourna à nouveau vers Ferguson :) Pour le dîner de ce soir, est-ce que sept heures vous conviennent ?

— C'est parfait. Tenue de soirée ?

— Bien sûr. Amenez donc votre secrétaire, moi, de mon côté, je tâcherai de persuader Lady Katherine de se joindre à nous.

— J'attends ce soir avec impatience. Eh bien, à tout à l'heure.

Asta descendit les marches et grimpa dans la Range Rover.

A force de marcher dans ces étendues sauvages, Dillon finissait par oublier pourquoi ils étaient là. Avec Asta, ils s'étaient peu à peu détachés du groupe, laissant Kim et Ferguson avancer à leur rythme.

Une sorte de plaisir l'envahissait et il devait bien s'avouer qu'il appréciait la compagnie de cette fille. Les exigences de sa « vocation », comme il disait plaisamment, ne lui laissaient guère de temps à consacrer aux femmes, mais il y avait chez Asta quelque chose de fort qui le touchait au plus profond de lui-même. Ils parlaient peu, tout occupés qu'ils étaient à leur ascension ; ils finirent par atteindre un éperon rocheux et s'immobilisèrent pour admirer les teintes violettes de la vallée et la mer, au loin, parsemée d'îles.

— Je crois que je n'ai jamais rien vu de plus beau de toute ma vie, dit Asta.

Le vent plaquait sa jupe contre ses jambes, et lorsqu'elle ôta son bonnet, ses cheveux d'un blond très pâle scintillèrent dans le soleil.

— Vos cheveux et les miens sont presque de la même couleur, dit-elle en s'asseyant sur un rocher. Nous pourrions être parents.

— Grands dieux, j'espère que non ! (Il alluma deux cigarettes, lui en donna une et s'allongea sur le sol à côté d'elle.) Beaucoup de gens ont les cheveux blonds en Irlande. Il y a un millier d'années, Dublin était une capitale viking.

— Je ne le savais pas.

— Avez-vous parlé à Morgan de ma visite d'hier soir ?

— Bien sûr. En fait, vous avez failli vous rencontrer. Le bruit que vous avez entendu dans le couloir, c'était Carl.

— Et comment a-t-il réagi ?

— Dites donc, Dillon, vous attendez beaucoup de choses, en échange de votre cigarette. (Elle se mit à rire.) Bon, d'accord... je lui ai répété tout ce que vous m'aviez expliqué à propos de l'accord de Ch'ung-king, et le reste. C'est bien ce que vous vouliez que je fasse, non ?

— Oui.

— Carl m'a répondu que ça lui était égal. Dès qu'il a appris la présence de Ferguson au pavillon de chasse, il s'est renseigné sur lui, et la même chose pour vous. Il savait que vous étiez au courant, ce qui expliquait votre présence à Ardmurchan Lodge. Il n'est pas idiot, Dillon, sinon il ne serait pas là où il en est aujourd'hui.

— Vous avez la plus haute opinion de lui, n'est-ce pas ?

— Comme je vous l'ai dit hier soir, Dillon, je sais tout de vous, alors ne perdez pas votre temps à essayer de noircir Carl. Depuis quand l'hôpital se moque-t-il de la charité ?

— Qu'en termes élégants ces choses-là sont dites.

— J'ai fait d'excellentes études, dit-elle en souriant. Un pensionnat de jeunes filles de l'Eglise anglicane. Et puis ensuite le St. Michael's and St. Hugh's College, à Oxford.

— Vraiment ? J'ai l'impression, tout de même, que vous n'avez pas dû vous user beaucoup les genoux sur les prie-Dieu.

— Vous êtes un goujat, dit-elle avec un charmant sourire.

Au même moment, Ferguson apparut au sommet de l'éperon rocheux, suivi de Kim, une paire de vieilles jumelles Zeiss autour du cou, portant le fusil dans son étui.

— Ah, vous voilà, dit Ferguson. Je commence à me faire vieux. Du café, Kim.

Le Gurkha posa le fusil, tira de son sac à dos un thermos et des gobelets en plastique qu'il distribua après les avoir remplis.

— Quel plaisir ! dit Asta. Ça fait des années que je n'avais pas fait de pique-nique.

— Oubliez ce terme, mademoiselle, dit Ferguson. Il s'agit d'une expédition sérieuse dont le but est de vous initier aux subtilités de la chasse au cerf. Et maintenant, terminez votre café : nous nous remettons en route.

Ils reprirent leur chemin au milieu des bruyères, dans la chaleur, tandis que Ferguson exposait les principes de la chasse au cerf, soulignant notamment l'odorat extrêmement développé de l'animal, qui oblige les chasseurs à ne l'approcher que contre le vent.

— J'imagine que vous savez tirer.

— Bien sûr. Carl m'a appris, surtout sur des pigeons d'argile. Et au cours de la saison je suis allée plusieurs fois chasser la grouse avec lui.

— C'est déjà quelque chose.

Ils marchaient déjà depuis plus d'une heure, lorsque Kim tendit soudain le doigt :

— Là, sahib.

— A terre, tout le monde ! lança Ferguson.

Kim lui passa les jumelles.

— Magnifique, dit Ferguson en donnant ensuite les jumelles à Dillon. Un dix-cors et deux biches. Quelle superbe ramure !

— Oui, extraordinaire, dit Dillon.

Il passa les jumelles à Asta.

— Oh, quelle merveille ! s'écria-t-elle après avoir fait la mise au point. (Elle se tourna vers Ferguson.) On ne peut tout de même pas tuer des créatures aussi magnifiques.

— Ah, les femmes ! s'exclama Ferguson. J'aurais dû m'en douter.

— L'intérêt, c'est de guetter l'animal, de l'approcher, fit Dillon. C'est comme un jeu. Ils sont sur leurs gardes, croyez-moi. Ils savent se protéger. Nous aurons de la chance si nous arrivons à les approcher à une centaine de mètres.

Kim mouilla son doigt et le leva au-dessus de lui.

— Nous sommes contre le vent, sahib, c'est bon. (Puis il observa le ciel où des nuages se rassemblaient.) Mais je crois que le vent va bientôt tourner.

— Alors il faut se dépêcher, dit Ferguson. Passe-moi le fusil.

C'était un vieux Jackson & Whitney à culasse mobile. Ferguson l'examina un instant puis le chargea.

— Allons-y, dit Dillon.

Asta vécut ensuite une heure d'intense excitation. Ils avançaient le long des ravines, courbés en deux, sous la direction de Kim.

— Il connaît son affaire, dit Asta à Dillon.

— Et comment ! répondit Ferguson. En Inde, autrefois, c'était le meilleur pisteur de tigres que j'aie jamais vu.

Au bout d'un certain temps, alors qu'ils progressaient en file indienne, Kim leur fit signe de s'arrêter dans un petit creux et se mit à l'affût avec précaution. Le cerf broutait paisiblement à soixante-dix mètres environ.

— Pas plus près, sahib. (Il leva les yeux vers le ciel.) Le vent est déjà en train de tourner.

— D'accord.

Ferguson manœuvra la culasse et introduisit une cartouche.

— A vous l'honneur, mademoiselle.

— Vraiment ?

Le rouge aux joues, Asta prit l'arme et cala la crosse contre sa joue.

— N'appuyez pas trop fort sur la détente, conseilla Dillon. Une simple pression suffit.

— Je sais.

— Et visez plus bas, dit Ferguson.

— D'accord.

Elle demeura ainsi un long moment, puis finalement jeta le fusil dans les mains de Ferguson.

— Je n'y arrive pas, général, ce cerf est trop magnifique pour mourir.

— Nous mourrons tous un jour, grommela Ferguson.

Au même moment, le cerf releva la tête.

— Le vent a tourné, sahib. Il a senti notre odeur.

Le cerf et les deux biches bondirent alors dans les fourrés et disparurent à une vitesse hallucinante.

— Bon Dieu ! s'écria Ferguson, tandis que Dillon éclatait de rire. Ça n'est pas drôle, Dillon, pas drôle du tout ! (Il tendit le fusil à Kim.) Bon, range-le et sors les sandwiches.

Plus tard, sur le chemin du retour, ils firent une brève halte sur une crête d'où l'on avait une excellente vue sur la vallée, le château du Loch Dhu et Ardmurchan Lodge. Dillon remarqua alors quelque chose qui avait jusque-là échappé à son attention. En contrebas du château, on apercevait un appontement, et un bateau y était amarré.

— Donnez-moi les jumelles, dit-il à Kim.

Après avoir mis au point, il distingua mieux un bateau à moteur de 7,50 mètres, avec une cabine.

— Je ne savais pas qu'il y avait un bateau, là, dit-il à Ferguson en lui passant les jumelles.

— Oui, il va avec le château, dit Asta. Il s'appelle le *Katrina.*

— Vous en êtes-vous déjà servis ? demanda Dillon.

— Non. Carl n'aime pas la pêche.

— C'est un plus beau bateau que le nôtre, dit Ferguson en tournant les jumelles du côté d'Ardmurchan Lodge, où l'on apercevait une vieille baleinière avec un moteur hors-bord, amarrée à côté d'une barque à rames. (Il tendit les jumelles à Kim.) Allez, on y va.

— Franchement, ce sentier commence à m'ennuyer, dit Asta. On ne pourrait pas couper directement, Dillon ?

Ce dernier se tourna vers Ferguson qui haussa les épaules.

— Si ça vous dit... moi, en tout cas, je continue par le chemin avec Kim.

Dillon prit alors Asta par la main et ils s'engagèrent tous deux sur la pente qui descendait vers la vallée.

— Allez, on y va, mais faites attention : ça n'est pas le moment de vous tordre une nouvelle fois la cheville.

La descente vers le loch était assez difficile, et pendant trois cents mètres il marcha devant, choisissant avec soin les passages. Puis, lorsque le chemin sembla moins abrupt, il la prit par la main et ils descendirent ensemble, jusqu'au moment où elle perdit l'équilibre et l'entraîna en riant dans sa chute. Après quelques roulades, ils s'immobilisèrent sur un doux coussin de bruyères, au fond d'un creux. Elle était allongée sur le dos, haletante, et Dillon s'appuya sur un coude pour la regarder.

Le rire d'Asta disparut peu à peu, et, lentement, elle lui caressa la joue. L'espace d'un instant, il oublia tout, enivré par son parfum et la couleur de ses cheveux. Ils s'embrassèrent. Le corps d'Asta s'offrait à lui, doux et désirable.

Il roula alors sur le dos, et elle se redressa.

— Je me demandais quand vous alliez vous décider, Dillon. C'était très bien.

Il tira deux cigarettes de son étui, les alluma et lui en donna une.

— Mettons ça sur le compte de l'altitude. Je regrette.

— Moi pas.

— Vous devriez. J'ai vingt ans de plus que vous.

— Ça doit être quelque chose de typiquement irlandais, dit-elle. Toute cette pluie aurait-elle un effet détrempant sur l'amour ?

— Qu'est-ce que l'amour a à voir là-dedans ?

Elle expira la fumée de sa cigarette et s'étendit, une main derrière la nuque.

— Vous me faites rêver, dit-elle.

Il s'assit brutalement.

— Cessez de vous raconter des histoires, Asta ! Vous n'êtes pas amoureuse de moi.

Elle se tourna vers lui.

— Vous l'avez dit vous-même : qu'est-ce que l'amour a à voir là-dedans ?

— Cette idée ne plairait pas beaucoup à Morgan.

Elle haussa les épaules.

— Il ne dirige pas ma vie.

— Vraiment ? J'ai plutôt l'impression du contraire.

— Allez vous faire voir, Dillon ! (Furieuse, elle écrasa sa cigarette contre un rocher.) Vous avez réussi à gâcher une journée magnifique. On y va, maintenant ?

Elle se leva et se mit à descendre. Quelques instants plus tard, il se leva à son tour et la suivit.

Une demi-heure plus tard, ils avaient atteint le loch dont ils se mirent à suivre les berges. Depuis leur altercation, ils n'avaient pas échangé un seul mot.

— On se parle à nouveau ? proposa finalement Dillon.

Elle se mit à rire et lui prit le bras.

— Vous êtes un cochon, Dillon, mais je vous aime bien.

— Ça fait partie de mon charme.

Mais brusquement, il s'immobilisa. Ils se trouvaient à quelques pas de la cabane de chasse où Morgan et Marco avaient administré leur correction à Fergus, et Dillon venait d'apercevoir le corps de ce dernier, allongé à plat ventre dans l'eau peu profonde du bord.

— Mon Dieu, un cadavre ! s'écria Asta.

— Oui, on dirait bien.

Ils se précipitèrent. Asta demeura un peu en arrière tandis que Dillon retournait le corps.

— Fergus ! s'exclama Asta.

— Oui. On dirait qu'il a été sérieusement passé à tabac. Attendez ici. (Il se rendit à la cabane et ressortit quelques instants plus tard.) D'après ce que j'ai vu à l'intérieur, il y a eu de la bagarre. Après le départ de ses agresseurs, il a dû venir au loch pour s'asperger d'eau et il s'est effondré.

— C'est un accident, dit-elle.

Son visage était empreint d'une étrange impassibilité.

— On pourrait dire ça comme ça. Je suis sûr que c'est ce que ferait Carl Morgan.

Elle saisit alors Dillon par le revers de sa veste.

— Ne vous en mêlez pas. Faites ça pour moi, ne vous en mêlez pas, je m'en charge.

Il y avait dans sa voix une véhémence qui ne lui était pas habituelle.

— Je commence à me demander si je vous connais vraiment, dit-il. Bon, c'est d'accord, je vais laisser Morgan mijoter dans son jus.

Elle hocha la tête.

— Merci. Je vais rentrer, maintenant. (Elle s'éloigna, puis s'immobilisa quelques pas plus loin et se retourna.) A ce soir.

Il acquiesça.

— Je ne manquerais cette soirée pour rien au monde.

Elle s'éloigna à grands pas. Après un dernier regard au corps allongé sur le banc de sable, il grimpa sur le talus et rejoignit la route. Il marchait depuis cinq minutes lorsqu'il entendit derrière lui le bruit de la Range Rover.

Ferguson ouvrit la portière.

— Où est la fille ?

— Elle a pris un raccourci pour rentrer au château.

Dillon monta en voiture.

— Vous avez l'air pensif, mon garçon, dit Ferguson.

— Vous le seriez à moins, fit Dillon en allumant une cigarette.

Et il lui fit part de leur découverte.

Lorsqu'elle pénétra dans le bureau, Morgan était assis à sa table et discutait avec Marco. Il l'accueillit avec le sourire.

— Tu as passé une bonne journée ?

— Oui, mais ça s'est mal terminé.

Le sourire de Morgan s'évanouit.

— Tu peux y aller, dit-il à Marco.

— Non, qu'il reste. Vous avez retrouvé Fergus, hein ? Et vous l'avez tabassé ?

Morgan prit un cigare et en coupa le bout.

— Il l'avait cherché, Asta. Mais comment le sais-tu ?

— Dillon et moi venons de retrouver son corps. Il était allongé au bord du loch, face à la vieille cabane de chasse. Il a dû s'effondrer et se noyer.

Morgan jeta un coup d'œil à Marco et reposa son cigare.

— Qu'a fait Dillon ?

— Rien. Je lui ai demandé de me laisser m'occuper de ça.

— Il a été d'accord ?

Elle acquiesça.

— Il a dit qu'il te laisserait mijoter dans ton jus.

— Oui, je comprends bien son jeu. Ferguson aurait agi de même. Notre cher vieux général n'a certainement aucune envie de voir s'ouvrir une enquête de police. Pas pour l'instant, en tout cas. (Il lança un coup d'œil à Marco.) Et de toute façon, sans cadavre, une enquête ne mènerait nulle part.

— Tout à fait, monsieur.

Morgan se leva.

— Bon, on va s'en occuper. Toi, Asta, tu restes ici.

Et il sortit, suivi de Marco.

Ferguson et Dillon attendaient au milieu des arbres bordant le loch, juste au-dessus du petit appontement d'Ardmurchan Lodge. L'Irlandais observait aux jumelles le *Katrina* qui longeait la rive, de l'autre côté du loch.

— Ils sont partis, dit-il en tournant la bague de mise au point.

Morgan, dans la cabine, tenait le gouvernail, et Marco se trouvait à la proue. Lorsque le bateau fut arrivé au bord, Marco sauta dans l'eau, puis Morgan vint l'aider à hisser le corps de Fergus sur le pont. Morgan retourna dans la cabine et le bateau se dirigea vers le milieu du lac. Dillon passa les jumelles à Ferguson.

— J'ai l'impression que Marco enroule une chaîne autour du corps, dit-il en secouant la tête. Comme c'est vilain !

Il rendit les jumelles à Dillon qui vit Marco faire glisser le cadavre dans l'eau. Il coula à pic et, un instant plus tard, le bateau s'en retournait vers le château.

— Et voilà ! fit Dillon en se tournant vers Ferguson. Vous êtes satisfait de la façon dont ça se passe ?

— Oui. Il est évident qu'un crime a été commis, mais c'est une affaire qui regarde la police et, franchement, je n'ai pas envie de la voir envahir le château du Loch Dhu. Nous avons d'autres chats à fouetter, Dillon.

— J'ai l'impression que notre cher inspecteur principal Hannah Bernstein ne serait pas d'accord avec vous. Cette brave dame m'a l'air très attachée à la lettre de la loi.

— Voilà pourquoi nous ne lui dirons pas un mot de cette affaire.

Dillon alluma une nouvelle cigarette.

— Ce qui est sûr, c'est que pendant quelques jours, personne ne se souciera de la disparition de Fergus. Les Munro vont croire qu'il s'est simplement mis à l'abri.

— C'est là-dessus que compte Morgan. Il pense pouvoir quitter le coin rapidement. Bon, allons nous préparer pour le dîner. Je suis sûr que la soirée va être passionnante.

10

Pour se rendre au château, ils prirent le vieux break mis à la disposition des locataires du pavillon de chasse. Ferguson et Dillon avaient revêtu un smoking, et Hannah Bernstein portait un ensemble pantalon en soie crème. Marco, en pantalon rayé et veste d'alpaga, leur ouvrit la porte et les conduisit dans la grande salle. Morgan se tenait debout devant la cheminée ; Asta, vêtue d'une robe en soie verte, était assise sur le canapé aux côtés de Lady Katherine Rose.

— Ah, vous voilà, dit Morgan avec amabilité. Entrez donc. Lady Katherine, je pense que vous connaissez le général Ferguson ?

— Mais bien sûr. Il est venu prendre le thé avec moi, en compagnie de cette charmante jeune fille.

Hannah avait l'air amusé. Ferguson serra la main de la propriétaire des lieux.

— Ravi de vous revoir. Je crois que vous ne connaissez pas encore mon neveu, Sean Dillon.

— Enchantée, monsieur Dillon.

Dillon prit la main sèche et fraîche que lui tendait Lady Katherine, et éprouva immédiatement de la sympathie pour la vieille dame.

— Enchanté.

— Vous êtes irlandais ? J'aime beaucoup les Irlandais, la plupart sont de charmants gredins, mais bien agréables tout de même. Est-ce que vous fumez, jeune homme ?

— C'est mon seul vice.

— Quel menteur vous êtes ! Voulez-vous me donner une cigarette ?

— Oh ! Lady Katherine, je suis confus. (Morgan prit une boîte à cigarettes en argent sur une table et s'avança vers elle.) Je ne me doutais pas.

Elle prit une cigarette dans la boîte que lui offrait Morgan et accepta la flamme que lui tendait Dillon.

— J'ai fumé toute ma vie, monsieur Morgan, il n'y a aucune raison que j'arrête maintenant.

Marco fit alors son apparition avec, sur un plateau, une bouteille de champagne dans un seau, et six verres. Il déposa le tout sur une table basse, et, avec un fort accent italien, demanda :

— Dois-je ouvrir le champagne, monsieur ?

— Pas pour moi, dit Lady Katherine. Je ne le supporte plus bien. Je préférerais de beaucoup une vodka-martini. C'est ça qui m'a permis de tenir pendant la guerre : ça et les cigarettes.

— Je vais vous la préparer, dit Asta en se levant, tandis que Marco débouchait le champagne.

— Vous avez donc fait la guerre, Lady Katherine ? lui demanda Ferguson.

— Et comment ! Quand je pense qu'on fait tout un plat, de nos jours, de ce que les filles peuvent enfin piloter des avions de guerre. C'est déjà de l'histoire ancienne. Moi, dès 1940, j'étais pilote de l'Air Transport Auxiliary. On nous appelait les Attagirls.

Asta lui apporta son verre et s'installa à côté d'elle, visiblement fascinée par les paroles de la vieille dame.

— Que faisiez-vous, exactement ? lui demanda-t-elle.

Lady Katherine goûta le cocktail.

— Excellent, ma chère. Eh bien, pour qu'on ne détache pas des pilotes de leurs unités de combat, nous étions chargées de convoyer les avions de guerre entre les usines et les bases de la RAF. Comme les autres, j'ai piloté toutes sortes d'avions, notamment des Spitfire et des Hurricane, et même, une fois, un bombardier Lancaster. Les rampants de la base où je l'avais livré ont été sidérés quand j'ai enlevé mon casque et qu'ils ont vu mes cheveux.

— Mais ça devait quand même être extrêmement dangereux, dit Hannah.

— Une fois, avec un Hurricane, je me suis posée sur le ventre. Ce n'était pas de ma faute, c'était une panne de moteur. Une autre fois, je pilotais un vieux Gloucester Gladiator, c'était un biplan, et il a commencé à partir en morceaux en plein vol : j'ai dû sauter en parachute.

— Mon Dieu ! s'écria Morgan. C'est incroyable !

— Oh, c'était dur, dit-elle. Dans mon unité, seize femmes ont été tuées, mais il fallait gagner la guerre, n'est-ce pas, général ?

— Certainement, Lady Katherine.

Elle tendit son verre vide.

— Un autre, s'il vous plaît, et ensuite je vous laisse.

Asta se leva pour aller préparer un autre cocktail, tandis que Morgan expliquait :

— Je le regrette beaucoup, mais Lady Katherine ne se joindra pas à nous pour le dîner.

— Oh, avec l'âge, je ne fais plus que picorer comme un moineau. (Elle accepta le verre que lui tendait Asta, puis leva les yeux vers Morgan :) Avez-vous fini par trouver la bible ?

Il sembla désarçonné par la question.

— Hein ? La bible ?

— Allez, monsieur Morgan, je sais que vous avez demandé aux domestiques de passer le château au peigne fin. Pourquoi est-ce si important ?

— Parce que c'est une tradition d'une grande importance dans votre famille, dit Morgan, qui avait retrouvé toute sa maîtrise de soi. Je me suis dit qu'il vous serait agréable de l'avoir à nouveau en votre possession.

— C'est vrai. (Elle se tourna alors vers Hannah, et un éclair passa dans ses yeux.) C'est sidérant, cet intérêt soudain pour cette bible, alors que moi-même, cela fait des années que je ne l'ai plus vue. J'ai toujours le sentiment qu'elle a disparu dans cet accident d'avion où mon frère a été si grièvement blessé.

Morgan glissa un coup d'œil en direction de Ferguson, qui souriait, et chercha à détourner la conversation.

— Dites-moi, Lady Katherine, de quand date exactement ce château ?

Asta se leva alors et gagna la terrasse. Dillon s'éclipsa à son tour et vint la rejoindre.

Les hêtres dominant le loch ressemblaient à des silhouettes de carton noir se détachant sur un ciel strié de lueurs orangées. Elle lui prit le bras et ils traversèrent la pelouse. Dillon alluma une cigarette.

— Vous en voulez une ?

— Non, je partagerai la vôtre. Quel calme, ici, et on sent que cette famille est profondément enracinée dans ce lieu. Tout le monde a besoin de racines, vous ne trouvez pas, Dillon ?

— Les racines, c'est peut-être parfois les gens, et pas les lieux. Vous, par exemple, vos racines, c'est peut-être Morgan.

— C'est une idée, mais vous, Dillon ? Où sont vos racines ?

— Peut-être nulle part, ma chérie, nulle part. Oh, j'ai bien un oncle, une tante et quelques cousins ici et là en Ulster, mais aucun n'ose m'approcher. C'est la rançon de la gloire.

— De l'infamie, vous voulez dire.

— Je sais, je suis l'affreux de service. C'est pour ça que Ferguson m'a recruté.

— Vous savez que je vous aime bien, Dillon, et que j'ai l'impression de vous connaître depuis longtemps. Mais qu'est-ce que je vais faire de vous ?

— Prenez votre temps, ma chère enfant, je suis sûr qu'il se passera quelque chose.

Morgan apparut alors sur la terrasse et appela Asta d'une voix forte.

— Nous sommes ici, Carl. (Ils regagnèrent la terrasse.) Qu'y a-t-il ?

— Lady Katherine s'en va.

— Quel dommage ! J'aurais bien aimé qu'elle reste, elle est merveilleuse.

— Oui, elle est charmante. Mais elle en a décidé ainsi. Je vais la raccompagner à son pavillon.

— Non, non, dit Asta, je m'en charge. Occupe-toi de tes invités, Carl.

— Voulez-vous que je vienne avec vous ? proposa Dillon.

— Il n'y a que trois cents mètres. Je serai de retour tout de suite.

Lorsqu'ils pénétrèrent dans le salon, Lady Katherine s'écria :

— Ah, vous voilà ! Nous pensions vous avoir perdus.

Elle se leva en s'appuyant sur sa canne, tandis qu'Asta lui passait un bras autour des épaules.

— Vous êtes une fille charmante. (Elle se tourna vers les convives :) J'ai passé une excellente soirée. Venez me voir quand vous voulez. Je vous souhaite une bonne nuit à tous.

Morgan lui passa la main sous le coude, et avec Asta l'accompagna jusqu'à la porte d'entrée. Quelques instants plus tard, on entendit ronronner le moteur du break du château, et Morgan s'en revint. Il se tourna vers Marco et claqua des doigts :

— Encore du champagne.

Marco remplit les verres, tandis que Ferguson contemplait les armes, les trophées et l'armure qui ornaient la grande salle.

— Quelle collection ! s'exclama-t-il. C'est extraordinaire.

— Oui, si on est fasciné par la mort, dit Hannah.

— Vous n'êtes pas un peu sévère ? dit Morgan.

Elle but une gorgée de champagne.

— Si c'était une exposition dans un musée, elle s'appellerait probablement « Eloge de la guerre ». Tenez, regardez ces grandes épées croisées sous les boucliers. Elles étaient visiblement destinées à trancher des bras d'un seul coup.

— Vous vous trompez, dit Dillon d'un ton aimable. Elles servaient à couper des têtes. Ces épées sont des Highlands' claymores, et le bouclier se nommait un *targ*. De là le mot anglais *target*, la cible.

— En fait, dit Morgan, celui que vous regardez là a été porté à la bataille de Culloden par le Campbell de l'époque. Il est mort en se battant pour le prince Charles.

— Je ne trouve pas ça particulièrement enviable.

— Vous n'avez donc aucun sens de l'Histoire ? demanda Ferguson.

— C'est un luxe que je ne peux pas me permettre, général : n'oubliez pas que je suis juive. Mon peuple a toujours eu pour souci de survivre au présent.

Un silence suivit ses paroles, que Dillon finit par rompre.

— Eh bien, ça c'était vraiment le clou du spectacle.

La porte s'ouvrit à ce moment-là, et Asta apparut.

— Et voilà. Je l'ai laissée entre les mains de la redoutable Jeannie. Est-ce qu'on peut passer à table, maintenant ? Je meurs de faim.

— Nous n'attendions plus que toi, ma chérie, dit Morgan.

Il lui offrit le bras et se dirigea avec elle vers la salle à manger.

La pièce était magnifiquement décorée de boiseries, la table dressée de superbes couverts en argent et de verres en cristal, et éclairée de bougies fichées dans de grands chandeliers, en argent eux aussi.

Marco servait à table, aidé de deux jeunes femmes en robe noire et tablier blanc.

— Comme je n'étais pas sûr que la cuisine soit du goût de tout le monde, je m'en suis tenu à quelque chose de très simple, annonça Morgan.

Mais l'idée qu'il se faisait de la simplicité était assez extraordinaire. Caviar beluga et saumon fumé en entrée, suivis d'un faisan rôti arrosé d'un château-palmer.

— C'est absolument merveilleux, dit Ferguson en attaquant le faisan. Votre cuisinière est vraiment extraordinaire.

— Oh, elle se débrouille pour les choses simples, mais c'est Marco qui a préparé le faisan.

— Voilà un homme qui a de nombreux talents, dit Ferguson, tandis que Marco, imperturbable, remplissait les verres.

— Oui, c'est vrai, reconnut Morgan.

Puis, tandis que les deux bonnes desservaient la table, Marco quitta la salle à manger.

— Quelle surprise nous as-tu réservée pour le dessert ? demanda Asta.

— Il serait difficile de terminer par un simple pudding, fit remarquer Ferguson.

— Oh, mais rien de simple dans ce dessert, mon général, dit Morgan. Marco va nous servir sa spécialité.

Ce dernier fit alors son entrée, un grand plateau d'argent dans les mains, suivi des deux bonnes. Il ôta le couvercle du plateau, et une odeur délicieuse se répandit autour de la table.

— Oh, un *cannolo !* s'écria Asta, ravie.

— Oui, c'est le plus célèbre dessert de Sicile, dit Morgan. Un rouleau de farine et d'œuf fourré de crème.

Ferguson en goûta une cuillerée et hocha la tête d'un air approbateur.

— Il faut avouer que ça n'a rien d'un petit gâteau

tout simple. Cet homme a du génie. Mais d'où diable sait-il si bien faire la cuisine ?

— Son père tenait un petit restaurant à Palerme. Il a appris ça étant enfant.

— Entre autres choses, fit remarquer Dillon.

— Oui, mon ami, répondit calmement Morgan. J'ai l'impression que Marco et vous avez beaucoup de choses en commun.

— Revenons-en à cet excellent dîner, dit alors Ferguson d'un air faussement jovial.

Puis tout le monde passa au salon, où l'on servit un moka du Yémen, le meilleur café du monde.

Ferguson accepta un cigare.

— Mon cher Morgan, je dois dire que c'est le plus succulent des repas tout simples que j'aie jamais faits de ma vie.

— Ravi que ça vous ait plu.

— Oui, nous avons passé une excellente soirée.

Dillon avait envie d'éclater de rire devant cet assaut d'amabilités à l'idée que, quelques heures auparavant, ils avaient vu cet homme jeter dans le loch le corps de Fergus Munro.

— Eh bien, puisque nous en sommes à l'heure des ritournelles, dit soudain Dillon, verriez-vous un inconvénient à ce que je vous en joue quelques-unes au piano ?

— Je vous en prie, fit Morgan.

Dillon s'assit devant le piano à queue et souleva le couvercle. C'était un très ancien Schiedmayer, mais après avoir égrené quelques arpèges, il vérifia qu'il n'était pas trop désaccordé. Il alluma une cigarette qu'il ficha au coin de ses lèvres et attaqua des standards.

Sa tasse de café à la main, Hannah vint s'appuyer au piano.

— Décidément, Dillon, vous me surprendrez toujours.

— C'est le secret de mon charme fatal. Voulez-vous que je vous joue quelque chose ?

Asta les observait, les sourcils légèrement froncés, et Hannah murmura :

— J'ai l'impression qu'elle est jalouse. Voilà qui est intéressant. Que lui avez-vous fait, Dillon ?

— Vous devriez avoir honte de vos mauvaises pensées.

On entendit alors la voix de Morgan s'adressant à Ferguson :

— Asta m'a dit que vous aviez passé une excellente journée à pister un cerf.

— Oui, dit Ferguson, sauf que lorsque nous avons pu nous approcher assez près d'un magnifique dix-cors, j'ai donné mon fusil à votre fille, mais elle a refusé d'appuyer sur la détente en disant qu'elle était incapable de tuer une créature aussi magnifique.

— Vous avez eu parfaitement raison, approuva Hannah en se tournant vers Asta.

— Il faut dire qu'il était vraiment magnifique, dit Asta.

— C'est tout de même une attitude insensée, lui dit Ferguson.

— Non, je suis d'accord avec Mme l'inspecteur principal, rétorqua Morgan. Le cerf ne peut pas se défendre. Au moins, dans une arène, un taureau peut encorner le matador.

Un silence suivit les paroles de Morgan.

— Et vous, vous avez fait une gaffe, mon vieux, dit alors Dillon.

Morgan adressa son plus beau sourire à Hannah.

— Je vous présente mes excuses, madame l'inspecteur principal. Je n'étais pas censé savoir, n'est-ce pas ?

— Oh, je n'irais pas jusque-là, dit Ferguson.

— Cartes sur table, fit Dillon. Nous savons tous maintenant où nous en sommes.

— Et, sur ces bonnes paroles, nous allons prendre congé, dit Ferguson en se levant. En tout cas, vous êtes un hôte parfait, monsieur Morgan. Permettez-moi de vous rendre votre invitation un de ces jours.

— Bien volontiers.

Marco ouvrit la porte et ils sortirent tous sur le perron. Le ciel était piqueté d'étoiles et pourtant il y régnait une étrange et frissonnante lueur.

— Qu'est-ce que c'est que ça ? demanda Hannah.

— L'aurore boréale, dit Dillon.

— Je n'ai jamais rien vu d'aussi beau, dit Asta. Ça donne envie d'aller faire une promenade en voiture. On y va, Carl ?

— Il est tard, Asta, sois raisonnable.

— Oh, tu n'es pas drôle. (Elle se tourna vers Ferguson.) Puis-je venir avec vous, général ? Votre beau Gurkha pourra me raccompagner.

— Bien sûr, ma chère, si cela vous tente.

— Je vais chercher un manteau et je reviens.

Dillon se tourna vers Morgan :

— Ne vous inquiétez pas, je la ramènerai moi-même.

— C'est bien ça qui m'inquiète, répondit Morgan, mi-figue, mi-raisin.

Asta reparut alors, vêtue d'un manteau en vison bleu.

— Je suis prête. (Elle embrassa Morgan sur la joue.) Je reviens vite.

Puis elle s'installa à l'arrière du break, avec Hannah.

Dillon se mit au volant, Ferguson prit place à côté de lui, et la voiture s'éloigna.

La promenade le long du loch avait quelque chose de féerique. L'aurore boréale se reflétait sur les eaux sombres, comme si elles abritaient quelque étrange fournaise d'argent.

— C'est merveilleux, dit Asta, je ne regrette pas d'être venue.

A l'extrémité est du loch, Dillon s'engagea sur la colline. Le vieux break répondait bien. Arrivés au sommet, ils entreprirent la descente. La pente était forte, avec quelques tournants. Comme leur vitesse s'accroissait, Dillon voulut freiner, mais la pédale s'enfonça jusqu'au plancher, sans aucun résultat.

— Bon sang !

— Que se passe-t-il ? demanda Ferguson.

— Les freins ont lâché.

— Mais enfin, comment ça se fait ? Ils fonctionnaient très bien à l'aller.

— Oui, jusqu'à ce que nous nous garions devant le château du Loch Dhu, dit Dillon en essayant désespérément de changer de vitesse.

Ils roulaient très vite à présent. Comme ils approchaient du premier virage, il réussit, en faisant hurler la boîte de vitesses, à passer en troisième.

— Cramponnez-vous ! hurla Ferguson, tandis qu'à grands coups de volant, Dillon parvenait à négocier le virage.

— Arrêtez-vous, Dillon ! s'écria Asta.

Il aurait volontiers accédé à cette requête, mais la voiture abordait déjà le deuxième virage. Il s'efforça de le prendre à la manière des pilotes de course, mais ils heurtèrent la paroi granitique sur leur gauche et la voiture fit une terrible embardée. Ce fut d'ailleurs ce qui les sauva, car Dillon réussit à retrouver la maîtrise de son véhicule au moment où la pente se faisait plus douce. Lentement, leur vitesse décrut, il réussit à passer en première, puis à tirer le frein à main.

— Ça aurait pu très mal tourner, dit Ferguson après un instant de silence.

— Voyons un peu ce qui s'est passé, fit Dillon.

Il trouva une lampe torche dans la boîte à gants, et, flanqué de Ferguson, alla soulever le capot du break. Quelques instants plus tard, Asta et Hannah les rejoignirent.

— Alors ? demanda Hannah.

— Vous voyez ce petit réservoir, là ? En principe, il contient le liquide de frein. Sauf qu'il n'y en a plus. La valve, en haut, a été arrachée, probablement avec un tournevis. Plus de liquide, plus de freins. C'est un système hydraulique.

— On aurait pu se tuer, dit Hannah. Mais pourquoi ?

— J'ai l'impression qu'Asta connaît la réponse, suggéra Dillon.

En frissonnant, Asta releva le col de son manteau de vison.

— Pourquoi Carl aurait-il fait une chose pareille ?

— Et surtout, dit Ferguson, pourquoi vous aurait-il fait ça à vous ? Après tout, il n'a pas cherché à vous dissuader de venir. (Il se tourna vers Dillon :) On peut continuer avec la voiture ?

— Oui, la route est plate jusqu'au pavillon ; je resterai en première.

— Bon. Dans ce cas, en voiture !

Et Ferguson fit remonter les deux femmes dans le break.

— Je crois que ça vous fera du bien, dit Ferguson en tendant à Asta, assise au coin du feu, un verre de cognac.

Asta le garda un instant entre ses deux mains, puis le vida d'un trait. Elle demeura un long moment à regarder fixement le verre vide, jusqu'à ce que Dillon le lui ôte doucement des mains. Il se tourna ensuite vers Ferguson :

— Elle est encore sous le choc.

Asta se leva alors avec vivacité, ôta son manteau et le jeta sur une chaise.

— Au diable le choc, Dillon ! Je suis furieuse, oui !

Hannah revint à ce moment-là de la cuisine en compagnie de Kim. Le Gurkha servit le café. Hannah en donna une tasse à Asta.

— Asseyez-vous, et essayez de vous calmer.

Asta prit la tasse de café et obéit.

— Je comprends qu'il ait voulu vous tuer, vous, dit-elle, mais pourquoi moi ? Ça paraît absurde.

— En y réfléchissant bien, ça n'est peut-être pas si absurde que ça, Asta, observa Dillon.

— A cause de ses liens avec la Mafia, et toutes ces histoires ? Vous voulez dire que j'en saurais trop ? J'ai toujours été au courant !

— Oui, mais il s'est passé quelque chose de plus important, vous le savez bien.

Hannah Bernstein avait l'air si étonnée que Ferguson comprit qu'il était temps d'intervenir :

— En rejoignant mes services, dit-il à Hannah, vous vous êtes engagée à respecter la loi sur les secrets d'Etat, ce qui veut dire que tout ce qui peut se passer dans le cadre de vos missions doit demeurer confidentiel. Je me trompe ?

— Bien sûr que non, général.

— Allez-y, Dillon, dit Ferguson.

— Tout à l'heure, j'ai découvert le corps de Fergus Munro dans l'eau, sur les bords du Loch Dhu. Asta était avec moi. D'après les traces qu'il portait, il avait dû être sérieusement passé à tabac. J'ai l'impression qu'il s'est évanoui ensuite, quand il était au bord de l'eau, et qu'il s'est noyé.

— Mon Dieu ! s'écria Hannah.

— J'ai demandé à Dillon de ne pas s'en occuper, dit alors Asta.

— Pourquoi ? demanda Hannah.

— Parce que, d'une certaine manière, c'était ma faute. C'est à cause de moi que Carl voulait lui donner une leçon.

— Je vois. (Hannah se tourna vers Ferguson :) Apparemment, général, vous avez choisi d'ignorer un crime qui serait, au minimum, un homicide involontaire.

— Vous avez parfaitement raison, inspecteur. Et si vous voulez d'autres détails sordides, sachez que Dillon et moi avons vu Morgan et Marco charger le corps sur le *Katrina*, et le jeter, entouré de chaînes, au milieu du loch.

— Vous avez observé la scène sans rien faire ?

— Oui, confirma Dillon, mais il sera toujours temps de les punir pour ce crime.

— Exactement, renchérit Ferguson. Pour l'instant, nous avons des choses plus importantes à régler. (Il lui prit la main, s'assit sur le canapé et l'attira contre lui.) Je vous ai demandé de m'assister dans mon travail parce que vous êtes l'un des plus brillants inspecteurs de Scotland Yard.

— Vous essayez la flatterie, maintenant, général ?

— Ne dites pas de bêtises. Votre grand-père est un rabbin très respecté, votre père est un brillant professeur de médecine. Vous avez une maîtrise de psychologie de l'université de Cambridge. Vous auriez pu occuper de brillantes fonctions. Mais vous avez choisi d'être policier dans la rue, à Brixton, et vous avez grimpé les échelons grâce à votre seul mérite. J'ai besoin de vous, mais vous vous rendez bien compte qu'il ne s'agit pas d'un simple travail de police. Nous jouons ici une partie plutôt compliquée. Nous avons un but à atteindre.

— Parce que la fin justifie les moyens ?

Dillon se pencha alors vers elle, lui prit les mains et la força à se relever.

— Vous savez, il a parfois raison. En l'occurrence, nous travaillons pour la bonne cause.

Il lui passa un bras autour des épaules, et elle s'appuya contre lui. Puis elle se redressa et un faible sourire éclaira son visage.

— Ils devaient vous adorer au National Theatre, Dillon. Vous auriez pu mener une brillante carrière. Au lieu de cela, vous avez choisi l'IRA. (Elle se tourna vers Ferguson :) Il n'y a pas de problème, général. Que puis-je faire ?

D'un geste du menton il indiqua Asta. Hannah alla s'asseoir à côté d'elle et lui prit la main.

— Quand vous avez dit à Morgan que vous vouliez nous accompagner, il ne vous en a pas empêchée, n'est-ce pas ?

— Non, effectivement.

— Soyons logiques. C'était nous qu'il cherchait à supprimer, pas vous, mais il n'a pas cherché à vous retenir.

Asta la regardait fixement. Elle se passa la langue sur les lèvres.

— Pourquoi ? Il m'aime.

— La coupe était pleine, Asta. Bien sûr, vous étiez au courant de ses liens avec la Mafia, tout ça, mais ce que vous ne compreniez pas, c'est que ça vous desservait. En plus Fergus... (Hannah Bernstein secoua la tête.) Même si on prouve qu'il est mort noyé, il y a eu le passage à tabac juste avant, c'est-à-dire une accusation d'homicide involontaire, et ça, ça vaut sept ans à l'Old Bailey. Vous savez, les avocats de la Mafia n'ont pas le même pouvoir ici qu'aux Etats-Unis. Sept ans, Asta ! Sept ans derrière les barreaux pour un joueur de polo milliardaire qui est habitué aux bonnes choses de la vie ? Jamais il n'aurait risqué d'encourir une peine pareille. Vous en saviez trop.

Asta bondit sur ses pieds et se mit à arpenter le salon.

— Il a toujours été si bon pour moi. Je n'arrive pas à le croire.

Ferguson se tourna alors vers Dillon :

— Vous ne pensez pas que le moment est venu ?

— Si.

— Inspecteur, voulez-vous nous apporter le dossier grec ? demanda Ferguson à Hannah.

Hannah alla chercher le dossier demandé, tandis que Ferguson se tournait vers Dillon.

— A votre tour, Dillon.

Dillon prit Asta par la main et la conduisit à nouveau sur le canapé, près du feu qui brûlait dans la cheminée. Il s'assit à côté d'elle.

— Ce que nous allons vous montrer maintenant va vous faire du mal, Asta. Ça touche à la façon dont votre mère a trouvé la mort en plongeant au large d'Hydra.

Elle fronça les sourcils.
— Je ne comprends pas.
— Vous allez comprendre, dit Ferguson en prenant le dossier des mains d'Hannah et en le lui donnant. Tenez, lisez ça.

Asta posa le dossier à côté d'elle et serra très fort ses mains l'une contre l'autre.
— Ça paraît impossible.
— Vous avez vu le dossier, dit Ferguson. Les détails techniques sont irréfutables. Quelqu'un a saboté l'équipement de plongée de votre mère.
— Ça pourrait être un accident, dit-elle d'un ton désespéré.
— Non, ça n'était pas un accident, affirma Dillon en lui prenant la main. Je suis un plongeur professionnel, Asta. Croyez-moi, l'équipement de votre mère a été délibérément saboté. A vous, maintenant, de me dire qui aurait pu faire ça. Quelqu'un voulait-il du mal à votre mère ? (Il secoua la tête.) Il n'y a que Carl, Asta. Nous pensons qu'elle en savait trop, et que c'est pour ça qu'il l'a fait disparaître.
Elle ferma les yeux, prit une profonde inspiration et, lorsqu'elle les ouvrit à nouveau, elle semblait avoir recouvré toute sa maîtrise d'elle-même.
— Je ne peux pas lui pardonner une chose pareille. Que faire ?
— Vous pourriez nous aider, dit Ferguson. Tenez-nous informés de ce qui se passe au château. Mais le plus important, ce sera de nous avertir quand il aura trouvé la bible.
Elle acquiesça.
— D'accord. Je le ferai. (Elle respira à nouveau très fort.) Je pourrais avoir un autre cognac ?
— Bien sûr, ma chère.
Ferguson adressa un signe de tête à Dillon qui alla chercher la bouteille de cognac dans le buffet.
Hannah s'assit alors à côté de la jeune femme.

— Ecoutez, Asta, êtes-vous sûre de pouvoir y arriver ? Vous allez devoir retourner là-bas et lui sourire comme si rien ne s'était passé.

— On a rapatrié le corps de ma mère depuis Athènes jusqu'en Suède, et vous savez quoi ? Il était là, devant la tombe de ma mère, et il a pleuré. (Elle avala d'un trait son verre de cognac.) Je lui ferai payer ça ! (Elle reposa son verre sur la table basse et se leva.) Je crois que je devrais y aller, maintenant.

— Je vous ramène, fit Dillon.

Elle alla chercher son manteau de vison, l'enfila et se tourna vers eux.

— Bon. Jusqu'à présent, et bien que Carl ait offert une forte récompense aux domestiques s'ils la trouvaient, on n'a aucun indice sur l'endroit où pourrait être cette bible.

— Merci pour ce renseignement, dit Ferguson.

— En ce qui concerne nos prochains déplacements, nous devons aller faire un tour demain à la foire d'Ardmurchan. Je ne crois pas qu'il y ait autre chose.

— Je vous emmène, maintenant, dit Dillon.

Arrivée à la porte, elle se retourna à nouveau.

— Ah, j'oubliais ! Angus, le jardinier, travaille pour Carl.

— Nous saurons nous en souvenir, dit Ferguson.

Elle sortit, suivie de Dillon.

A bord de la Range Rover, elle serra contre sa gorge le col de son manteau de vison et resta silencieuse.

— Comment vous sentez-vous ? demanda Dillon alors qu'ils approchaient des grilles du château.

— Ça va, dit-elle. Ne vous inquiétez pas pour moi, Dillon, je saurai jouer mon rôle.

Ils suivirent l'allée et Dillon arrêta la voiture au bas des marches. Avant même qu'ils fussent descendus, Morgan apparut sur le perron.

— Je commençais à m'inquiéter, déclara-t-il, tandis que Dillon allait ouvrir la portière d'Asta.

— Excuse-nous, Carl, dit-elle en montant l'escalier, mais nous avons failli avoir un grave accident.

L'inquiétude se peignit immédiatement sur son visage.

— Que s'est-il passé ?

— Les freins du break ont lâché, expliqua Dillon. Une fuite dans le réservoir de liquide. Il faut dire qu'elle n'est plus toute jeune, cette voiture.

— Dillon a été merveilleux, dit Asta. Il a descendu la colline comme Nigel Mansell. Mais j'ai vraiment cru que nous allions y passer.

— Mon Dieu ! (Il la serra contre lui.) Comment vous remercier, Dillon ?

— C'était un simple réflexe de survie. Je lutte toujours pour survivre, monsieur Morgan.

— Je crois que je vais aller me coucher, Carl, dit Asta.

Tandis qu'elle pénétrait dans le château, Morgan se tourna vers Dillon qui montait dans la Range Rover :

— Merci encore. Vous allez à la foire, demain ?

— Je pense.

— Bon, eh bien on se verra là-bas.

Il suivit Asta à l'intérieur et referma la porte derrière lui.

— Oui, on se reverra, espèce de salaud ! murmura Dillon en s'éloignant au volant de sa voiture.

11

Le lendemain, le village d'Ardmurchan était plein de gens venus de toute la région pour assister à la foire et participer aux jeux. Et, bien sûr, il y avait les vagabonds et les gitans venus vendre leurs poneys et leurs chevaux. Ferguson, Dillon et Hannah arrivèrent peu avant le déjeuner, garèrent la Range Rover devant l'église et se rendirent à pied au Campbell Arms.

— Un petit remontant, et ensuite les joies de la foire, vous êtes d'accord ? proposa Ferguson.

— Il est midi moins dix, général, lui rappela Hannah. Vous buvez le matin, maintenant ?

— Si l'alcool avait dû m'avoir, inspecteur, il y a longtemps que ça serait fait ; depuis l'époque de la guerre de Corée, pour être précis. J'avais vingt ans, je passais mes journées dans une tranchée pleine de neige, pendant que les Chinois attaquaient par dizaines de milliers. Si j'ai réussi à tenir, c'est grâce au rhum.

Il ouvrit la porte et les précéda à l'intérieur du pub. Nul endroit où s'asseoir, au salon, mais il se fraya un chemin au milieu de la foule jusqu'au comptoir, où Molly s'activait fiévreusement en compagnie de quatre femmes du village venues l'aider.

— Trois Guiness ! lança Ferguson.

Puis, se tournant vers Hannah :

— C'est extrêmement nourrissant.

Molly les servit elle-même.

— Vous comptiez manger quelque chose, général ?

— Excellente idée.

— Rien d'extraordinaire, aujourd'hui : des pâtés de Cornouailles.

— On est en Ecosse, c'est une drôle d'idée, mais enfin pourquoi pas ? Nous en prendrons un chacun.

— D'accord. Tenez, il y a des gens qui s'en vont, à côté de la cheminée. Asseyez-vous, je vais vous servir.

Trois hommes, en effet, quittaient une table près de la cheminée. Ferguson se précipita pour occuper la place et s'assit en se frottant les mains.

— Ah, rien ne vaut une bonne journée à la campagne !

— Est-ce qu'on n'aurait pas des choses plus importantes à faire ? demanda Hannah.

— Nullement, inspecteur, nullement. Tout le monde a besoin d'une petite pause, de temps en temps.

Molly apporta les trois Guiness et les pâtés, qui étaient énormes.

— Si ça ne vous suffit pas, il y a un bar sous le chapiteau, là-bas, à la foire.

— Nous nous en souviendrons, merci, dit Ferguson.

Le général but une gorgée de bière puis goûta le pâté.

— Mon Dieu, mais c'est bon.

— Bon, d'accord, général, mais qu'allons-nous faire, maintenant ?

— Pourquoi ? Que voudriez-vous faire ? demanda Dillon.

— Je ne sais pas. En fait, tout ce que je sais, c'est que Morgan a réglé définitivement son histoire avec

Fergus, et qu'hier soir il a essayé de nous tuer. Ça ressemble fort à une déclaration de guerre.

— Oui, mais maintenant Asta est de notre côté.

Au même instant, celle-ci fit son apparition, suivie de Morgan et de Marco.

Elle s'avança directement vers eux. Elle portait le même bonnet et la même jupe écossais que le jour de la chasse au cerf, et tous les hommes du pub se retournèrent sur son passage.

Dillon se leva pour lui laisser une place.

— Vous avez l'air rayonnante, ce matin.

— Je me sens dans une forme éblouissante, Dillon. J'ai l'impression que je vais en avoir besoin.

Pendant ce temps, Morgan murmura quelques mots à Marco, qui se rendit au comptoir, puis vint les rejoindre.

— Comment allez-vous ? Asta m'a raconté ce qui s'est passé hier soir. C'est terrible.

— Je dirais que c'était assez excitant, dit Ferguson, mais ce garçon a su garder son sang-froid et a conduit comme Stirling Moss dans ses meilleurs moments. Ça ne date pas d'hier, mais à mon avis c'est le seul pilote de course britannique qui vaille quelque chose.

Marco apporta deux bières blondes, une pour Morgan et l'autre pour Asta, et se retira vers la porte.

— Ah, je sens qu'on va bien s'amuser à la foire, dit Asta.

La porte s'ouvrit à nouveau, et Hector Munro fit son entrée avec son fils Rory. En apercevant le petit groupe près de la cheminée, il porta un doigt à son front.

— Mesdames...

Il se dirigeait vers le bar, lorsque Morgan lui lança :

— Toujours pas de nouvelles de votre fils, j'imagine.

— Ah, Fergus est parti voir de la famille, monsieur Morgan. J'crois qu'il va pas rentrer de sitôt.

Il gagna le bar et Ferguson termina sa bière.

— Bon, eh bien, allons-y. (Il se leva.) A tout à l'heure, Morgan.

Il y avait un chapiteau où l'on servait à boire, deux ou trois manèges pour les enfants et un ring de boxe assez rudimentaire, qui était vide pour l'instant. A leur arrivée, l'attraction principale était la vente de chevaux. De jeunes gitans, tenant les animaux par la bride, couraient en tous sens pour les faire admirer. Dillon remarqua Hector et Rory Munro, au milieu de la foule, qui examinaient deux poneys.

Il alluma une cigarette et se dirigea vers eux.

— Ces deux-là sont bons à faire de la pâtée pour chiens, dit-il en irlandais.

— J'ai besoin de vos conseils ? répliqua Hector en gaélique.

— Vous y connaissez quelque chose, c'est ça ? dit Rory en souriant.

— Quand j'étais gosse, j'ai passé suffisamment de temps dans la ferme de mon oncle, dans le comté de Down, pour savoir reconnaître une carne quand j'en vois une.

Dillon leur adressa un sourire aimable et alla retrouver les autres.

— Les jeux viennent de commencer, dit Ferguson. Venez.

Il y avait des courses en sac et des courses de cinquante mètres pour les enfants, mais les sports pour adultes étaient plus intéressants. Des costauds s'affrontaient au lancement du tronc, un objet ressemblant à un poteau télégraphique. Il y avait des concours de lancer de marteau et de saut en longueur, et même des danses écossaises au son des cornemuses.

De l'autre côté de la foule, ils aperçurent Asta, Morgan et Marco. Asta adressa un signe de main à Dillon, qui le lui rendit. Puis il reporta son attention sur les deux lutteurs vêtus du kilt, avec des cuisses grosses comme des troncs d'arbres, qui s'agrippaient l'un à l'autre avec la puissance de sumos, sous les encouragements de la foule.

— Tout ça est très amusant, dit Ferguson en tirant une fiasque de sa poche et en avalant une gorgée d'alcool. Ça me rappelle Samson. Dites-moi, inspecteur, est-ce qu'il n'a pas brisé la hanche et la cuisse du Philistin ?

— Oui, je crois, général, mais franchement, je ne suis pas très férue de ce genre de choses.

— Non, j'imagine.

La foule, alors, se dirigea vers le ring de boxe, et ils se laissèrent porter par elle.

— Ah, ça va devenir intéressant, dit Dillon.

— Qu'est-ce que c'est ? demanda Hannah.

— Un combat à l'ancienne. Voyons un peu comment ça se passe.

Un homme entre deux âges, vêtu d'un short et chaussé de bottillons de boxe, se glissa sous les cordes du ring. Il avait le nez aplati d'un boxeur professionnel et des cicatrices autour des yeux. Au dos de son vieux peignoir en nylon, on pouvait lire l'inscription : « Tiger Grant ».

— En voilà un qui a vécu ! dit Ferguson.

— Un dur à cuire, renchérit Dillon.

A cet instant, ils furent rejoints par Asta, Morgan et Marco. Le Sicilien considéra un instant Tiger Grant, et une expression étrange apparut sur ses traits.

— En voyant le visage de Marco, dit alors Dillon, je me dis que lui aussi a dû disputer quelques combats.

— A une époque, il a été champion de Sicile des mi-lourds, dit Morgan. Il a disputé vingt-deux combats.

— Combien de victoires ?

— Vingt-deux. Trois aux points, douze knock-out et sept combats interrompus par l'arbitre.

— Je n'aimerais pas le rencontrer le soir au coin d'un bois, fit Dillon.

Marco se tourna vers lui et une lueur s'alluma dans ses yeux mais, au même moment, un homme de petite taille vêtu d'un complet en tweed et coiffé d'une casquette assortie grimpa sur le ring et, en brandissant une paire de gants de boxe, exigea le silence.

— S'il y a dans l'assistance quelques messieurs à l'esprit sportif, je leur offre l'occasion de gagner de l'argent. (De la poche intérieure de son veston il tira une liasse de billets de banque.) Cinquante livres, mes amis, à celui qui tiendra au moins trois reprises contre Tiger Grant. Cinquante livres !

Il n'eut pas à attendre longtemps. De l'autre côté du ring, deux jeunes costauds parlaient avec les Munro. L'un d'eux retira sa veste, la confia à Rory et se glissa entre les cordes.

— Je relève le défi, dit-il sous les hourras de la foule.

Le petit homme l'aida à enfiler les gants de boxe, tandis que Tiger Grant tendait son peignoir à un assistant, puis sortit du ring et tira de ses poches un chronomètre et une clochette.

— Chaque reprise dure trois minutes. Que le combat commence !

Le jeune homme s'avança vers Grant d'un air agressif. La foule se mit à hurler son enthousiasme, tandis qu'Asta serrait le bras de Dillon.

— C'est excitant !

— Il vaudrait mieux dire que ça va être une boucherie, fit remarquer Hannah.

Elle avait raison. Esquivant aisément les coups furieux de son adversaire, Grant lui assena un violent coup de poing dans le ventre. Le jeune homme se plia en deux et s'effondra sur le sol. Au milieu des rugissements des spectateurs, le petit homme et l'assistant le sortirent du ring.

— D'autres candidats ?

Déjà, le deuxième jeune homme qui se tenait avec les Munro se glissait sous les cordes.

— C'était mon frère. Attends un peu, tu vas voir.

Grant demeura imperturbable, et lorsque la cloche eut retenti, il se mit à sautiller en bloquant les coups qu'on lui portait, finissant par assommer son adversaire comme il l'avait fait pour son frère.

— C'est terrible, dit Hannah.

— Ça pourrait être pire, remarqua Dillon. Grant aurait pu transformer en chair à pâté ces deux-là, mais il ne l'a pas fait. Il est réglo.

Soudain, il vit Morgan murmurer quelques mots à Marco. Le Sicilien se débarrassa alors de sa veste et se glissa entre les cordes, passant juste devant Rory Munro.

— Et voilà un autre sportif ! lança le petit homme.

Mais son sourire se figea sur ses lèvres lorsqu'il se mit à lacer les gants de Marco.

— Il n'a plus l'air aussi sûr de lui, fit remarquer Ferguson.

— Voulez-vous parier avec moi, mon général ? demanda Morgan. Disons... cent livres.

— Vous allez perdre votre argent, fit Dillon.

— Je n'ai pas besoin de vous pour m'en rendre compte. Désolé, Morgan, je ne parie pas.

La cloche retentit, mais Marco demeura immobile, les bras le long du corps. Un silence de plomb s'abattit sur la foule. Grant se ramassa, feinta, puis attaqua avec vivacité. Incroyablement rapide, Marco pivota sur le côté et le frappa deux fois dans les côtes. Surpris par la douleur, Grant rejeta la tête en arrière et Marco en profita pour le cueillir d'un direct à la mâchoire. Grant s'effondra comme un sac de sable et ne bougea plus. La foule laissa échapper un cri de surprise.

Agenouillé près de lui, le petit homme, avec l'aide de l'assistant, essayait de le ranimer, tandis que Marco arpentait le ring comme un animal en cage.

— Mon argent ! Je veux mon argent !

Arrachant alors son gant droit, il souleva le petit homme par le revers de son veston. Celui-ci, terrifié, sortit les billets de sa poche et les lui donna.

Marco se mit alors à faire le tour du ring en agitant les billets au-dessus de sa tête.

— Il y a des amateurs ?

On se mit à le huer, tandis que le petit homme et son assistant évacuaient Grant, toujours inanimé. Puis une voix domina le tumulte :

— Je suis ton homme, espèce de salaud !

Et Rory Munro grimpa sur le ring.

D'un coup de pied, Marco poussa vers lui la paire de gants de boxe.

— Il doit savoir y faire, dans les bagarres de pub, fit Dillon, mais là il risque de prendre la raclée de sa vie.

Rory encaissa le premier coup de Marco mais parvint à le frapper sur la joue droite. Marco feinta et lui administra un crochet dans les côtes, ce qui n'empêcha pas Rory, une fois encore, de l'atteindre à la joue droite, lui faisant éclater la peau. Marco recula, porta son gant à sa joue et vit le sang. La rage se lisait dans ses yeux et il fonça sur Rory, tête baissée, lui assenant une série de trois crochets dans les côtes.

— Il va lui briser les os, fit Dillon.

— Oui, dit Ferguson, et ce jeune fou ne tombera pas.

Rory se mit à chanceler. Visiblement, il souffrait beaucoup. Marco lui administra alors une série de crochets au visage en lui tenant la tête de l'autre main. Devant ce manquement aux règles de la boxe, la foule se mit à rugir. Mais Marco, méprisant le public, recula d'un pas et s'apprêtait à administrer le direct final lorsque Dillon bondit sur le ring et s'interposa entre les deux adversaires, une main levée.

— Il a son compte.

Il prit Rory dans ses bras, le traîna jusqu'au coin

du ring et le glissa sous les cordes où son père et des spectateurs secourables le recueillirent.

— Si j'avais trente ans de moins, dit Hector Munro en gaélique, je me chargerais moi-même de ce salopard.

— Oui, mais vous n'avez pas trente ans de moins.

Dillon se retourna alors, et vit Marco qui le regardait d'un œil narquois, les mains sur les hanches.

— Ça te dirait, espèce de chien d'Irlandais ? lança-t-il en italien.

— Ça peut se faire, répondit Dillon dans la même langue.

— Alors mets tes gants.

— Pas besoin de gants, fit Dillon en les expédiant d'un coup de pied hors du ring. Avec des gants je ne pourrais pas te faire mal.

— A votre service, cher monsieur.

— Non, Dillon, non ! s'écria Asta. Il va vous tuer.

En mouvement, sois comme l'eau, lui avait enseigné Yuan Tao. Calme absolu, totale maîtrise de soi. Ce n'était plus un match de boxe, et Marco avait commis une grossière erreur.

Le Sicilien s'avança et lança un crochet du droit. Dillon se balança sur le côté, et, effectuant une rotation sur le genou gauche, frappa Marco au flanc, en faisant tourner son poing comme Yuan Tao le lui avait appris. Marco poussa un cri de douleur. Dillon le frappa encore au même endroit, de la même façon, puis se retourna et l'atteignit violemment à la bouche d'un revers de coude.

La foule rugit. Dillon s'éloigna, mais Marco, récupérant de façon stupéfiante, se rua sur lui et le frappa à la joue gauche au moment où il se retournait. Dillon fut projeté dans les cordes et s'effondra. Marco, alors, s'acharna sur lui à coups de pied dans les côtes.

La foule était en délire à présent, mais Dillon réussit à rouler sur le côté et à se remettre debout. Puis, saisissant le poignet du Sicilien au moment où celui-ci lui lançait un direct au visage, il lui retourna le bras dans le dos et le projeta au-delà des cordes. Marco vint s'affaler aux pieds de Morgan, de Ferguson et des deux femmes.

Le Sicilien roula sur le dos pour se remettre debout, mais déjà Dillon avait sauté par-dessus les cordes et lui appuyait le pied sur la gorge.

— Tu restes tranquille, comme un bon toutou, sans ça je t'écrase la gorge !

— Laisse, Marco, c'est un ordre ! lança Morgan en italien.

Puis il tendit sa veste à Marco et se tourna vers Dillon :

— Vous êtes un homme remarquable, monsieur Dillon.

— Un vrai héros, dit Asta en lui étreignant le bras.

— Non, un imbécile ! grommela Ferguson. Et maintenant, Dillon, allons boire un verre sous le chapiteau. Je crois que nous avons bien mérité un rafraîchissement.

Ils durent se frayer un chemin au milieu d'une foule d'hommes enthousiastes qui voulaient tous donner l'accolade à Dillon.

L'atmosphère était plus calme sous la tente, car la plupart des gens préféraient jouir du beau temps à l'extérieur. Tandis que Ferguson se dirigeait vers la grande table sur tréteaux où l'on avait dressé le bar, Dillon et Hannah s'assirent à une table. Hannah trempa son mouchoir dans le pot à eau.

— La coupure est profonde, Dillon. Il va falloir faire des points de suture.

— On verra. Pour l'instant, je ne sens rien.

— Tenez, posez ce mouchoir sur votre blessure.

— Je préfère laisser sécher, dit-il en allumant une cigarette.

— Et avec le tabac vous vous tuez lentement, vous savez.

— Une fasciste, voilà ce que vous êtes ! Bientôt vous interdirez l'alcool, et ensuite le sexe. (Il sourit.) Il ne restera plus rien.

— J'ai toujours pensé que vous étiez animé par une pulsion de mort, dit-elle.

Mais elle souriait.

Ferguson revint avec des verres sur un plateau.

— Du scotch pour nous et un gin tonic pour vous, inspecteur.

— Je préférerais du thé, général, et ça ne ferait d'ailleurs pas de mal non plus à Dillon.

Elle se leva et gagna le bar.

— Je le savais, dit Ferguson. Quand cette fille se mariera, elle deviendra une de ces mères juives qui font marcher leur mari à la baguette et prétendent dicter leur conduite à tout le monde.

— Excusez-moi, mon général, mais j'ai l'impression que vous vous faites vieux. Je connais une quantité d'hommes qui rêveraient qu'Hannah Bernstein les fasse marcher à la baguette.

Asta fit alors son apparition sous le chapiteau, jeta un coup d'œil autour d'elle et s'avança vers eux.

— Ah, vous voilà, dit-elle en s'asseyant.

— Où est Morgan ? demanda Dillon.

— Parti emmener Marco à l'hôpital d'Arisaig. Il pense qu'il a une côte cassée. J'ai dit que je rentrerais seule au château.

— Voilà une excellente nouvelle, déclara Ferguson.

Hannah revint alors avec deux théières et des tasses sur un plateau.

— Je vous ai vue arriver, dit-elle à Asta. Servez-vous.

Asta disposa les tasses et les soucoupes sur la table, puis Hannah servit le thé.

— Dillon a été merveilleux, dit Asta.

— Ça dépend de quel point de vue on se place, remarqua Hannah.

— Oh, allez, inspecteur, ce type horrible n'a eu que ce qu'il méritait.

Hector Munro apparut également et se dirigea vers le bar. Il acheta une demi-bouteille de whisky et s'apprêtait à repartir lorsqu'il les aperçut. Après un instant d'hésitation, il s'approcha de leur table.

— Mesdames, fit-il poliment.

Puis, se tournant vers Dillon, il lui dit en gaélique :

— J'imagine que vous vous attendez à des remerciements.

— Pas vraiment, rétorqua Dillon en irlandais. Comment va-t-il ?

— Il a la tête dure, mon fils, mais ce salaud l'a blessé. (Il sourit.) Sauf votre respect, vous en êtes un autre, vous aussi, monsieur Dillon.

Alors qu'il s'éloignait, Asta, demanda :

— C'était du gaélique ?

— Oui, et moi je lui ai répondu en irlandais. Ce sont deux langues très proches.

— Est-ce qu'il vous a remercié d'avoir sauvé son fils ? demanda Hannah.

Dillon sourit.

— Celui-là, il n'a jamais remercié personne de sa vie.

— Ah, vous êtes là !

Ils levèrent la tête et aperçurent Lady Katherine qui fendait la foule, appuyée sur sa canne, tandis que Jeannie lui tenait l'autre bras.

— Chère madame, dit Ferguson en se levant, je suis surpris de vous voir au milieu d'une telle foule.

Jeannie l'aida à s'asseoir.

— Il faut bien que je me montre, les gens attendent ça de moi, vous savez. (Elle se tourna vers Dillon :) Je vous ai vu de loin, par-dessus les têtes. Une sale affaire, et qui n'a plus grand-chose à voir avec le sport. Mon Dieu, mais il vous a abîmé le visage !

— C'est vrai, madame, mais lui c'est pire.

Elle sourit et se tourna vers Ferguson :

— Il faut absolument que j'y aille, je ne peux pas m'attarder, mais j'ai pensé à quelque chose.

— Oui ?

— A propos de la bible. Il m'est revenu quelque chose. Pourquoi ne pas passer chez moi sur le chemin du retour ? Nous pourrions en discuter. (Elle se leva.) Allez, Jeannie, nous partons. Au revoir, tout le monde.

— Voilà enfin du nouveau, dit Hannah tandis que la vieille dame s'éloignait au bras de Jeannie.

— Oui, apparemment, dit Ferguson. Je suis impatient de savoir ce qu'elle a à nous raconter. Qu'en pensez-vous, Dillon ?

Dillon alluma une cigarette d'un air pensif.

— Ça doit sûrement être très particulier. Je ne l'imagine pas nous disant : « Regardez donc dans le troisième tiroir du bureau », ou quelque chose comme ça. Non... ça doit être un endroit auquel nous n'avons même pas songé.

— Pas plus que Carl, remarqua Asta en se tournant vers Ferguson. Est-ce que je peux venir aussi, général ? Ça me plairait tellement de voir comment vous lui passez devant.

— Bien sûr, ma chère, pourquoi pas ? répondit Ferguson en souriant. Après tout, maintenant, vous êtes de notre côté.

Avant de prendre le volant de la Range Rover, Dillon passa au poste de secours de la foire. En lui posant un pansement sur la joue droite, l'infirmière lui conseilla d'aller voir un médecin.

— Comment vous sentez-vous, mon garçon ? lui demanda Ferguson lorsqu'ils s'arrêtèrent devant le pavillon de garde du château.

— Très bien.

Et, en souriant, Dillon ajouta :

— Tout est dans la tête.

Ferguson frappa à la porte, et quelques instants plus tard, Jeannie vint leur ouvrir.

— Madame est au salon, annonça-t-elle.

Lady Katherine était assise dans un fauteuil, devant le feu allumé, une couverture sur les genoux.

— Entrez, et asseyez-vous. Apportez-nous du thé et des biscuits, Jeannie, et puis ouvrez les portes-fenêtres. On étouffe, ici.

Tout le monte s'assit, sauf Dillon qui, appuyé au piano, alluma une cigarette.

— Quelle belle pièce ! admira-t-il.

— Pourriez-vous m'offrir un de vos bâtons à cancer, jeune homme, et me passer la photo qui est sur le piano, dans son cadre en argent ?

— Bien sûr, madame.

Il offrit du feu à la vieille dame, puis alla chercher la photo. On y voyait une jeune femme portant un blouson d'aviateur de la RAF, coiffée d'un casque datant de la Seconde Guerre mondiale, et qui se tenait devant un Spitfire. Visiblement, il s'agissait de Lady Katherine elle-même.

— Vous avez l'air d'une vedette de cinéma dans un vieux film de guerre, dit-il en passant la photo à Ferguson.

Le général sourit.

— Etonnant, Lady Katherine, vraiment étonnant.

Et à son tour, il passa la photo à Asta et à Hannah, assises sur le canapé.

— Eh oui, c'était comme ça, à l'époque. J'ai été décorée de l'ordre de l'Empire britannique, vous savez. L'autre soir, quand je vous en ai parlé, des souvenirs me sont revenus. Je n'arrivais pas à dormir et je me suis mise à réfléchir. Je pensais à toutes ces femmes courageuses qui ont trouvé la mort, et brusquement je me suis rappelé une affaire étrange. Un excellent pilote, une femme nommée Betty Keith-Jopp, survolait l'Ecosse dans son Barracuda quand elle a été prise dans une tempête. Elle est tombée dans l'estuaire du Forth et son avion a coulé par douze mètres de fond. Elle, heureusement, a réussi à regagner la surface et elle a été recueillie par un bateau de pêche.

— Extraordinaire, dit Ferguson, mais qu'est-ce que ça a à voir avec la bible ?

— Ça m'a fait penser à ce Lysander qui s'est écrasé dans le Loch Dhu en tentant d'atterrir sur la base aérienne d'Ardmurchan. Et je me suis rappelé que c'était dans cet avion que se trouvaient les affaires de mon frère. C'était en 1946, en mars, je m'en souviens. Il faut que je vous explique que, lorsque son avion s'est écrasé en Inde, mon frère n'a pas seulement subi un traumatisme crânien : il a été également grièvement brûlé au bras droit et à la main, de sorte que, dès que cela a été possible, il a été transféré dans un endroit appelé East Grinstead.

— Oui, je suis au courant, dit Ferguson. Cette unité était dirigée par Archibald McIndoe. Il était spécialisé dans la chirurgie esthétique pour les aviateurs gravement brûlés.

— C'était un homme merveilleux. Mais ses patients n'appartenaient pas tous à la RAF. Mon frère, par exemple.

— Que s'est-il passé, alors ? demanda Dillon.

— Ian a fait une grave rechute qui a nécessité une nouvelle opération du cerveau. Jack Tanner était toujours à ses côtés, en qualité d'ordonnance. A ce moment-là, on a cru qu'il ne survivrait pas.

— Et donc ? demanda Ferguson.

— Un ancien compagnon de chambre de l'hôpital venait lui rendre visite, c'était un officier de la RAF, le lieutenant-colonel Keith Smith. Je crois qu'il a atteint un grade très élevé par la suite. A l'époque, on venait de lui confier le commandement de la base aérienne de l'île de Stornoway, dans les Hébrides extérieures, et il devait rejoindre cette base à bord d'un Lysander qu'il pilotait lui-même.

— Un Lysander ? demanda Asta. Quel genre d'avion était-ce ?

— Un gros monoplan à entretoises. J'en ai souvent convoyé. Il y avait de la place pour le pilote et deux passagers. Il pouvait décoller et atterrir sur des pistes assez courtes.

Ferguson réussit à dissimuler son impatience.

— Je vois, mais quel rôle joue là-dedans le lieutenant-colonel Smith ?

— Eh bien, pour rejoindre sa base de Stornoway, il devait passer au-dessus d'ici et, à l'époque, la base d'Ardmurchan était encore opérationnelle. Comme on croyait que mon frère était sur le point de mourir, il a proposé à Jack Tanner de prendre toutes les affaires de Ian et de les laisser sur la base d'Ardmurchan. Il en profiterait pour faire le plein et repartirait aussitôt pour Stornoway.

— Mon Dieu ! s'écria Hannah Bernstein. Je vois, maintenant.

— A l'époque, reprit Lady Katherine, j'étais chez moi, en permission. Le temps était très mauvais : il y avait de la tempête et les nuages étaient très bas. Tout s'est passé si rapidement que je n'ai rien vu. Il a perdu un moteur alors qu'il faisait son approche au-dessus du loch et l'appareil est tombé. Il a coulé à pic, mais il a réussi à sortir de la carlingue avec son canot pneumatique.

Il y eut un silence, qu'Asta finit par rompre :

— Je comprends, maintenant. A l'hôpital de New York, Tanner a dit à Tony Jackson qu'il avait renvoyé chez lui toutes les affaires du laird parce qu'il croyait qu'il allait mourir.

— Et Jackson lui a demandé si la bible était retournée au Loch Dhu, ajouta Dillon.

— Et Tanner a dit : « On peut le dire », et alors, d'après Jackson, il s'est mis à rire. (Hannah hocha lentement la tête.) Ça m'avait toujours intriguée, ce rire.

— Eh bien, tout s'éclaire, maintenant, dit Ferguson en se tournant vers Lady Katherine. On n'a pas tenté de remonter l'appareil ?

— Ils n'avaient pas le matériel nécessaire. Keith Smith est venu me voir, bien sûr. C'était un homme adorable, mais il y avait quelque chose de curieux chez lui. Il n'avait piloté ni chasseurs ni bombardiers. En plaisantant, il disait qu'il était pilote de transport, mais il était décoré du Distinguished Service Order, et deux fois de la Distinguished Flying Cross. Je me suis souvent demandé pourquoi. Non... Comme je vous l'ai dit, ils ont laissé le Lysander au fond du loch. Ils ont simplement relevé sa position exacte, d'après ce qu'on m'a raconté. (Elle sourit.) Et voilà. La bible de ce pauvre vieux Ian se trouve au fond du loch, dans une de ses valises. S'il en reste quelque chose, bien sûr. Et maintenant, laissez-moi vous resservir une tasse de thé.

— Nous avons suffisamment abusé de votre temps, Lady Katherine, dit Ferguson.

— Pas du tout, j'insiste.

Elle agita sa clochette pour appeler Jeannie.

Ferguson adressa un petit signe de tête à Dillon, et les deux hommes gagnèrent la terrasse.

— Il faut agir vite, maintenant, dit Ferguson. Je vais faire venir le Lear, et je veux qu'Hannah et vous alliez à Londres pour faire des recherches dans les archives de la RAF.

Dillon posa alors la main sur le bras de Ferguson, l'air inquiet. Ferguson se retourna et aperçut Angus près du mur, sécateur en main, qui taillait le lierre.

— Ah, c'est vous, Angus, dit Ferguson. Vous êtes là depuis longtemps ?

— Je faisais un peu d'élagage, mon général. J'ai fini, maintenant.

Il chargea rapidement les branches de lierre dans sa brouette et s'éloigna.

Hannah apparut dans l'encadrement de la porte-fenêtre, Asta à ses côtés.

— Vous croyez qu'on nous a écoutés ? demanda-t-elle.

— Bien sûr, dit Dillon. C'est pour ça qu'il était là.

Et maintenant cette canaille va aller tout raconter à Morgan.

Ferguson se tourna vers Asta :

— Quand vous verrez Morgan, racontez-lui tout, ça assurera votre position auprès de lui. D'accord ?

Elle acquiesça.

— Bon. (Il consulta sa montre.) Trois heures. Si je téléphone au bureau tout de suite, le Lear de permanence décollera dans les minutes qui suivent. Son plan de vol est prioritaire, il n'y aura pas de retard. (Il haussa les épaules.) Il devrait être ici à cinq heures au plus tard. Ensuite, décollage immédiat pour Londres.

— Et ensuite ? demanda Dillon.

— Dans les archives de la RAF, trouvez-moi la position exacte du Lysander. Ensuite, ramenez le matériel nécessaire à une fouille au fond du loch. (Il sourit.) J'ai l'impression que vous allez à nouveau plonger, Dillon.

— Moi aussi.

Ferguson retourna à l'intérieur.

— Excusez-moi, chère madame, est-ce que je pourrais utiliser votre téléphone ?

12

Deux heures plus tard, le Shogun s'arrêtait devant le château ; Marco et Morgan en descendirent. Un gros pansement masquait le côté gauche du visage de Marco. En les voyant arriver, Angus, qui travaillait au jardin, se précipita vers eux. Ils discutèrent assez longtemps, après quoi Morgan tira plusieurs billets de banque de son portefeuille et les donna au jardinier. Asta, qui avait observé la scène depuis la fenêtre du bureau, se rassit près du feu.

Quelques instants plus tard, Morgan faisait son entrée dans la pièce, et Asta se jeta à son cou.

— Oh, tu es revenu ! Comment va Marco ?

— On lui a fait passer des radios. Il a deux côtes cassées, mais ça n'est pas trop grave, et on lui a fait des points de suture au visage.

— Dillon aussi aurait besoin de points de suture, dit-elle.

— Tu l'as vu ?

— Je les ai tous vus, Carl. Lady Katherine nous a invités à prendre le thé chez elle et nous a donné des informations absolument sensationnelles.

— Ah bon ? dit-il en prenant un cigare. Raconte-moi.

Lorsqu'elle eut terminé son récit, il se mit à faire les cent pas dans la pièce.

— Que comptes-tu faire ? demanda-t-elle.

— Attendre, ma chérie, attendre qu'ils fassent le travail ; n'oublie pas que Dillon est un excellent plongeur. S'ils arrivent à avoir la position exacte de l'avion, c'est lui qui ira chercher la valise.

— Et ensuite ?

— On récupérera cette bible. Le Citation sera prêt au décollage sur l'aérodrome d'Ardmurchan, de sorte qu'on pourra partir tout de suite.

— Et tu crois que Dillon et Ferguson te laisseront faire ?

— Ça, je m'en occupe.

On entendit un avion décoller de l'autre côté du loch, et ils gagnèrent la terrasse suffisamment rapidement pour voir le Lear disparaître au loin dans le ciel.

— Et voilà, ils sont partis, dit-il en lui passant le bras autour des épaules. Je sens que ça va marcher, Asta.

— Le problème, dit Asta, c'est qu'avec le temps qu'il aura passé au fond de l'eau, le document risque d'être complètement pourri.

— C'est possible, mais comme il est dissimulé dans une bible gainée d'argent, j'ai l'impression qu'il est encore intact. (Il sourit.) Fais-moi confiance.

A bord du Lear, Hannah et Dillon étaient assis l'un en face de l'autre, des deux côtés du couloir central.

— C'est excitant, n'est-ce pas ? fit Dillon. Jamais un moment de repos.

— Pire qu'à Scotland Yard.

Dans le coffret aux boissons, il trouva une mignonnette de whisky qu'il versa dans un gobelet en plastique, puis il y ajouta de l'eau.

— C'est confortable comme à la maison, dit-il.

— Vous feriez mieux de ne boire que l'eau, Dillon, surtout à cette altitude.

— C'est vraiment terrible, on dirait que je n'arrive jamais à me conduire comme il faut.

Hannah s'enfonça dans son siège.

— Et ensuite, qu'est-ce qu'on fait ?

— On rassemble tous les renseignements possibles sur l'accident de ce Lysander.

— Les archives de la RAF datant de la dernière guerre doivent être difficiles d'accès.

— A l'époque, elles étaient au ministère de l'Air, et maintenant elles sont passées au ministère de la Défense, pour lequel vous travaillez ; alors si vous, vous ne pouvez pas y avoir accès, qui le pourrait ? (Il sourit.) Des histoires de pouvoir, tout ça. On ferait bien de téléphoner tout de suite pour qu'ils commencent les recherches au Centre d'information.

— Non, on verra après, dit-elle en posant la main sur le téléphone. Il faut d'abord que vous fassiez soigner votre blessure au visage.

— Dieu du ciel ! s'écria-t-il. Vous êtes la mère que je n'ai jamais eue.

Il croisa les bras, ferma les yeux et s'enfonça dans son siège.

Grâce à un fort vent arrière, ils ne mirent qu'une heure et vingt minutes pour arriver à l'aéroport de Gatwick, et une heure plus tard, soit vers 19 h 30, Dillon était allongé sur une table, dans une petite salle de la London Clinic. Assis à côté de lui, le professeur Henry Bellamy lui posait des agrafes à la joue gauche.

— Ça ne vous fait pas mal ? demanda-t-il.

— Je ne sens rien.

— Et pourtant, vous devriez souffrir. (Bellamy jeta les aiguilles dans le plateau que lui tendait l'infirmière.) J'ai réalisé sur vous une opération chirurgicale des plus délicates, c'est une des meilleures que j'aie jamais faites, et j'ai même rédigé une communication sur votre cas. Elle a été publiée dans le *Lancet*.

— Magnifique ! Me voilà immortalisé.

— Ne dites pas de bêtises. (Bellamy tamponna avec un coton la rangée de points de suture, puis appliqua dessus un sparadrap.) Je vous remets sur pied, et ensuite vous ne trouvez rien de mieux à faire que d'essayer de vous suicider !

Dillon se remit debout et alla prendre sa veste.

— Je me sens parfaitement bien, maintenant. Vous êtes un génie de la médecine.

— La flatterie ne vous servira à rien. Réglez votre note, et si un jour l'envie vous vient de me révéler le secret de votre remarquable guérison, j'en serai ravi.

Ils se retrouvèrent dans le couloir, où les attendait Hannah Bernstein.

— Six points de suture, inspecteur. Voilà de quoi gâcher sa beauté.

— Vous croyez que ça lui fait quelque chose ? demanda Dillon.

Hannah rabaissa le col du veston de Dillon, demeuré relevé.

— Il boit du whisky irlandais et fume trop de cigarettes. Qu'est-ce que vous voulez que je fasse de lui, professeur ?

— Ce qu'elle a oublié de vous dire, ajouta Dillon, c'est que je joue aussi aux cartes.

Bellamy éclata de rire.

— Allez, fichez-moi le camp d'ici, espèce de canaille, j'ai du travail.

Et il s'éloigna dans le couloir.

D'habitude, les nuits sont plutôt calmes au Centre d'information du ministère de la Défense. Cette nuit-là, l'employée de permanence se nommait Tina Gaunt ; c'était une femme d'une cinquantaine d'années, d'allure maternelle, veuve d'un sergent tué pendant la guerre du Golfe. Elle avait lu le dossier confidentiel de Dillon, et, bien qu'horrifiée par son ancienne appartenance à l'IRA, s'était sentie excitée par cette découverte et se montra charmante avec lui.

— Les archives de la RAF concernant la Seconde Guerre mondiale et la période de service national qui a suivi se trouvent à présent dans le Sussex. Nous avons des renseignements sur microfiches, dans l'ordinateur, bien sûr, mais ils sont plutôt succincts. Il se peut que ça ne soit pas suffisant.

— Bon, eh bien on pourrait quand même commencer avec les états de service du lieutenant-colonel Keith Smith.

— Entendu.

Les doigts de Tina Gaunt virevoltèrent sur le clavier de l'ordinateur, puis elle contempla un instant l'écran en fronçant les sourcils.

— Lieutenant-colonel Smith, Distinguished Service Order, Distinguished Flying Cross avec palmes, Légion d'honneur française. Dites donc, que de décorations ! (Elle secoua la tête.) Je ne comprends pas. Mon père était pilote de bombardier pendant la guerre. Je me suis toujours intéressée aux pilotes de la bataille d'Angleterre, de vrais héros — pour moi c'était une sorte de violon d'Ingres —, mais je n'ai jamais entendu parler de lui.

— C'est un peu curieux, non ? dit Hannah.

Tina Gaunt pianota à nouveau sur son clavier.

— Ce qui est encore plus curieux, c'est qu'il y a un blocage de sécurité. On a son grade et ses décorations, mais pas ses états de service.

Hannah glissa un regard en direction de Dillon :

— Qu'en pensez-vous ?

— C'est vous qui êtes flic, alors faites quelque chose.

Elle soupira.

— Bon, d'accord, je vais téléphoner au général.

Et elle quitta la pièce.

Le combiné du téléphone collé à l'oreille, Tina Gaunt hochait la tête.

— D'accord, général, je vais le faire, mais j'ai votre autorisation, vous me couvrez, n'est-ce pas ? (Elle raccrocha.) Le général m'a assuré que dès demain j'aurais sur mon bureau un ordre écrit signé par le ministre de la Défense. Vu les circonstances, j'ai accepté de ne pas suivre à la lettre la procédure.

— Parfait, fit Dillon, alors allons-y.

Elle se remit à son clavier et, une fois encore, la surprise se peignit sur son visage.

— Je suis maintenant renvoyée sur le SOE.

— Qu'est-ce que c'est que ce SOE ? demanda Hannah.

— Le Special Operations Executive, expliqua Dillon. Une direction mise en place par les services secrets britanniques, sur ordre de Churchill, pour coordonner les mouvements de résistance et les groupes clandestins en Europe.

— Il avait dit : « Faites sauter l'Europe », ajouta Tina Gaunt. (Ses doigts volaient sur le clavier.) Ah, voilà, tout s'explique.

— Dites-nous tout, lança Dillon.

— A Tempsford, il existait un escadron, le 138e Opérations spéciales. On l'appelait l'escadron du Clair de lune, c'était une unité secrète. Même les femmes des pilotes croyaient que leurs maris faisaient du transport aérien.

— Et que faisaient-ils, en réalité ? demanda Hannah.

— Avec des bombardiers Halifax peints en noir, ils larguaient des agents en parachute au-dessus de la France. Ou parfois ils les déposaient, avec des Lysander.

— Ils se posaient en France occupée ? demanda Hannah.

— Oui, c'étaient de vrais héros.

— Eh bien maintenant, on sait comment le lieutenant-colonel Keith Smith a gagné toutes ses médailles, dit Dillon. Quand est-il mort ?

Elle consulta à nouveau son écran.

— Je ne vois pas la date de sa mort. Il est né en 1920. Entré dans la RAF en 1938, à l'âge de dix-huit ans. A pris sa retraite en 1972 avec le grade de général de corps aérien. Fait chevalier.

— Bon Dieu ! s'écria Dillon. Vous avez son adresse ?

Elle pianota à nouveau puis secoua la tête.

— Pas d'adresse personnelle et, comme je vous l'ai dit, ces fiches ne comportent qu'un nombre limité d'informations. Si vous voulez plus de renseignements, il vous faudra aller voir demain dans le Sussex.

— Encore du temps perdu ! lança Dillon. (Il sourit.) Bon, tant pis, vous avez été délicieuse, merci pour tout.

Il s'apprêtait à quitter la pièce, lorsque Hannah s'adressa à l'employée :

— J'ai une idée. Vous connaissez cet endroit, à East Grinstead, où l'on soignait les grands brûlés, pendant la guerre ?

— On les y soigne encore, inspecteur : c'est le Queen Victoria Hospital. Les blessés de guerre y reviennent toujours une fois par an, pour des soins ou un contrôle. Pourquoi ?

— Smith a été soigné là-bas. Pour des brûlures aux mains.

— Je peux vous donner le numéro tout de suite.

Elle pianota sur son clavier puis inscrivit un numéro sur une feuille de papier.

— Tenez, voilà.

— Vous êtes un ange.

Hannah et Dillon quittèrent le Centre.

Dans le bureau de Ferguson, Hannah était assise

sur le rebord de la table, le téléphone à l'oreille ; elle attendait. Elle finit par obtenir la réponse.

— Ah, je vois, dit une voix anonyme. Oui, le général Smith est venu ici en juin pour sa consultation annuelle.

— Parfait. Vous avez son adresse personnelle ? (Hannah se mit à écrire.) Merci beaucoup. (Elle se tourna vers Dillon.) Hampstead Village, ça n'est pas incroyable ?

— Bon, les choses se précisent. (Il consulta sa montre.) Presque dix heures et demie. On ne peut plus déranger ce vieux bonhomme à cette heure-ci. On ira le voir demain matin. Allez, on va casser une petite graine.

Ils étaient assis au piano-bar du Dorchester, devant une bouteille de champagne. La serveuse leur apporta des œufs brouillés et du saumon fumé.

— C'est ça, pour vous, « casser une petite graine » ? demanda Hannah.

— Pourquoi se refuser les bonnes choses de la vie, si on en a les moyens ? Cette idée m'aidait à tenir le coup quand les parachutistes britanniques me traquaient dans les petites rues du Bogside, à Belfast.

— Ne recommencez pas, Dillon, je ne veux rien savoir. (Elle avala une bouchée de saumon fumé.) A votre avis, comment ça va se passer avec notre général d'aviation ?

— Bien, j'imagine. Je parie qu'il n'a pas oublié le moindre détail.

— On verra ça demain. (La serveuse apporta le café, et Hannah sortit un calepin de son sac.) Donnez-moi la liste du matériel de plongée dont vous aurez besoin : je demanderai aux gens du service de s'en occuper demain matin à la première heure.

— Bon, d'accord. Le fournisseur saura exactement de quoi il s'agit. Un masque, une combinaison de plongée en nylon, taille medium, avec un capuchon, parce qu'il fera froid. Des gants, des palmes, quatre ceintures de lestage de douze livres, un régulateur et six bouteilles d'air vides.

— Vides ?

— Oui, parce que nous allons voler à haute altitude pour retourner en Ecosse. Vous demanderez aussi un compresseur Jackson portable, le modèle électrique. Je m'en servirai, avec un ordinateur de plongée Orca, pour remplir les bouteilles.

— Autre chose ?

— Cent mètres de corde en nylon, des mousquetons, deux lampes sous-marines et un gros couteau. Oh, j'oubliais : deux mitraillettes Sterling — le modèle à silencieux. (Il sourit.) Pour repousser les pirates.

Elle remit le calepin dans son sac.

— Bon. Je peux y aller, maintenant ? On a une dure journée, demain.

— Bien sûr.

Il régla l'addition puis la rejoignit dans le hall de l'hôtel. La Daimler de Ferguson s'était immobilisée devant l'entrée. Le voiturier lui ouvrit la portière.

— Ça vous ennuierait de faire un détour par Stable Mews ? demanda Dillon.

— Oui. J'ai surtout envie de faire une surprise à ma mère.

— Voilà une merveilleuse attention, dit Dillon. Cela dénote une nature affectueuse.

— Allez vous faire voir, Dillon.

Et la Daimler s'éloigna.

— Un taxi, monsieur ? demanda le voiturier.

— Non, merci, je vais marcher.

Dillon alluma une cigarette et s'en fut dans la nuit.

La maison se trouvait dans un petit coin tranquille, non loin de Hampstead Head. A neuf heures et demie, le lendemain matin, Dillon et Hannah s'y firent conduire dans la Daimler de Ferguson. Le chauffeur se gara dans la rue, et ils franchirent la grille à pied, puis traversèrent le petit jardin. Il pleuvait un peu.

— C'est joli, dit Hannah en sonnant à la porte.

Une Noire entre deux âges vint leur ouvrir.

— Oui, que puis-je pour vous ? leur demanda-t-elle avec un fort accent antillais.

— Nous appartenons au ministère de la Défense, dit Hannah. Je sais qu'il est tôt, mais nous aurions voulu voir Sir Keith.

— Oh, ça n'est pas trop tôt pour lui, répondit-elle en souriant. Ça fait déjà une heure qu'il est au jardin.

— Sous la pluie ? s'étonna Dillon.

— Rien ne peut l'empêcher de travailler au jardin. Venez, je vais vous conduire.

Elle leur fit faire le tour de la maison et les amena dans le jardin de derrière.

— Sir Keith, vous avez des visiteurs.

De l'autre côté de la pelouse, ils aperçurent un homme de petite taille, vêtu d'un anorak imperméable, coiffé d'un vieux panama, occupé à tailler des rosiers. Il tourna vers eux un beau visage ridé, tanné par le soleil. Il avait les yeux bleus, le regard vif et perçant.

Il s'avança à leur rencontre.

— Bonjour, que puis-je faire pour vous ?

Hannah tira de son sac sa carte de police.

— Je suis l'inspecteur principal Hannah Bernstein, adjointe du général Charles Ferguson, au ministère de la Défense.

— Et moi je m'appelle Sean Dillon, dit l'Irlandais en lui tendant la main. Je travaille également pour le ministère de la Défense.

— Je vois, dit le général Smith en hochant la tête. Je sais de quoi s'occupe le général Ferguson. Pendant cinq années, après ma retraite, j'ai travaillé pour le comité conjoint de sécurité. J'imagine donc qu'il s'agit d'une affaire intéressant la sûreté de l'Etat.

— En effet, dit Hannah.

— Mais cela remonte à loin, ajouta Dillon. A l'époque où vous vous êtes écrasé avec votre Lysander dans le Loch Dhu, dans les Highlands, en 1946.

— C'est vrai que ça ne date pas d'hier, dit le vieil homme, stupéfait. Mais entrez donc, je vais demander à Mary de nous préparer du thé, et nous pourrons discuter de tout cela.

La gouvernante entra dans la pièce avec un plateau.

— Merci, Mary, nous nous débrouillerons tout seuls.

— Je peux servir le thé, si vous voulez, proposa Hannah.

— Volontiers. Et maintenant, dites-moi exactement ce qui vous amène.

— Lorsque vous étiez soigné à l'unité de soins des grands brûlés, à East Grinstead, vous avez fait la connaissance d'un certain major Ian Campbell, commença Dillon.

— C'est vrai, dit Sir Keith en montrant ses mains.

La peau en était fine, luisante, et il manquait le majeur de la main gauche.

— C'est à la suite d'un engagement avec un ME 262, l'avion à réaction que les Allemands avaient mis au point à la fin de la guerre. C'était en février 1945. Il m'a descendu au-dessus du nord de la France. Je pilotais un Lysander, vous savez, je n'ai rien pu faire.

— Oui, nous avons consulté votre dossier au ministère de la Défense, fit Dillon. Nous sommes au courant de votre activité pour le SOE. Il a fallu se démener pour avoir accès à ce dossier. Il est toujours classé confidentiel.

— Eh bien dites donc ! dit-il en riant.

Il prit la tasse de thé que lui tendait Hannah.

— Nous sommes remontés jusqu'à vous grâce à la sœur de Ian Campbell, dit Hannah. Lady Katherine Rose.

— Mon Dieu, elle vit encore ? Elle pilotait des avions de transport, pendant la guerre. C'était une femme merveilleuse.

— Oui, elle vit toujours sur le domaine du Loch Dhu, dit Dillon. C'est elle qui nous a dit que vous étiez tombé dans le loch avec votre Lysander.

— C'est vrai. C'était en mars 1946. J'allais prendre mon nouveau commandement à Stornoway, j'ai essayé de me poser par un temps effroyable à Ardmurchan, mais j'ai perdu un moteur en faisant mon approche. J'ai eu de la chance de m'en sortir. L'avion a coulé presque aussitôt. (Il versa une cuillerée de sucre dans son thé.) Mais pourquoi vous intéressez-vous à cette histoire ?

— Vous rappelez-vous être allé à East Grinstead au moment où on croyait Ian Campbell sur le point de mourir ? demanda Hannah.

— Oui, très bien, mais j'ai appris par la suite qu'il avait survécu.

— Vous avez dit à son ordonnance que vous vous rendiez en avion à Stornoway, et avez proposé de déposer les affaires du laird à la base d'Ardmurchan.

— C'est vrai, il y avait deux valises. (Il avait l'air étonné.) Mais je ne vois toujours pas en quoi cela peut vous intéresser.

— Il y avait quelque chose d'une extrême importance dans une de ces valises, dit Hannah. Touchant à l'intérêt de l'Etat.

— Grands dieux ! Mais qu'est-ce que ça pouvait bien être ?

Elle hésita.

— Euh... en fait, Sir Keith, l'affaire est confidentielle. Nous agissons sous l'autorité directe du Premier ministre.

— Je l'imagine, puisque Ferguson est impliqué.

Dillon se tourna alors vers Hannah :

— Mais enfin, Sir Keith est bardé de décorations, il a été fait chevalier par la reine, et il a terminé sa carrière avec le grade de général de corps aérien. S'il n'est pas capable de garder un secret, qui le serait ?

— Oui... vous avez raison. Bien sûr. (Elle se retourna vers Sir Keith.) Strictement confidentiel, n'est-ce pas ?

— Vous avez ma parole.

Elle lui raconta alors l'affaire de l'accord de Ch'ung-king, et les événements qui s'étaient ensuivis.

D'un tiroir de bureau, Sir Keith tira alors un vieux dossier en carton et une carte pliée qu'il posa sur la table de la salle à manger.

— Dans ce dossier, il y a la copie du rapport officiel sur l'accident. Il y a eu une enquête, bien sûr, mais j'ai été complètement mis hors de cause. Quant à mes mains... (il les leva devant lui)..., elles ne m'ont jamais empêché de continuer à voler.

— Et la carte ? demanda Dillon.

— Regardez vous-même. C'est une carte d'état-major. A grande échelle, comme vous pouvez le constater. (Il la déplia. Y figuraient le Loch Dhu, le château et Ardmurchan Lodge.) J'ai pris soin de noter avec précision l'endroit où s'est enfoncé mon Lysander. Vous voyez la ligne rouge qui part du petit appontement d'Ardmurchan Lodge ? C'est là que l'appareil s'est abîmé.

Le doigt de Dillon courut le long du trait.

— Ça me semble très clair.

— Cent vingt mètres au sud de l'appontement. Le X marque l'endroit exact, et je suis sûr de ne pas m'être trompé, parce que les gars de la base ont laissé tomber un grappin au fond du loch et en ont ramené un morceau de fuselage.

— Quelle profondeur y a-t-il ? demanda Dillon.

— Environ vingt-sept mètres. Le ministère de

l'Air, à l'époque, a décidé que ça ne valait pas la peine de le remonter. Il aurait fallu amener là-bas du matériel spécial et, après tout, la guerre était terminée. Pourquoi perdre son temps à ramasser de la ferraille ? Ç'aurait été différent s'il y avait eu des choses précieuses dedans, bien sûr.

— Ce qui était le cas, sauf que personne ne le savait, remarqua Hannah.

Sir Keith se tourna vers Dillon :

— J'imagine que vous allez tenter de récupérer ces valises.

— Oui, j'ai une bonne expérience de la plongée. Je verrai ce que je peux trouver.

— Après toutes ces années, je serais vous, je ne m'attendrais pas à trouver grand-chose. Voulez-vous emporter la carte ?

— Volontiers. Je vous promets de vous la rendre.

— Nous avons suffisamment abusé de votre temps, dit alors Hannah. Votre aide nous a été précieuse.

— Je suis heureux d'avoir pu vous être utile. Je vais vous raccompagner. (Il les conduisit jusqu'à la porte d'entrée.) Pardonnez au fossile que je suis, mademoiselle, mais je dois dire que, depuis mon époque, la police a fait bien des progrès.

Mue par une impulsion soudaine, elle l'embrassa sur la joue.

— J'ai été très honorée de faire votre connaissance.

— Bonne chance à tous les deux, avec ce Morgan. Faites-lui mordre la poussière, Dillon, et présentez mes respects au général Ferguson.

— Je n'y manquerai pas.

Ils avaient déjà atteint le portail, lorsque Sir Keith les héla. Ils se retournèrent.

— Oui, qu'y a-t-il ? demanda Dillon.

— Si elles y sont encore, ce ne sont pas deux, mais trois valises que vous découvrirez dans la carlingue. L'une d'elles est à moi. Au bout de quarante-sept ans, je ne pense pas qu'il reste grand-chose dedans, mais ça m'amuserait de la récupérer.

— Entendu, Sir Keith.

Et ils se retrouvèrent dans la rue.

— Quel homme extraordinaire ! dit Hannah en montant dans la Daimler.

— Oui, on n'en fait plus, des comme ça, renchérit Dillon. Et maintenant, où allons-nous ?

— Nous nous rendons dans un magasin d'articles de plongée, à Lambeth : le Underseas Supplies. C'est chez eux qu'on a déposé votre commande. Le directeur a promis que tout serait prêt pour midi. Il voudrait que vous vérifiiez vous-même avant d'envoyer les colis à Gatwick.

— Et les deux mitraillettes que j'ai demandées ?

— Dans le coffre. Je suis allée les chercher ce matin à l'armurerie du ministère, avant de passer vous prendre.

— Bravo ! lança Dillon. Et maintenant, on y va !

L'entrepôt de Lambeth regorgeait de matériel de plongée. Le directeur, un dénommé Speke, sortait lui-même les articles les uns après les autres, tandis que Hannah et Dillon vérifiaient sur la liste.

— Qu'est-ce qu'il y en a ! dit soudain Hannah. Vous avez vraiment besoin de tout ça ? Ça, par exemple, qu'est-ce que c'est ?

Elle brandissait un Orca de couleur jaune.

— Ça me tient lieu de corde de sécurité, ma chère. C'est un ordinateur de plongée qui me donne la profondeur, qui me dit depuis combien de temps je suis au fond et combien de temps il me reste. Il me prévient même si je remonte trop vite.

— Je vois.

— J'en ai autant besoin que de ça. (Il prit la lourde combinaison en nylon vert et orange.) Il fera très froid et très sombre, là-dessous. Ça n'est pas la mer des Caraïbes.

— A propos de visibilité, monsieur Dillon, intervint alors Speke, voici les deux lampes que vous avez demandées. Je vous ai donné les nouveaux halogènes de la Royal Navy. Ils sont deux fois plus puissants.

— Parfait. Bon, eh bien, je crois que tout y est. Expédiez-nous ça à Gatwick dès que possible.

— Ça prendra au moins deux heures, monsieur, peut-être trois.

— Faites pour le mieux, dit Hannah.

Ils remontèrent dans la Daimler, et Dillon demanda à Hannah :

— A quelle heure est prévu le décollage ?

— Trois heures.

— Bon. (Il lui prit la main.) Ça nous laisse un peu de temps libre. Que diriez-vous d'aller manger des huîtres arrosées de Guiness chez Mulligan ? Après tout, demain je vais plonger au fond d'un loch, et Dieu sait ce qui m'attend.

Elle se mit à rire.

— Et après tout, pourquoi pas ? Nous l'avons bien mérité. Va pour les huîtres et la Guiness de chez Mulligan !

13

Le vol depuis Londres se passa sans histoires jusque vers la fin, où ils rencontrèrent la pluie et de gros nuages. Alors qu'ils entamaient leur approche vers le loch, le capitaine Lacey leur dit dans le haut-parleur :

— Londres a averti le général de notre heure d'arrivée. Il est en route.

Tandis qu'ils roulaient sur la piste, ils aperçurent le Citation dans l'un des hangars.

— Qu'est-ce qu'il fait là, celui-là ? dit Hannah.

— J'ai l'impression qu'il est prêt à décoller à n'importe quel moment. Ça me paraît logique : je serais à sa place, c'est comme ça que j'agirais.

En leur ouvrant la porte de l'avion, le capitaine fit remarquer à Hannah :

— Vous avez de la compagnie, inspecteur.

— C'est l'avion personnel de M. Carl Morgan, qui se trouve en ce moment au château du Loch Dhu, expliqua Dillon.

— Carl Morgan, le joueur de polo ?

Dillon éclata de rire.

— En voilà une façon de le décrire !

La Range Rover traversait la piste en mauvais état et se dirigeait vers eux. Kim conduisait, Ferguson assis à côté de lui.

— Tout s'est bien passé ? demanda le général en descendant de voiture.

— On ne peut mieux, répondit Dillon. J'ai une carte du loch avec l'emplacement exact où l'avion a coulé. Au fait, vous savez qui était le pilote de ce Lysander ?

— Non, pourquoi ?

— Le général de corps aérien Sir Keith Smith, dit Hannah.

Ferguson eut l'air sincèrement étonné.

— Bien sûr ! Je n'ai pas fait la relation lorsque Lady Katherine nous a dit son nom. Il faut dire que ça s'est passé en 1946, et qu'à l'époque il n'était que lieutenant-colonel.

— Nous allons mettre tout cet attirail dans le coffre de la Range Rover, mon général, intervint le capitaine Lacey. Si votre homme pouvait nous donner un coup de main.

— Bien sûr.

Un mouvement du menton à l'adresse de Kim, puis Ferguson alla chercher un grand parapluie de golf dans la Range Rover et l'ouvrit pour les protéger de l'averse.

— L'avion de Morgan semble être ici à demeure, maintenant, dit Hannah.

— Oui, cette canaille est là en personne et nous surveille. J'ai vu le Shogun dans le hangar, à côté du Citation. En ce moment même, ils doivent nous observer à la jumelle.

— Alors donnons-leur quelque chose à voir, proposa Dillon. Capitaine, voulez-vous me passer ces deux mitraillettes ?

Lacey les lui tendit et Ferguson sourit.

— Quelle bonne idée ! Voulez-vous me tenir le parapluie, inspecteur ? (Il examina l'une des deux Sterling d'un œil expert.) Bon, allons nous mettre à découvert, qu'ils voient un peu ce que nous avons.

Dillon et lui demeurèrent ainsi quelques instants sous la pluie, avant de regagner la Range Rover.

— Ça devrait suffire, fit Dillon en déposant les mitraillettes sur le siège arrière.

— Vous aviez l'air de deux petits garçons en train de jouer aux bandits dans la cour de l'école, dit Hannah.

— Ah, si seulement ça pouvait être vrai ! soupira Ferguson, mais les choses commencent à devenir sérieuses. D'une certaine façon, j'ai lancé un avertissement clair à Morgan, mais maintenant il faut mettre les choses au point. Venez, suivez-moi.

A l'abri du grand parapluie de golf, Ferguson, Dillon et Hannah se dirigèrent vers le hangar abritant le Citation. En s'approchant, ils aperçurent Marco et Morgan appuyés au Shogun ; deux hommes vêtus de combinaisons de mécaniciens s'affairaient de l'autre côté de l'avion. Hannah glissa la main dans le sac qui pendait à son épaule.

— Inutile, inspecteur, murmura Ferguson. Il ne va pas déclarer la guerre tout de suite. (Il éleva la voix.) Ah, vous êtes là, Morgan. Bonjour.

— Bonjour, mon général.

Morgan s'avança, suivi de Marco, le visage tuméfié, qui jeta un regard mauvais à Dillon.

— Vous avez obtenu ce que vous recherchiez, inspecteur ? demanda Morgan.

— Oui, absolument tout.

— Qui l'aurait dit, n'est-ce pas ? (Il se tourna en direction du loch, sur lequel tombait une pluie fine.) Tout au fond de l'eau, depuis tant d'années. Les Eaux sombres, c'est bien ce que ça veut dire, en gaélique, n'est-ce pas ? Le nom est bien choisi. J'ai l'impression que vous aurez des problèmes, une fois en bas, Dillon.

— Allez savoir.

— Je vois que votre avion est prêt au départ, dit Ferguson.

— Oui, nous partons tôt demain matin. A huit heures. Je suis réaliste, mon général, vous avez gagné et moi, je commence à en avoir assez des délices du Loch Dhu et de ses éternelles averses.

— Vraiment ? dit Ferguson. Carl Morgan abandonne ? Ça paraît difficile à croire.

— Oh, il est seulement beau joueur, ajouta Dillon. N'est-ce pas, Morgan ?

— Mais bien sûr, répondit Morgan le plus tranquillement du monde.

— Eh bien, transmettez notre meilleur souvenir à Asta, car nous ne la reverrons probablement pas, dit Ferguson.

— Je n'y manquerai pas.

— Adieu.

Tandis qu'ils retournaient vers leur avion, Hannah s'adressa à Ferguson :

— Je n'en crois pas un mot. Je suis sûre qu'il ne partira pas.

— Ou, s'il part, il a l'intention de revenir, observa Dillon. Je ne sais pas comment, mais je suis persuadé que c'est ce qu'il compte faire.

— Bien sûr, dit Ferguson. Nous retrouvons le jeu qui caractérise cette affaire depuis le début. Nous savons qu'il a l'intention de revenir, et il sait que nous savons. (Il secoua la tête.) Il est inconcevable qu'il abandonne maintenant. Ça irait contre sa nature même. Est-ce que vous l'avez déjà vu, au polo, jeter un adversaire à bas de son cheval ? Eh bien, c'est ça, Carl Morgan. Il faut toujours qu'il gagne, quel qu'en soit le prix.

— J'ai l'impression qu'Asta va pouvoir nous être utile, maintenant, dit Hannah.

— Oui, on verra.

Ils arrivèrent enfin près du Lear.

— Tout est dans le coffre de la voiture, mon général, dit le capitaine Lacey. Je peux encore faire quelque chose ?

— Pas pour le moment, capitaine, à part retourner à Gatwick. Comme d'habitude, je voudrais que l'avion soit prêt au départ pendant vingt-quatre heures encore.

— J'y veillerai, mon général.

— Bon, eh bien, allez-y. (Il se tourna vers les autres :) Venez, on y va, nous aussi.

Ils montèrent dans la Range Rover, Kim prit le volant et, tandis qu'ils s'éloignaient, le Lear s'élevait déjà dans les airs.

Dans le bureau, Morgan se versa un cognac puis s'approcha de la cheminée. Il savourait son cognac à petites gorgées lorsque Asta fit son apparition :

— Ils sont revenus. J'ai entendu l'avion.

Morgan acquiesça.

— Ils ont déchargé tout un matériel de plongée, ensuite Ferguson et Dillon ont exhibé à mon intention deux mitraillettes Sterling. Après ça, nous avons eu une petite conversation des plus agréables.

— Et alors ?

— J'ai dit à Ferguson que j'abandonnais le combat et que je partais en avion demain matin à huit heures.

— Et ils t'ont cru ?

— Bien sûr que non, répondit-il en souriant. Ferguson se doute bien que je vais chercher à revenir. Evidemment, l'important est que je sache qu'il s'y attend ; tout ça est une question d'horaire.

— Que veux-tu dire ?

Il sourit.

— Il y a une bouteille de champagne dans le seau, ma chérie. Ouvre-la et je te raconterai tout.

Le matériel de plongée était soigneusement disposé sur le sol du garage d'Ardmurchan Lodge. Dillon montrait à Kim comment remplir les bouteilles d'air. Le compresseur émettait un ronronnement régulier.

Hannah entra dans le garage et observa la scène, les bras croisés sur la poitrine.

— Il sait vraiment s'y prendre ? demanda-t-elle.

— Kim ? (Dillon se mit à rire.) Je viens de lui montrer comment faire, et on n'a besoin de montrer les choses qu'une seule fois à un Gurkha. (Il se tourna vers Kim :) Toutes les six, hein ?

— Oui, sahib, je m'en occupe.

Dillon et Hannah gagnèrent ensuite le salon, où ils trouvèrent Ferguson assis à son bureau.

Il leva les yeux.

— Tout est prêt ?

— Oui, confirma Dillon.

— Bon, alors le plan est simple. Dès que Morgan se sera envolé, nous nous mettons au travail. Vous, inspecteur, vous gardez les lieux, ici, tandis que Kim, Dillon et moi, nous occupons de la plongée.

— Je suis totalement ignorante en matière de plongée, dit Hannah, alors pardonnez-moi, Dillon, si mes questions vous paraissent idiotes. Est-ce que ça sera difficile, et combien de temps est-ce que ça mettra ?

— Bon, pour commencer, grâce à ma ceinture de plombs, je vais descendre très rapidement. Si la position que nous a donnée Sir Keith est correcte, je peux atteindre l'avion en quelques minutes, mais il fera très sombre là-dessous, et je n'ai aucun moyen de savoir comment sera le fond. Il pourrait y avoir trois mètres de vase. Et puis il y a la question de la profondeur. Plus on descend, et plus on utilise d'air. C'est fou ce que trois ou quatre mètres de profondeur en plus peuvent réduire l'autonomie. Le mieux, ce serait que le travail s'effectue dans les limites de la plongée sportive, parce que sinon, pour remonter, il faudra que j'observe des paliers de décompression, et ça, ça prend du temps.

— Pourquoi ?

— Plus on descend profond et plus on reste longtemps, plus il y a d'azote dans le sang. C'est comme les bulles d'une bouteille de champagne qui voudraient éclater. Ça peut entraîner des accidents de décompression, laisser des séquelles à vie, et on peut même en mourir. (Il sourit.) Fin de la leçon.

— Ça me paraît plutôt terrifiant.

— Ça se passera bien. (Il alla se servir un Bushmills.) J'ai pensé à quelque chose, mon général.

— Oui ?

— Vous devriez envoyer Kim demain matin à l'aérodrome avec une paire de jumelles. Evidemment, on entendra l'avion décoller, mais il faudrait s'assurer qu'il n'y a pas seulement les deux pilotes à bord.

— Bonne idée, dit Ferguson. (Il consulta sa montre.) Onze heures. Et moi, je viens d'avoir une idée meilleure encore, Dillon : vous devriez aller rendre une autre de vos petites visites nocturnes au château, et essayer de parler à Asta.

— Je suis étonnée que vous n'ayons pas eu de nouvelles d'elle, fit Hannah.

— Moi, ça ne m'étonne pas, dit Ferguson. Ce serait dangereux pour elle d'utiliser le téléphone : il faudrait qu'elle soit absolument sûre que Morgan n'est pas dans les parages. Non, inspecteur, conduisez Dillon là-bas comme vous l'avez fait l'autre fois, et ensuite on verra.

Il pleuvait encore lorsque Hannah s'arrêta le long du mur d'enceinte du château. Comme la fois précédente, Dillon était tout de noir vêtu. Il prit son Walther, en vérifia le fonctionnement, puis le glissa dans sa ceinture, dans le dos.

— J'ai l'impression de revivre la même scène.

— Oui, dit Hannah en souriant. Il va falloir introduire des variantes.

Il abaissa la sinistre cagoule de ski qui ne laissait apparaître que ses yeux et ses lèvres.

— Je pourrais vous embrasser, par exemple, suggéra Dillon.

— Avec ce machin-là sur le visage ? Ne soyez pas répugnant. Allez, partez.

Il referma doucement la portière et s'évanouit dans l'obscurité.

Il escalada le mur de la même façon que la fois précédente, gagna la pelouse et demeura un moment dissimulé au milieu des arbres, guettant les lumières du château. Au bout d'un certain temps, la porte-fenêtre du bureau s'ouvrit, et Morgan fit son apparition, fumant un cigare, suivi d'Asta, vêtue d'un pantalon et d'un chandail, et qui portait un parapluie.

— Qu'est-ce que tu vas faire ? demanda Morgan.

— Promener le chien. Tu m'accompagnes ?

— Sous cette pluie ? Tu es folle. Ne reste pas trop longtemps.

Il retourna à l'intérieur.

Elle ouvrit le parapluie et descendit les marches de la terrasse.

— Allez, viens, toi ! lança-t-elle au doberman.

Le chien traversa le bureau comme l'éclair et se mit à gambader sur la pelouse.

Furtivement, Dillon alla se poster à l'abri d'une petite tonnelle. Le chien s'immobilisa brusquement et se mit à gémir. Dillon siffla alors de cette étrange façon qu'il connaissait, et le chien s'approcha de lui pour lui lécher les mains.

— Où es-tu parti ? demanda Asta à voix haute.

— Ici, répondit doucement Dillon.

— Dillon ! (Elle se précipita vers lui.) Qu'êtes-vous venu faire, cette fois-ci ?

— Je ne voulais pas vous laisser partir sans que nous ayons eu une petite conversation. Vous partez demain matin, c'est ça ? dit-il en retirant sa cagoule.

— Oui, à huit heures.

— C'est ce que nous a déclaré Morgan à l'aérodrome. Il semblait accepter sa défaite de si bonne grâce. A tel point que nous n'en avons pas cru un mot. Il va revenir, c'est ça ?

Elle acquiesça.

— Il ne s'attendait pas que vous le croyiez. Il me l'a dit. Il sait que vous savez qu'il va revenir, mais ce que vous ne savez pas, c'est quand.

— C'est vrai. Alors, quand ?

— Nous partirons à huit heures à bord du Citation. Carl pense que vous plongerez dès que nous aurons décollé.

— Et ensuite ?

— Vous savez à quelle distance se trouve Arisaig ?

— Environ trente-deux kilomètres, répondit Dillon.

— Exactement. Là-bas, il y a un ancien aérodrome de la RAF, comme celui d'Ardmurchan. Marco et lui y ont déjà amené le break et sont revenus avec le Shogun. Le Citation se posera sur cet aérodrome et nous reviendrons par la route avec le break. Une heure plus tard, les pilotes reviendront poser l'avion à Ardmurchan.

— Où nous serons ficelés comme des saucissons, conclut Dillon.

— Exactement.

— Eh bien, on va essayer de déjouer leur plan. (Il posa la main sur l'épaule d'Asta.) Ça va, vous tenez le coup ?

— Oui, je me débrouille.

— Bon. (Dillon rabaissa sa cagoule.) Gardez confiance.

Et il disparut dans la nuit.

Carl Morgan sortit sur la terrasse.

— Tu es là, Asta ?

— Oui, j'arrive.

Elle traversa la pelouse le parapluie haut levé, tenant le chien par le collier.

A sept heures et demie, Kim se trouvait à l'aérodrome. Pour ne pas risquer d'être repéré, il n'avait pas pris la voiture. Allongé près d'un taillis, il observait à la jumelle les deux pilotes qui s'affairaient près du Citation. Au bout d'un moment, le Shogun apparut et se rangea le long du hangar. Morgan et Asta en descendirent. Les deux pilotes vinrent à leur rencontre, s'entretinrent brièvement avec eux, puis sortirent les bagages de la voiture. Enfin, lorsque Morgan et Asta eurent gagné le hangar, Marco y pénétra à son tour, au volant du Shogun.

Kim attendit. Quelques instants plus tard, on entendit le bruit des moteurs, le Citation sortit du hangar et gagna le bout de la piste. Il le regarda prendre de la vitesse et s'élever dans le ciel gris, puis s'en retourna au pavillon.

Déjà vêtu de sa combinaison de plongée, Dillon poussait vers le petit appontement une brouette chargée de quatre bouteilles d'air. Hannah et Ferguson l'attendaient dans la barque. En dépit de la pluie qui tombait à verse, un nuage de brume stagnait à environ trente centimètres au-dessus de la surface du loch, réduisant considérablement la visibilité.

Ferguson portait un anorak et un chapeau de pluie, et Hannah un vieil imperméable et un feutre qu'elle avait trouvés dans les toilettes du pavillon. A côté de leur barque s'en trouvait une autre, plus petite, à moitié remplie d'eau.

— Otez-moi cette barque de là, demanda Dillon à Hannah en lui montrant la petite embarcation.

Dillon passa alors les bouteilles à Ferguson. Au même moment, ils entendirent le bruit de l'avion qui décollait.

— Et voilà, ils sont partis, dit Ferguson.

— Bon, les quatre bouteilles y sont. Avec un peu

de chance, je ne les utiliserai pas toutes. Je vais aller chercher ce qui manque.

Il retourna au pavillon et chargea la brouette avec le reste du matériel, y compris les deux mitraillettes Sterling. Au moment où il s'apprêtait à regagner l'appontement, Kim apparut à la lisière des arbres ; il le rejoignit au bateau.

— Vous les avez vus ? demanda Ferguson.

— Oui, sahib, ils sont arrivés dans le Shogun. J'ai vu Morgan et la demoiselle en sortir et monter dans l'avion. L'homme, Marco, était là aussi. Il a conduit le Shogun à l'intérieur du hangar. L'avion est sorti et a décollé très rapidement.

— Vous voulez dire qu'ils sont entrés dans le hangar ? demanda Dillon.

— Oui, sahib.

L'air préoccupé, Dillon se mit à décharger sa brouette.

— Quelque chose qui vous inquiète ? demanda Ferguson.

— Oui.

— Je ne vois aucune raison d'être inquiet. Lui-même nous a dit qu'il partait. Nous nous attendions qu'il nous joue un coup fourré, mais Asta nous a prévenus de ses intentions. Et maintenant, Kim les a vus partir.

— Il a vu partir l'avion, rétorqua Dillon. Mais enfin tant pis, allons-y.

Kim monta à bord de la barque, et Ferguson posa les deux mitraillettes sur le banc arrière.

— Une chose est sûre, mon garçon, c'est qu'il faudrait être fou pour s'attaquer à nous alors que nous avons ces engins pour nous défendre.

— Espérons, fit Dillon en aidant Hannah à descendre de la barque.

— Faites bien attention, Hannah.

Elle tira un Walther de sa poche.

— Ne vous inquiétez pas, j'ai ça.

Il sauta à bord, s'assit sur le banc arrière et fit

partir le moteur hors-bord. Hannah dénoua l'amarre et la jeta dans le bateau.

— Bonne chance ! fit-elle alors qu'il s'éloignaient.

— Et vous, je vous le répète, faites bien attention. Parfois, vous êtes une véritable idiote, même si vous êtes adorable.

Et Dillon fit exécuter un large virage au bateau.

Hannah les regarda partir, puis tourna les talons et regagna le pavillon. Elle accrocha son imperméable et son chapeau dans l'entrée puis se dirigea vers la cuisine. Elle avait froid, ses pieds étaient mouillés, et elle décida de se préparer un café. Au moment où elle remplissait la bouilloire, elle entendit un craquement derrière elle. La porte du cellier s'ouvrit, et Hector Munro s'avança, braquant sur elle un fusil de chasse à canon scié.

Et le Walther qui était resté dans la poche de son imperméable ! Bon Dieu, Dillon, songea-t-elle, vous avez raison, je suis une véritable idiote. Elle s'avança alors vers la porte de la cuisine, demeurée ouverte, mais Rory Munro apparut alors, lui barrant le passage. Comme son père, il tenait à la main un fusil à canon scié ; il la retint par le bras.

Un sourire vint éclairer son visage horriblement tuméfié.

— Où comptiez-vous aller, ma chérie ?

Il la repoussa doucement dans la cuisine, vers la table où Hector s'était assis et bourrait sa pipe.

— Bon, dit Hector, conduisez-vous comme une brave fille, et il ne vous arrivera rien. Il y a une jolie petite cave bien sèche pour vous. On a déjà vérifié.

— Pas de fenêtres à briser, dit Rory, et une porte en chêne avec deux verrous, qu'y vous faudrait une hache de pompier pour la casser.

— Ça sera parfait, renchérit le vieux Munro, on n'aura même pas besoin de vous lier les mains.

— Vous voyez comme vous avez de la chance, dit Rory.

Elle passa de l'autre côté de la cuisine pour leur faire face.

— Vous travaillez pour Morgan, n'est-ce pas ? Mais pourquoi ? (D'un geste, elle désigna Rory.) Rappelez-vous ce qui s'est passé sur le ring de boxe. Regardez ce que cette brute de Marco a fait à votre fils.

— Mais m'sieur Morgan était pas responsable de ça, rétorqua le vieil homme. C'était les risques du jeu, et mon fils sait encaisser les coups. (Hector Munro alluma sa pipe avec une allumette.) Et puis il y a les dix mille livres qu'il nous a données pour qu'on l'aide.

— Que compte-t-il faire ?

— Ah, ça, faudra attendre pour le savoir, dit le père.

Elle prit une profonde inspiration.

— Je suis inspecteur de police. Vous le saviez ?

Rory éclata de rire.

— Qu'est-ce que c'est que ces balivernes ? lança Hector. Tout le monde sait que vous êtes la secrétaire du général.

— Si vous me laissez la chercher, je peux vous montrer ma carte. Je suis inspecteur principal à Scotland Yard.

— Inspecteur principal ? dit Hector Munro en secouant la tête d'un air faussement apitoyé. Tous ces événements lui ont tapé sur la tête, Rory. (Il se leva et alla ouvrir la porte de la cave.) Allez, descendez là-dedans.

Rory la poussa sans ménagement dans l'escalier. Elle perdit l'équilibre, dévala plusieurs marches et se fit mal au genou. La porte se referma et elle entendit claquer les verrous. Elle se rappela alors la seule chose qui aurait pu avoir un effet sur eux.

Fergus !

Elle remonta les marches, chercha à tâtons l'interrupteur électrique et alluma. Puis elle se mit à tambouriner sur la porte.

— Laissez-moi sortir ! hurla-t-elle. J'ai quelque chose à vous dire. Il a tué votre fils, il a tué Fergus !

Mais personne ne lui répondit.

Hector Munro et son fils gagnèrent l'appontement sous une pluie battante. Ils entendaient le moteur de la barque, mais ne la voyaient pas, à cause du brouillard. Ils s'immobilisèrent en apercevant la petite barque à rames.

— Bon sang, il y a vingt-cinq centimètres d'eau au fond ! dit Rory.

— Mais il y a un seau pour écoper, sous le banc, alors vas-y ! (Hector Munro tira de sa poche une vieille montre en argent attachée à une chaîne.) De toute façon, on n'est pas pressés. On a encore une demi-heure à attendre.

Rory posa son fusil sur la berge et entreprit en maugréant d'écoper l'eau du bateau. Il leva les yeux vers le ciel.

— Dis donc, j'espère que Fergus a un toit sur sa tête. Avec un temps pareil !

— T'inquiète pas, il aura pas besoin de rester caché très longtemps, ils vont tous bientôt partir d'ici.

Et Rory continua de vider l'eau qui emplissait la barque.

Ferguson prit la barre tandis que Dillon consultait la carte.

— Ça doit être à peu près ici, dit l'Irlandais après un certain temps.

Il se retourna et aperçut les cheminées du pavillon au-dessus du brouillard, et, au-delà, le bois.

— Oui, d'après la ligne tracée par Sir Keith, ça doit être ici. Arrêtez le moteur.

Ils se mirent à dériver lentement, puis le Gurkha jeta l'ancre.

Dillon avait coupé en deux la longue corde de nylon et fixé des mousquetons aux extrémités. Il accrocha une ceinture de plombs à chacune des cordes, demanda à Kim de les attacher au banc central du bateau, puis de les jeter à l'eau.

Dillon releva ensuite le capuchon de sa combinaison, et fixa à sa jambe le couteau dans son étui orange. Puis il fixa une bouteille à son gilet gonflable, mesura la pression sur son ordinateur Orca, et demanda à Kim de tenir la bouteille pendant qu'il enfilait le gilet. En raison de l'étroitesse du bateau, ses gestes étaient maladroits, mais il n'y pouvait pas grand-chose. Il ajusta ensuite sa ceinture de plombs et enfila ses gants. Puis, après avoir fixé une lampe à son poignet gauche, il chaussa ses palmes, cracha dans son masque, le nettoya à l'eau et l'appliqua sur son visage. Une dernière vérification pour voir si l'air passait bien par l'embout, puis il s'assit sur le rebord et bascula en arrière.

Il nagea sous la quille du bateau jusqu'à ce qu'il eût trouvé la ligne de l'ancre, puis se mit à descendre, s'arrêtant deux fois pour équilibrer la pression dans ses oreilles en avalant sa salive. A sa grande surprise, l'eau était assez claire.

Il descendait rapidement, en position debout, suivant du regard les deux autres lignes que Kim avait jetées par-dessus bord. Il jeta un coup d'œil à son Orca. Douze mètres, puis soudain dix-huit, vingt et un, vingt-six. Il faisait beaucoup plus sombre à cette profondeur : il alluma la puissante torche électrique et aperçut le fond.

Le spectacle qui s'offrait à lui était très différent de celui qu'il s'attendait à trouver. Point de vase, mais de larges bancs de sable disséminés entre des bouquets d'algues semblables à de hautes herbes d'environ deux mètres de long agités par les courants.

Il consulta son ordinateur pour voir combien de temps il lui restait, puis s'éloigna de la ligne d'ancre. Aussitôt, le rayon de sa lampe halogène lui révéla la sombre silhouette de l'avion, le nez enfoncé dans le sable, la queue haute.

Grâce à la corrosion du fuselage, on apercevait assez bien le moteur Bristol Perseus et l'hélice à trois pales. Le capot avait été repoussé en arrière, visiblement au moment où Sir Keith avait quitté l'appareil. Il y avait une échelle en métal corrodé menant à la section passagers, et, à côté, on distinguait encore les cocardes de la RAF.

Tête la première, Dillon se glissa dans le cockpit. Tout était encore intact, comme un squelette : le tableau de bord, le manche à balai. Il passa dans la section passagers. Il y avait deux sièges, dont ne demeurait que la structure tubulaire car le cuir et le tissu avaient depuis longtemps disparu.

Les valises étaient là. Curieusement, il n'en avait jamais douté. L'une était en métal, les deux autres en cuir. Lorsqu'il prit l'une de celles-ci dans la main, elle s'en alla en morceaux. Il essuya alors avec son gant le couvercle de la valise en métal, et trois mots apparurent. Les deux premiers étaient illisibles, mais en approchant la lampe du troisième il distingua clairement le nom de Campbell.

Il sortit la valise de la carlingue, la déposa sur le sable, puis retourna à l'intérieur. En fouillant dans la valise décomposée, il découvrit des lambeaux de vêtements, des objets de toilette, les restes d'une casquette d'aviateur et d'une veste portant les ailes des pilotes de la RAF au-dessus des rubans en métal. Visiblement, il s'agissait de la valise de Keith Smith. Poursuivant sa fouille au milieu des détritus, Dillon finit par trouver un étui à cigarettes en argent noirci. Un souvenir au moins à rapporter au vieil homme. Il fourra l'étui dans une des poches de son gilet gonflable, prit la seconde valise en cuir et quitta la carlingue du Lysander. Il attacha la valise en cuir à une corde et la valise en métal à l'autre.

Un dernier coup d'œil pour s'assurer que tout était bien fixé, puis il entreprit de remonter lentement à la surface.

Ferguson et Kim, qui attendaient sous une pluie battante, entendirent soudain un bruit de moteur. Ferguson saisit rapidement l'une des mitraillettes, la tendit à Kim, prit l'autre pour lui et l'arma d'un geste vif.

— N'hésite pas, dit-il à Kim. Si c'est Morgan et ce Marco, ils nous tueront sans la moindre hésitation.

— N'ayez pas peur, sahib, j'ai souvent tué, vous le savez bien.

Une voix forte se fit entendre :

— C'est vous, général ? C'est moi, Asta.

Ferguson hésita un instant, puis dit à Kim :

— Tiens-toi prêt.

Asta tenait la barre du *Katrina*, le bateau du château. Elle était vêtue d'un jean et d'un chandail, et chaussée de bottes en caoutchouc.

— Ce n'est que moi, général. Je peux me ranger le long de votre barque ?

— Que se passe-t-il donc ? dit Ferguson. Kim vous a vue partir à bord du Citation.

— Oh, non. C'était Carl et Marco. Carl m'a dit de retourner au château avec le Shogun et de l'attendre là-bas. Vous m'avez vue entrer dans le hangar, Kim ?

— Oh, oui, memsahib.

— Morgan et Marco sont montés dans l'avion. Moi je suis repartie ensuite, au volant du Shogun.

Kim se tourna vers Ferguson.

— Excusez-moi, mon général, fit-il d'un air un peu piteux, mais je suis parti aussitôt après que l'avion a décollé. Je n'ai pas vu la memsahib partir.

— Ça n'a plus d'importance, maintenant, dit Ferguson en reposant la mitraillette. Prends le filin de la memsahib et amarre son bateau le long du nôtre.

Elle coupa le moteur et s'avança le long du bastingage.

— Dillon est en bas, maintenant ? demanda-t-elle.

— Oui, il a plongé il y a environ un quart d'heure.

— Voilà qui est parfait.

Carl Morgan venait de sortir de la cabine, un Browning à la main, suivi de Marco, armé d'une mitraillette israélienne Uzi.

14

A cet instant précis, Dillon apparut à la surface et leva les yeux vers eux. Il releva son masque.

— Asta ? Que se passe-t-il ?

— Nous nous sommes fait avoir, dit Ferguson.

Dillon la regarda droit dans les yeux.

— Vous êtes de son côté, malgré ce qu'il a fait à votre mère ?

Le visage de Morgan se tordit de colère.

— C'est avec plaisir que je vous ferai payer votre ignoble mensonge. Asta m'a tout raconté. J'aimais ma femme, Dillon, plus que tout au monde. Elle m'a donné la fille que je n'avais jamais eue, et vous croyez que j'aurais pu la tuer ?

Un silence suivit ses paroles, troublé seulement par le crépitement de la pluie à la surface du loch.

— J'ai l'impression que vous allez bien ensemble, dit finalement Dillon.

Morgan passa le bras autour des épaules d'Asta.

— Elle s'est bien débrouillée en vous dévoilant mon intention d'aller me poser à Arisaig, mais en ne vous disant pas que je ne monterais pas à bord de l'avion. Je savais qu'un de vous nous surveillerait, probablement votre homme, Ferguson, alors nous avons attendu dans le hangar jusqu'à son départ. A la jumelle, je l'ai vu courir entre les arbres. Il ne nous restait plus qu'à revenir ici avec Asta, et le malheureux général s'est laissé prendre au piège. C'est curieux, non, cette façon que j'ai d'arriver toujours à mes fins ?

— Oui, dit Ferguson, je dois avouer que vous avez d'excellentes accointances. Probablement avec le diable.

— Mais oui, dit Morgan. (Il éleva la voix.) Vous êtes là, Munro ?

— On arrive.

La barque fit son apparition. Rory était aux avirons.

— Et la femme ?

— Bouclée dans la cave.

Ils se rangèrent le long de la vedette à moteur et grimpèrent à bord.

Morgan toisa Dillon :

— Et voilà où nous en sommes ! Vous avez trouvé l'avion ?

Dillon continua de le regarder sans répondre.

— Ne m'emmerdez pas, Dillon, sans ça je fais sauter la cervelle du général, et ce serait dommage parce que j'ai des projets pour lui.

— Ah, vraiment ? dit Ferguson.

— Oui, je suis sûr que ça va vous plaire. Je vais vous emmener avec moi à Palerme, et ensuite je vous vendrai à un groupe fondamentaliste iranien parmi les plus extrémistes. Je pense tirer un bon prix de vous. Ils seront certainement ravis de mettre la main sur un officier de renseignements britannique de votre rang. Et vous connaissez ces gens-là, Ferguson, ils vous arracheront la peau centimètre par centimètre. Vous allez pousser des trilles comme un petit oiseau.

— Quelle imagination débordante ! dit Ferguson.

Morgan hocha alors la tête en direction de Marco, qui lâcha une rafale de mitraillette dans l'eau, à quelques centimètres de Dillon.

— Et maintenant, Dillon, n'essayez pas de jouer

au mariole avec moi, sans ça je vous jure que la prochaine rafale coupera en deux votre patron.

— Ça va, j'ai compris.

Dillon remit son embouchoir, baissa son masque et disparut sous l'eau.

Il n'eut pas besoin de se laisser guider par la ligne de l'ancre et aboutit rapidement au fond, sur la gauche du Lysander, au-dessus d'une forêt d'algues mouvantes. Lorsqu'il alluma sa lampe, la première chose qu'il aperçut fut Fergus Munro, allongé sur le dos et entortillé de chaînes. Le visage était gonflé, les yeux grands ouverts, mais on le reconnaissait parfaitement. Dillon s'approcha et coupa avec son couteau la corde retenant la chaîne. Le corps remonta aussitôt vers la surface ; Dillon l'agrippa par la veste et le tira vers les lignes lancées du bateau.

Après avoir calé le corps sur le fond sablonneux, il alla détacher la valise en cuir et la fixa sur l'autre ligne, à côté de la valise en métal. Puis il attacha le corps de Fergus à la première ligne, par sa ceinture. Il tira un coup sec sur la ligne des valises pour signifier qu'on pouvait les remonter, puis entreprit de regagner la surface.

Kim et Ferguson halaient encore la ligne lorsque Dillon apparut. Il détacha la valise en cuir et la tendit à Kim. Elle se décomposa entre les mains du Gurkha, laissant échapper sur le pont une masse de vêtements pourris.

— On s'en fout, dit Morgan en se penchant pardessus le bastingage. Passez-nous l'autre, Dillon, l'autre.

Dillon hissa la valise en métal contre la coque, puis Kim et Ferguson se penchèrent pour la saisir.

— Si l'un de vous veut sauter à l'eau, murmura Dillon, je peux lui donner de l'air. Mais un seul. Dans une minute, Kim, je vais replonger sous l'eau, et il faut que vous tiriez l'autre ligne. C'est extrêmement important.

— Merci pour la proposition, murmura Ferguson, mais je n'ai jamais aimé la natation. Kim, peut-être...

— Dépêchez-vous ! lança Morgan.

Ils hissèrent la valise en métal à bord de la barque. Le métal était noirci et recouvert d'algues vertes.

— Ouvrez-la, ordonna Morgan.

Ferguson s'y essaya, mais les serrures étaient rouillées.

— Insistez !

Dillon tira son couteau de son étui et le tendit à Kim. Le Gurkha réussit d'abord à décoincer les serrures puis glissa la pointe le long du couvercle qui finit par céder. Il y avait des habits à l'intérieur, moisis mais encore en bon état. On apercevait au-dessus une veste d'uniforme, avec les couronnes de major sur les épaulettes.

— Dépêchez-vous ! lança Morgan, au comble de l'excitation, videz-la !

Kim renversa la valise dont le contenu se répandit au fond de la barque. Aussitôt, ils aperçurent un paquet de la taille d'un livre, enveloppé dans une toile cirée jaune.

— Ouvrez-le ! ! Ouvrez-le !

Ferguson déplia les couches superposées de toile cirée jusqu'à ce qu'apparaisse la bible, dont la couverture en argent était noircie par les années.

— J'ai l'impression que voilà enfin ce que nous cherchons, dit Ferguson.

— Allez-y, ouvrez-la pour voir si le document est toujours là.

Ferguson prit le couteau que lui tendait Kim et glissa la pointe sous la couverture. Le compartiment secret s'ouvrit avec un déclic, laissant immédiatement apparaître un papier. Ferguson le déplia, le lut, puis releva calmement les yeux.

— Oui, apparemment, c'est bien le quatrième exemplaire de l'accord de Ch'ung-king.

— Donnez-le-moi ! dit Morgan en tendant la main.

Ferguson hésita, mais Marco brandit son Uzi de façon menaçante.

— Si vous préférez, vous pouvez mourir tout de suite, dit Morgan.

— Très bien...

Ferguson lui tendit le document.

— Et maintenant, grimpez à bord. (Morgan se tourna.) Quant à vous, Dillon...

Mais Dillon avait déjà disparu sous la surface. Marco lâcha une rafale dans l'eau, et Kim se mit à tirer sur la ligne. Soudain, spectacle macabre, le corps de Fergus Munro apparut le long du bateau.

— Mon Dieu, c'est Fergus ! s'écria Hector Munro en se penchant par-dessus le bastingage.

Rory vint à ses côtés et fit de même.

— Qu'est-ce qui s'est passé, papa ?

— Demandez à votre ami Morgan, dit Ferguson. Lui et son homme de main l'ont tabassé à mort.

— Bande de salopards ! hurla Hector Munro.

Le père et le fils braquèrent leurs fusils vers Morgan, mais trop tard. Marco les faucha d'une longue rafale de mitraillette, et ils basculèrent par-dessus le bastingage.

— Fiche le camp, Kim ! hurla Ferguson.

Le Gurkha plongea tête la première et s'enfonça rapidement vers les profondeurs tandis que les balles de Marco faisaient gicler l'eau à la surface.

Les plongeurs expérimentés connaissent bien cette technique qui consiste, en cas de besoin, à se repasser l'embout du tuyau d'air.

A trois mètres cinquante de profondeur, Dillon attrapa Kim par le pied, le tira vers lui et lui passa l'embout. Le vaillant guerrier, vétéran de trente ans de campagnes, comprit aussitôt : il aspira de l'air et repassa l'embout à Dillon.

Donnant de puissants coups de palmes, Dillon se dirigea vers le rivage, tout en partageant son air avec

Kim. Au bout d'un certain temps, il leva le pouce vers le haut pour signifier qu'il allait remonter, et il revint à la surface en plein brouillard. Nulle trace des bateaux. Un instant plus tard, Kim faisait son apparition, haletant.

— Que s'est-il passé après mon plongeon ?
— Quand le corps est apparu à la surface, les Munro sont devenus fous. Marco les a descendus tous les deux avec son Uzi.
— Et le général ?
— Il m'a dit de sauter, sahib.
Dillon entendit alors le moteur du bateau lancé à pleine vitesse, mais qui ne semblait pas se diriger vers le château.
— Mais où vont-ils donc ?
— Peut-être se dirigent-ils vers la vieille jetée en béton que la RAF utilisait derrière l'aérodrome, sahib.
Au même moment, ils entendirent le rugissement des moteurs du Citation de Morgan, qui faisait son approche.
— On ne doit pas être très loin de cette jetée, nota Dillon. Il vaut mieux s'éloigner.
Et ils se dirigèrent vers le rivage.

Ils l'atteignirent dix minutes plus tard. Dillon se débarrassa de son équipement mais, toujours vêtu de sa combinaison, il se précipita vers la maison, Kim sur ses talons. L'Irlandais ouvrit la porte à toute volée, se rua dans le bureau et prit un Browning dans le tiroir de la table. Kim pénétra à son tour dans la pièce.
— Sahib ?
— Je fonce à l'aérodrome. Vous, délivrez la memsahib et racontez-lui ce qui s'est passé.
Une fois dehors, Dillon coupa à travers la prairie. Inutile de prendre la Ranger Rover : il arriverait plus

vite en courant, d'autant que ses chaussettes de plongée en caoutchouc lui protégeaient les pieds. Il prit à travers le bois : le pilote n'avait pas coupé les moteurs du Citation. En débouchant à la lisière des arbres, il aperçut l'avion qui roulait sur la piste. Au même moment, Morgan, Asta, et Marco, qui braquait son Uzi dans les reins de Ferguson, apparurent au coin du hangar se dirigeant vers le Citation. Dillon s'immobilisa et les regarda embarquer, sans pouvoir rien faire. Un instant plus tard, l'appareil prenait de la vitesse et s'élevait dans le ciel.

Lorsqu'il arriva à Ardmurchan Lodge, Hannah se précipita vers lui :

— Que s'est-il passé ? J'ai entendu l'avion décoller.

— Exactement. Morgan avait tout organisé. Il n'est même pas retourné au château. Il n'a pas perdu une minute. Je les ai vus monter à bord avec le général. Ils ont décollé aussitôt.

— J'ai téléphoné au quartier général et je leur ai demandé de vérifier le plan de vol qu'ils y ont déposé.

— Bon. Rappelez-les pour leur dire d'envoyer Lacey, comme hier.

— C'est déjà fait.

— Rien de tel que l'expérience de Scotland Yard ! Je vais aller me changer.

Il revint vêtu d'un jean noir et d'un polo blanc sur lequel il avait enfilé son vieux blouson en cuir noir. Hannah était assise au bureau de Ferguson, dans le salon, le téléphone collé à l'oreille. Kim fit son entrée avec une cafetière et deux tasses.

Elle reposa le combiné.

— Ils se dirigent vers Oslo.

— C'est logique. Morgan veut quitter le plus rapidement possible l'espace aérien britannique. Et ensuite ?

— Ils refont le plein, et direction Palerme.

— Il avait bien dit qu'il allait là-bas. Il apporte l'accord de Ch'ung-king à Luca.
— Et le général ? demanda Hannah.
— Kim ne vous l'a pas dit ? Il compte le vendre à un groupe fondamentaliste musulman en Iran.
— On ne peut pas l'intercepter à Oslo ?
Dillon consulta sa montre.
— A l'heure qu'il est, il doit déjà être sur le point d'atterrir. Vous vous rendez compte du temps qu'il faudra pour joindre le gouvernement norvégien par le biais des Affaires étrangères ? Il sera déjà reparti !
— Il nous reste le gouvernement italien, à Palerme.
Dillon alluma une cigarette.
— Ça, c'est la meilleure plaisanterie que j'aie entendue depuis longtemps. On va se trouver face à Giovanni Luca, l'homme le plus puissant de Sicile. Il a déjà fait assassiner des juges.
La pâleur sur le visage d'Hannah trahissait son bouleversement.
— On ne peut quand même pas laisser s'enfuir Morgan et cette sale petite garce, cette hypocrite.
— Oui, elle était habile, hein ? (Il sourit d'un air piteux.) Elle m'a bien eu.
— Oh, allez vous faire voir avec votre orgueil de mâle ! Moi, c'est au général que je pense.
— Moi aussi, ma chère. Alors téléphonez au quartier général et dites-leur que vous voulez entrer en contact avec le commandant Paolo Gagini, des services secrets, qui est en poste à Palerme. Je suis sûr que ça l'intéressera. Après tout, c'est lui qui a transmis à Ferguson les informations concernant l'accord de Ch'ung-king. Et d'après le dossier que vous m'avez montré, il connaît bien Luca. On verra ce que ça peut donner.
— D'accord, bonne idée.
Tandis qu'elle décrochait le téléphone, Dillon gagna la terrasse et alluma une cigarette.
Il entendait la voix d'Hannah sans bien distinguer

ses propos, mais de toute façon son esprit était ailleurs. Il songeait au sort qui attendait Ferguson en Iran. Curieusement, il avait fallu que se produisent de tels événements pour qu'il prenne la mesure de son affection pour le général. Il songeait aussi à Morgan avec une manière de rage froide et meurtrière ; quant à Asta...

Hannah apparut dans l'encadrement de la porte-fenêtre.

— J'ai Gagini au téléphone, à Palerme. Je lui ai raconté ce qui se passait, et il veut vous parler.

Dillon prit le combiné.

— J'ai entendu dire beaucoup de bien de vous, Gagini, dit-il en italien. A votre avis, que peut-on faire ?

— Moi aussi j'ai entendu parler de vous, Dillon. Ecoutez, vous connaissez la situation ici. La Mafia est partout. Il me faudrait beaucoup de temps pour obtenir un mandat d'arrêt.

— Et la douane et l'immigration, à l'aéroport ?

— La moitié est liée à la Mafia, comme la police. Si je tente la moindre chose au niveau officiel, Luca sera au courant dans le quart d'heure qui suit.

— Vous devez quand même pouvoir faire quelque chose.

— Je vais essayer. Je vous rappelle dans une heure.

Dillon raccrocha et se tourna vers Hannah :

— Il rappelle dans une heure. Il va voir ce qu'il peut faire.

— C'est absurde. Il n'y a qu'à faire encercler l'avion par la police dès qu'il se sera posé.

— Etes-vous déjà allée en Sicile ?

— Non.

— Moi, si. C'est un autre monde. Dès que Gagini aura demandé officiellement à la police d'arrêter les passagers de l'avion, quelqu'un téléphonera à Luca pour le prévenir.

— Quelqu'un de la police ?

— Bien sûr. Les tentacules de la Mafia s'insinuent partout. Ce n'est pas Scotland Yard, Hannah. Si Luca craint un problème à l'arrivée, il préviendra Morgan par radio et lui dira d'aller ailleurs, peut-être même directement à Téhéran, ce qui serait une catastrophe.

— Que fait-on, alors ?

— On attend le coup de téléphone de Gagini.

Et il retourna sur la terrasse.

Une heure plus tard, au téléphone, Gagini semblait très excité.

— Le Citation ne va pas atterrir à Palerme.

— Ils doivent bien avoir un plan de vol, même pour la Sicile.

— Bien sûr. Ecoutez : Carl Morgan possède une vieille ferme à l'intérieur des terres, dans un coin nommé Valdini. Il n'y va pas souvent. Elle est habitée seulement par un gardien et sa femme. C'est une vieille propriété de famille.

Dillon jeta un coup d'œil à Hannah qui écoutait sur un autre poste.

— L'année dernière, reprit Gagini, Morgan a fait aménager une piste d'atterrissage près de cette ferme, probablement pour des livraisons de drogue. C'est une prairie d'environ 1,5 km de long, de sorte que le Citation pourrait parfaitement y atterrir.

— A votre avis, c'est là qu'il compte se poser ?

— D'après le plan de vol, oui.

— Et la douane et l'immigration ? lança Hannah.

— Luca s'en est chargé, inspecteur.

— On peut y accéder ? demanda Dillon.

— J'en doute. C'est une région tenue par la Mafia. Vous ne pourriez pas traverser le moindre village sans être repéré, tous les bergers sur les collines servent de sentinelles. Si la police lançait une expédition en force, elle serait vouée à l'échec.

— Je vois, dit Dillon.

Un rugissement dans le ciel : le Lear venu de Gatwick s'apprêtait à atterrir.

— Que voulez-vous que je fasse, Dillon ?

— Laissez-moi réfléchir. Notre avion vient d'arriver. Je vais vous rappeler. La seule chose certaine, c'est que nous venons à Palerme.

Hannah et Dillon raccrochèrent leur combiné en même temps.

— Ça ne se présente pas très bien, dit-elle.

— On verra. Et maintenant, partons d'ici.

Lacey descendit du cockpit, courbé en deux.

— Il faut compter une heure jusqu'à Gatwick. On refait le plein et on gagne directement Palerme.

— Parfait. Désormais, il n'y a plus une seconde à perdre, capitaine.

Kim s'allongea sur l'un des sièges, à l'arrière, et ferma les yeux. Hannah lança un coup d'œil vers le Gurkha.

— Et lui ?

— On le lâchera à Gatwick. Il ne me sera pas utile là où je vais.

— C'est-à-dire ?

— A Valdini, bien sûr.

— Mais Gagini vient de nous dire que c'était impossible.

— Rien n'est impossible, dans la vie, Hannah. Il y a toujours un moyen de s'en sortir.

Il trouva une demi-bouteille de scotch dans la caissette à alcools et s'en versa une rasade dans un verre en plastique.

Vingt minutes avant leur arrivée à Gatwick, Lacey transmit à Dillon un appel téléphonique. C'était Gagini.

— Une information intéressante. Un de mes agents qui travaille dans un garage près de chez Luca m'a dit que son chauffeur est venu faire le plein. Il a raconté au patron qu'ils allaient partir pour Valdini.

— Le puzzle se met en place.

— Alors, mon ami, il vous est venu une idée ?

— Oui, je me suis rappelé une histoire que Ferguson m'avait racontée. Il avait besoin de lâcher un de ses amis, nommé Egan, dans un endroit semblable, en Sicile. C'était il y a une dizaine d'années.

— Oui, je m'en souviens très bien. Le gars a été largué en parachute.

— C'est vrai.

— Mais il était entraîné. Il a sauté de deux cent cinquante mètres seulement.

— Oui, je sais, mais je peux le faire aussi. J'ai déjà sauté en parachute. Je connais mon affaire, croyez-moi. Pouvez-vous me préparer un avion, un parachute, des armes et tout ça ?

— Ça ne devrait pas poser de problème.

— Alors on se retrouve à l'aéroport, fit Dillon avant de raccrocher.

— Que vous êtes-vous dit ? demanda Hannah.

Mais au même moment, le signal d'atterrissage s'alluma et ils entamèrent leur descente vers Gatwick.

— Je vous raconterai ça tout à l'heure. Maintenant, soyez gentille et bouclez votre ceinture.

Ils ne restèrent qu'une heure à l'aéroport de Gatwick. Hannah conduisit Kim dans le petit bureau utilisé par l'Unité spéciale de transport aérien et appela un taxi.

— J'aimerais bien venir avec vous, memsahib.

— Non, Kim, il vaut mieux que vous rentriez à Cavendish Square et que vous prépariez la maison pour le retour du général.

— Il va revenir, memsahib, vous le jurez, n'est-ce pas ?

Elle prit une profonde inspiration, et décida de lui mentir.

— Il va revenir, Kim, je vous le promets.

Un sourire éclaira son visage.

— Dieu vous bénisse, memsahib.

Et il monta dans le taxi.

Dans la salle d'attente, elle trouva Dillon occupé à introduire des pièces dans une machine à sandwiches.

— C'est de la bouffe en plastique, mais qu'est-ce que vous voulez qu'on y fasse ? Moi, je meurs de faim. Vous en voulez un ?

— Oui, je veux bien. N'importe lequel.

— Puisque vous ne mangez pas de jambon, je vous conseille le sandwich à la tomate avec un œuf dur. Il y a du thé et du café à bord. Allez, venez.

Le camion de carburant s'éloignait du Lear au moment où ils s'approchaient. Lacey les attendait sur la piste, mais le copilote était déjà monté à bord.

— On part quand vous voulez, dit Lacey.

— Alors allons-y.

Et il grimpa dans l'avion à la suite d'Hannah.

Ils prirent place dans leur siège et, quelques instants plus tard, le Lear roulait sur la piste.

Lorsqu'ils eurent atteint l'altitude de neuf mille mètres, Dillon prépara du thé dans les gobelets en plastique, et se mit à mâcher ses sandwiches sans dire un mot.

— Vous ne deviez pas me dire ce que vous comptez faire ? dit Hannah au bout d'un moment.

— Il y avait un type nommé Egan, un ancien du SAS, qui travaillait pour Ferguson, il y a quelques années. Lui aussi devait se rendre quelque part rapidement, et c'était également en Sicile.

— Et comment a-t-il fait ?

— Il a été parachuté d'un petit avion d'une hauteur de deux cent cinquante mètres. De cette hauteur, on touche le sol en trente secondes.

L'horreur se peignit sur le visage de Hannah.

— Vous êtes fou !

— Pas du tout. Ils entendront simplement un petit avion passer au-dessus de leurs têtes, un peu bas, peut-être, mais ils ne s'attendront pas à ça, et puis il fera noir.

— Et le commandant Gagini est d'accord ?

— Oh oui, il a préparé un petit avion, l'équipement nécessaire, les armes, tout. La seule chose que j'aie à faire, c'est sauter. Vous pourrez atterrir par la suite à bord du Lear, disons... une demi-heure plus tard.

Il but une gorgée de thé, tandis qu'Hannah le considérait d'un air étrange.

— Quand vous parliez avec Gagini, je vous ai entendu lui affirmer que vous aviez déjà sauté en parachute. Je me demandais ce que vous vouliez dire. Maintenant, j'ai compris.

— Eh oui !

— Sauf qu'à mon avis, vous lui avez menti. Je suis persuadée que vous n'avez jamais sauté en parachute de toute votre vie, Dillon.

Il lui adressa son plus beau sourire et alluma une cigarette.

— C'est vrai, mais il y a un début à tout, et vous serez bien gentille de ne pas en parler à Gagini. Je ne voudrais pas qu'il change d'avis.

— C'est de la folie, Dillon. Il peut vous arriver n'importe quoi. Vous pourriez vous rompre le cou, merde !

— Voudriez-vous surveiller votre langage ? (Il secoua la tête.) Vous connaissez la situation. Vous voyez un autre moyen ?

Elle demeura silencieuse un moment, puis laissa échapper un soupir.

— En y réfléchissant, c'est vrai qu'il n'y a pas d'autre solution.

— C'est très simple, mon cher amour, oublions l'accord de Ch'ung-king et occupons-nous de Ferguson. Ne le lui dites jamais, mais en fait je l'aime bien, ce vieux con, et je ne me vois pas rester les bras croisés alors qu'on va l'expédier en enfer.

Il se pencha vers elle, posa les mains sur celles d'Hannah et lui adressa un sourire plein de charme et de tendresse.

— Je vous sers une autre tasse de thé ?

Ils arrivèrent en vue de Palerme, du côté du port, alors que le soleil disparaissait rapidement dans la mer et que déjà scintillaient les lumières de la ville. Quelques cumulus faisaient tache dans un ciel où brillait une demi-lune. Ils atterrirent à Punta Raisi quelques minutes plus tard, et Lacey, obéissant aux ordres de la tour de contrôle, roula jusqu'à une zone éloignée, à l'extrémité de l'aéroport, où étaient garés un grand nombre d'avions privés.

Le camion qui leur avait montré le chemin s'éloigna et Lacey coupa les moteurs. Un homme de petite taille, vêtu d'un vieux blouson d'aviateur et coiffé d'une casquette, se tenait devant le hangar. Lorsque Hannah et Dillon descendirent de l'avion, il vint à leur rencontre.

— Inspecteur principal Bernstein ? Paolo Gagini. (Il lui tendit la main.) Monsieur Dillon, enchanté de faire votre connaissance. Venez, c'est par ici. Nous pensons que Morgan a atterri à Valdini il y a deux heures. Son Citation s'est posé ici il y a quelques instants. Ils sont en train de refaire le plein, mais il reste là ce soir. J'ai vu les pilotes quitter l'aéroport.

Dillon se tourna vers le capitaine Lacey et le copilote qui descendaient l'échelle.

— Suivez-nous.

Dans le hangar, Gagini les conduisit à un grand bureau aux cloisons de verre.

— Et voilà, mon ami, j'espère que ça vous suffira.

Il y avait un parachute, un pistolet-mitrailleur Celeste équipé d'un silencieux, un pistolet Beretta dans un étui d'épaule, un Walther, un gilet pare-balles de couleur bleu foncé, et une paire de jumelles à infrarouge pour la vision nocturne.

— Il ne manque plus que l'évier de la cuisine, dit Lacey. Vous partez à la guerre, monsieur Dillon ?

— Pour ainsi dire.

— Il y a une tenue de camouflage, là-bas, dit Gagini, et des bottes de saut de l'armée. J'espère que c'est la bonne taille.

— Bon, je vais aller me changer. Si vous voulez bien me dire où sont les toilettes... (Il se tourna vers Hannah :) Pendant ce temps, mettez au courant le capitaine Lacey et son ami.

Et il suivit Gagini.

Au même moment, à Valdini, la Mercedes de Luca franchissait le portail, remontait l'allée de gravier et s'immobilisait au bas des marches menant à l'entrée principale. Tandis que le chauffeur aidait Luca à sortir de la voiture, Morgan descendait rapidement l'escalier.

— Don Giovanni !

Ils se serrèrent dans les bras l'un de l'autre.

— Finalement, Carlo, dit le vieil homme, tu as réussi à l'avoir, malgré tout ? Je suis fier de toi. J'ai hâte de le voir.

— Venez, mon oncle, entrez. (Morgan se tourna vers le chauffeur.) Vous, restez ici. Je vous ferai apporter quelque chose de la cuisine.

Il aida Luca à grimper les marches et le conduisit à l'intérieur de la maison. Asta sortit alors du salon et serra Luca dans ses bras. Le vieil homme l'embrassa sur les deux joues.

— Carl a réussi, Don Giovanni, n'est-ce pas qu'il est malin ?

— Ne l'écoutez pas, dit Morgan. Cette fois-ci, elle a joué un rôle primordial, croyez-moi.

— Bon, il faudra que tu me racontes.

Morgan conduisit alors le vieil homme dans le salon où Ferguson était assis près du feu, sous la surveillance de Marco, mitraillette Uzi en main.

— Voici donc le redoutable général Ferguson, dit Luca, appuyé sur sa canne. C'est un grand plaisir de faire votre connaissance.

— Pour vous peut-être, mais pas pour moi.

— Oui, c'est compréhensible. (Luca s'installa dans un grand fauteuil face à Ferguson et tendit la main :) Où est-il, Carlo ?

Morgan tira le document de la poche intérieure de sa veste, le déplia et le lui tendit.

— Voilà l'accord de Ch'ung-king, oncle Giovanni.

Luca le lut lentement, puis releva la tête et éclata de rire.

— C'est incroyable, non ? (Il regarda Ferguson.) Songez à tout ce que je vais pouvoir faire avec ça, général.

— Je préfère ne pas y penser, répondit Ferguson.

— Allez, général... (Luca plia le document et le mit dans la poche de sa veste.) Ne jouez pas les rabat-joie. Nous avons gagné et vous avez perdu. Je sais que votre avenir est des plus incertains, mais nous pouvons nous conduire comme des gens civilisés. (Il adressa un sourire à Morgan.) Fais-nous amener un bon dîner et une bonne bouteille de vin, Carlo. Je suis sûr qu'il y a moyen de dérider le général.

Dillon revint vêtu de sa tenue de camouflage, chaussé de ses bottes de saut, et enfila le gilet pare-balles. Il vérifia le Walther et le glissa dans sa ceinture, dans son dos, puis examina le Celeste. Pendant ce temps-là, Gagini montrait aux deux pilotes et à Hannah des photos largement agrandies.

— Qu'est-ce que c'est ? demanda Dillon.

— Des photos aériennes de la ferme de Valdini. Je les ai prises dans les dossiers de la brigade des stupéfiants.

— Vous pensez que vous aurez des difficultés à vous poser là-bas ? demanda Dillon à Lacey.

— Pas vraiment. Cette bande à travers la prairie est très longue, et la demi-lune nous aidera.

— Bon. (Dillon se tourna vers Gagini.) Et l'avion ?

— Un Navajo Chieftain nous attend dehors, prêt à partir.

— Avec un bon pilote ?

— Le meilleur, affirma Gagini. Moi. Je ne vous avais pas dit, Dillon, qu'avant de passer au renseignement j'étais pilote dans l'armée de l'air ?

— C'est parfait. Combien de temps, pour arriver là-bas ?

— Le Navajo est rapide : pas plus d'un quart d'heure.

— Bon, dit Dillon en hochant la tête. J'aurai besoin d'une demi-heure sur le terrain.

Gagini acquiesça.

— Compris. Je reviens directement ici et je monte à bord du Lear avec les autres. Nous devrions nous poser à Valdini dans les temps. Bon... je vais aller faire tourner les moteurs.

Dillon se tourna vers Lacey :

— Je vous laisse ce Beretta dans son étui d'épaule. Au cas où. (Il prit le parachute.) Et maintenant, montrez-moi comment ça fonctionne, ce truc-là.

Lacey eut l'air sidéré.

— Comment, vous ne savez pas ?

— Ce n'est pas le moment de discuter, capitaine, montrez-moi comment l'enfiler et ensuite comment on fait pour l'ouvrir.

Lacey l'aida à boucler les sangles.

— Vous êtes sûr de vouloir sauter ?

— Montrez-moi comment fonctionne l'ouverture.

— L'anneau est là. Et ne perdez pas de temps. A deux cent cinquante mètres, on ne peut pas se le permettre. Dès que vous avez sauté, tirez sur cet anneau.

— Puisque vous le dites...

Dillon passa le pistolet-mitrailleur Celeste en bandoulière, s'accrocha autour du cou les jumelles de vision nocturne, puis se tourna vers Hannah :

— Alors, vous m'embrassez, avant mon départ ?

— Fichez le camp d'ici, Dillon.

— A vos ordres, m'dame.

Il la salua comme à l'exercice, pivota sur ses talons et gagna la piste où le Navajo l'attendait, moteurs en marche. Dillon grimpa l'échelle et se retourna une dernière fois, puis le Navajo se mit à rouler.

15

Pas un nuage ne venait obscurcir le ciel de la nuit, piqueté de myriades d'étoiles, tandis que la demi-lune éclairait parfaitement la campagne au-dessous. Ils volaient à six cents mètres d'altitude, le long d'une vallée profonde, au fond de laquelle on apercevait le ruban blanc d'une route.

Tout se passa très vite. Gagini grimpa à sept cent cinquante mètres pour franchir un éperon rocheux à l'extrémité de la vallée, et ils débouchèrent au-dessus d'un plateau. Gagini se mit à redescendre.

Cinq minutes plus tard, ils volaient à deux cent cinquante mètres, et Gagini cria par-dessus son épaule :

— Jetez la porte Airstair. Ça va être tout de suite, maintenant, et je ne veux pas faire de deuxième passage. Ça risquerait de les alerter. Sautez quand je vous le dirai, et bonne chance.

Dillon gagna la porte, gêné par son parachute. Il tourna la poignée, la porte tomba dans le vide et les marches se déplièrent. L'air s'engouffra en rugissant dans la carlingue et il dut s'accrocher au montant. Il regarda en bas et aperçut la ferme, tout à fait semblable à ce qu'elle était sur la photo.

— Maintenant ! s'écria Gagini.

Dillon descendit les deux marches en se tenant à la

rampe puis se laissa basculer en avant. Pris dans le sillage de l'avion, il se mit à tourbillonner et tira aussitôt sur l'anneau. Levant alors les yeux, il aperçut l'appareil qui prenait rapidement de l'altitude, tandis que le bruit des moteurs s'estompait déjà.

Dans la salle à manger, ils venaient de terminer le hors-d'œuvre, et Marco débarrassait les assiettes, lorsqu'ils entendirent l'avion.

— Bon Dieu, qu'est-ce c'est que ça ? s'écria Morgan.

Il se précipita sur la terrasse, Marco sur ses talons. Le bruit de l'avion disparaissait sur la droite. Un instant plus tard, Asta les rejoignait.

— Il y a quelque chose qui t'inquiète ?

— Oui, cet avion. Il volait si bas que, pendant un moment, j'ai cru qu'il allait se poser.

— Dillon ? (Elle secoua la tête.) Même lui ne serait pas assez fou pour tenter une chose pareille.

— Non, bien sûr que non, dit-il en souriant. (Ils rentrèrent.) Ce n'était qu'un avion qui passait, dit-il à Luca. (Il se tourna vers le général :) Pas de commando venu vous sauver au dernier moment.

— Quel dommage !

— Eh oui ! Bon, nous allons pouvoir terminer notre dîner. Vous m'excuserez, je reviens dans un instant.

Il adressa un signe de tête à Marco, et les deux hommes se retrouvèrent dans le couloir.

— Qu'y a-t-il ? demanda Marco.

— Je ne sais pas. Cet avion n'a pas cherché à se poser, mais il est tout de même passé bien bas.

— Pour observer ce qui se passait ici ? suggéra Marco.

— Exactement. De façon à renseigner un groupe qui arriverait par la route ?

Marco secoua la tête.

— Personne ne pourrait approcher à moins de

trente-cinq kilomètres d'ici sans que nous en soyons informés, croyez-moi.

— Oui, je suis peut-être un peu trop méfiant, mais qui avons-nous pour faire le guet ?

— Il y a le gardien, Guido. Je l'ai placé au portail. Et puis les deux bergers, les Tognoli, Franco et Vito. Tous les deux ont déjà tué pour la Société, ils sont sûrs.

— Dis-leur de surveiller le jardin, et toi, ouvre l'œil. Je veux être tranquille. (En riant, il posa la main sur l'épaule de Marco.) C'est mon côté sicilien.

Il s'en retourna à la salle à manger, tandis que Marco se rendait à la cuisine. Il y trouva Rosa, la femme du gardien, occupée à ses fourneaux, et les frères Tognoli, attablés devant un ragoût.

— Vous terminerez ça plus tard, dit-il. Vous allez surveiller le jardin. M. Morgan est inquiet, à cause de cet avion qui est passé si bas.

— A vos ordres, dit Franco Tognoli en s'essuyant la bouche d'un revers de main.

Et sur le dossier de sa chaise, il prit son Lupara, le fusil à canon scié, arme traditionnelle de la Mafia depuis des temps immémoriaux.

— Viens, dit-il à son frère, il y a du travail.

Ils sortirent.

Marco prit un verre de vin qui était posé là.

— Il faudra faire vous-même le service à table, Rosa.

Il vida son verre d'un trait, prit un Beretta dans son holster, l'arma et quitta la pièce.

Le silence était extraordinaire. En dessous de lui, un monde étrange en noir et blanc, baigné par la clarté de la lune. Il avait l'impression de se retrouver dans ces rêves où l'on vole et où le temps s'est arrêté. Et puis, soudain, le sol se rua à sa rencontre. Il toucha terre brutalement et roula dans l'herbe de la prairie.

Il demeura étendu un instant pour reprendre sa respiration, puis ouvrit un mousqueton et se débarrassa de son harnais de parachute. La ferme se trouvait à deux cents mètres de là, sur la gauche, après une oliveraie légèrement en pente. Il courut se mettre à couvert sous les oliviers et ne se retrouva plus qu'à soixante-quinze mètres environ du mur blanc, en ruine, qui entourait la ferme.

Il braqua ses jumelles à infrarouge sur le portail et aperçut Guido, le gardien, vêtu d'une veste de chasse, coiffé d'une casquette, un fusil à l'épaule. Mais ce qui l'inquiétait plus, c'était la grosse cloche accrochée au-dessus du portail. Il suffisait de tirer un coup sur la corde de cette cloche, et ce serait le branle-bas de combat dans toute la maison.

Sur sa droite, il avisa alors une sorte de fossé d'une soixantaine de centimètres de profondeur, qui menait jusqu'au mur. Il y rampa avec précaution et finit par atteindre le mur. L'herbe était haute à cet endroit et le dissimulait en partie. Il décrocha son pistolet-mitrailleur Celeste et longea silencieusement le mur. Une vingtaine de mètres plus loin, l'herbe disparut.

Guido fumait une cigarette, le dos tourné à Dillon, et regardait les étoiles. Dillon s'avança alors rapidement, à découvert. Il n'était plus qu'à une dizaine de mètres de lui lorsque Guido se retourna, sidéré. Il voulut tirer la corde de la cloche, mais Dillon l'abattit d'une courte rafale de sa mitraillette équipée d'un silencieux.

Il n'y avait plus de temps à perdre. Dillon tira le corps de Guido à l'abri du mur et franchit le portail. Quittant aussitôt l'allée, il se mit à couvert dans le jardin à la végétation semi-tropicale. A travers les oliviers, il observa la maison. Soudain, il se mit à pleuvoir ; ces brusques averses étaient chose courante dans la région à cette époque de l'année. Il s'accroupit dans l'herbe haute, observant la terrasse et les fenêtres ouvertes par lesquelles on entendait des voix.

Marco, qui s'avançait dans l'allée, poussa un juron lorsque l'averse se déclara et releva le col de sa veste. Arrivant au portail, il s'aperçut aussitôt que Guido n'était pas là. Il tira le Beretta de son holster, sortit du jardin et découvrit le corps au pied du mur. Il se précipita alors vers la cloche qu'il fit sonner furieusement pendant quelques instants, puis retourna à l'intérieur de la propriété.

— Il y a quelqu'un, faites attention ! lança-t-il d'une voix forte.

Puis, courbé en deux, il s'avança dans les buissons.

Dans la salle à manger, ce fut un beau tumulte.

— Que se passe-t-il ? demanda Luca.

— Si la cloche a sonné, dit Morgan, c'est qu'il se passe quelque chose.

— Tiens, tiens, qui l'aurait cru ? dit Ferguson.

— Fermez-la ! lança Morgan.

Il ouvrit le tiroir d'un bureau où se trouvaient plusieurs pistolets et revolvers. Il choisit un Browning et tendit un Walther à Asta.

— Au cas où.

Au même moment, on entendit dehors la détonation d'un fusil de chasse.

Vito Tognoli, pris de panique, avait fait l'erreur d'appeler son frère :

— Franco, où es-tu ? Que se passe-t-il ?

Dillon tira une longue rafale en direction de la voix.

Un cri étranglé, et Vito s'abattit dans les buissons.

Accroupi sous la pluie, Dillon attendit. Quelques instants plus tard, il entendit un bruissement de feuilles et Franco qui disait à voix basse :

— Hé, Vito, je suis là.

Une seconde plus tard, il émergeait des buissons et

s'immobilisait sous un olivier. Dillon le cloua au tronc de l'arbre d'une rafale de Celeste. En tombant, Franco déchargea son arme. Dillon s'avança pour s'assurer qu'il était bien mort, mais au même moment il entendit derrière lui le déclic d'un pistolet qu'on arme.

— Je t'ai eu, espèce de salopard, dit Marco. Pose ton arme par terre et tourne-toi.

Dillon obéit et se retourna calmement.

— Ah, c'est toi, mon vieux Marco. Je me demandais où tu te cachais.

— Dieu sait comment tu es arrivé là, mais ça n'a plus aucune importance, maintenant. Ce qui importe, c'est que tu es là, et que je vais avoir le plaisir de te tuer moi-même.

Il ramassa d'une main le fusil de Franco, rangea le Beretta dans son étui, puis s'écria d'une voix forte :

— C'est Dillon, monsieur Morgan, il est ici, je l'ai eu.

— Ah, oui ? dit Dillon.

— Ça, c'est le Lupara que la Mafia utilise toujours pour les exécutions rituelles.

— Oui, j'ai entendu dire ça. Le seul problème, mon vieux, c'est qu'il n'y a que deux cartouches, et que Franco les a tirées en tombant.

Il fallut une seconde à Marco pour se rendre compte que Dillon disait vrai. Il jeta le fusil et glissa la main sous sa veste pour prendre son Beretta.

— Adieu, mon vieux.

Dillon tira de sa ceinture, derrière son dos, son Walther équipé d'un silencieux et lui tira deux balles dans le cœur.

Il le contempla un bref instant, puis replaça son Walther dans sa ceinture et ramassa son Celeste. Il s'avança vers la maison et tira une longue rafale sur le mur, à côté de la fenêtre.

— C'est Dillon ! s'écria-t-il. Je suis là, Morgan.

Morgan était debout dans le salon, entouré de Luca et d'Asta, qui tenait un Walther à la main.

— Dillon ? Vous m'entendez ?

— Oui.

Morgan fit le tour de la table et prit Ferguson par le collet.

— Debout, dit-il. Ou je vous tue.

Il poussa le général vers les fenêtres ouvertes et la terrasse.

— Ecoutez-moi, Dillon. J'ai votre patron. Si vous ne faites pas exactement ce que je vous dis, je fais gicler sa cervelle dans toute la pièce. Après tout, c'est lui que vous êtes venu chercher.

Il y eut un long silence, ponctué seulement par le bruit de la pluie, et puis, chose incroyable, Dillon apparut, son pistolet-mitrailleur à la main, et se mit à gravir les marches menant à la terrasse. Arrivé en haut, il s'immobilisa, sous la pluie battante :

— Et maintenant ?

Morgan, le canon de son Browning posé sur la tempe de Ferguson, tira ce dernier en arrière jusqu'à la table. Luca y était toujours assis et Asta se tenait debout, le Walther à la main.

Dillon s'avança dans la pièce. Avec sa tenue de camouflage et ses cheveux plaqués sur le crâne il avait une allure particulièrement terrifiante. Il prononça quelques mots en irlandais, puis un sourire éclaira son visage.

— Ça veut dire : « Que Dieu vous bénisse. »

— Pas un geste en trop ! lança Morgan.

— Pourquoi ferais-je une chose pareille ?

Dillon s'avança vers l'extrémité de la table et se tourna vers Asta :

— C'est un pistolet que vous avez à la main ? J'espère que vous savez vous en servir.

— Oui, je sais m'en servir.

Dans son visage très pâle, ses yeux formaient comme deux trous noirs.
— Alors passez de l'autre côté. (Elle hésita.) Passez de l'autre côté, Asta, répéta-t-il d'une voix dure.
Elle recula.
— Ne t'inquiète pas, dit Morgan. S'il tire avec l'arme qu'il a dans la main, il nous tuera tous, y compris le général, n'est-ce pas, Dillon ?
— C'est vrai, reconnut Dillon. J'imagine que le monsieur trop gros est votre oncle, Giovanni Luca. Je le tuerais aussi. Ce serait une grosse perte pour l'Honorable Société.
— Il y a un temps pour tout, Dillon, dit le vieil homme. Je n'ai pas peur.
Dillon hocha la tête.
— Ce sont des paroles respectables, mais vous vivez dans le passé, *capo*, vous avez trop longtemps régné sur la vie et sur la mort.
— Tout a une fin, monsieur Dillon, dit Luca avec une lueur étrange dans le regard.
— Bon, ça suffit ! lança Morgan. Posez ce pistolet-mitrailleur sur la table, Dillon, sinon je fais gicler la cervelle du général sur les couverts, je vous le jure !
Dillon ne bougea pas, le Celeste toujours bien en main.
— Je n'aime pas les gros mots, dit alors Ferguson, mais vous avez la permission de descendre toute cette bande de salopards.
Dillon lui adressa son sourire le plus charmeur.
— Je suis venu vous chercher, général, et je n'ai pas l'intention de vous ramener dans un cercueil.
Il posa alors le Celeste sur la table et le repoussa d'un coup sec. Il s'arrêta devant Luca.
Le soulagement se peignit sur les traits de Morgan, et il lâcha Ferguson.
— Parfait, Dillon. Je dois avouer que vous êtes un homme remarquable.
— Je vous en prie, pas de flatteries.
— Et Marco ?

— Il n'était que poussière et il est retourné à la poussière, ainsi que les deux messieurs en casquette que j'ai rencontrés dans le jardin. (Dillon sourit.) Oh, et j'allais oublier celui qui gardait le portail. Ça fait quatre, Morgan. Je suis presque aussi bon que le tailleur du conte de Grimm. Il en a tué six d'un coup, mais c'étaient des mouches.

— Vous êtes une ordure, dit Morgan. Je vous tuerai avec grand plaisir.

Dillon se tourna vers Asta :

— Alors, que dites-vous de tout ça ? C'est drôle, non ? C'est tout à fait dans vos cordes !

— Vous pouvez raconter tout ce que vous voulez, Dillon, vous êtes fini.

— Pas encore, Asta, j'ai encore un certain nombre de choses à dire. (Il se tourna vers Morgan en souriant.) C'est vraiment une fille étrange. On la croit sortie des pages de *Vogue*, mais elle a un côté sombre, caché. Elle aime la violence. Elle prend son pied avec ça.

— Fermez-la ! gronda Asta.

— Et pourquoi la fermerais-je, chère enfant, surtout s'il est sur le point de me descendre ? Rien que quelques mots. C'est le privilège du condamné.

— Vous creusez vous-même votre tombe, dit Morgan.

— Bah, c'est notre lot à tous, c'est la seule chose dont nous soyons sûrs ; l'unique différence, c'est la façon d'y descendre. Prenez votre femme, par exemple, c'est une histoire étrange.

Le Browning sembla soudain plus lourd dans la main de Morgan. Il le reposa contre sa cuisse.

— Qu'est-ce que vous racontez, Dillon ?

— Elle est morte en faisant de la plongée sous-marine au large d'Hydra, dans la mer Egée, n'est-ce pas ? C'était un regrettable accident.

— En effet.

— Ferguson a reçu une copie du rapport de la

police d'Athènes. A bord du bateau, il y avait vous, votre femme, Asta et un moniteur de plongée.

— Et alors ?

— Elle a brusquement manqué d'air, mais d'après le rapport de police, il ne s'agissait pas d'un accident. Le système d'admission d'air avait été saboté. Difficile de prouver quoi que ce soit, surtout avec un homme aussi puissant que le célèbre Carl Morgan. Alors le dossier a été classé.

— Vous mentez, dit Morgan.

— Non, j'ai vu ce rapport. Mais dites-moi, qui aurait pu chercher à la tuer ? Certainement pas le moniteur de plongée, donc on l'élimine. Nous pensions que c'était vous, et nous l'avons dit à Asta, mais à bord du bateau, vous nous avez dit que c'était un mensonge ignoble, et vous sembliez sincère. (Dillon haussa les épaules.) Il ne reste plus qu'une seule personne.

— Dillon, vous n'êtes qu'une ordure ! hurla Asta.

Morgan fit un geste de la main pour la calmer.

— C'est absurde, dit-il. C'est impossible.

— Bon, donc vous allez me tuer ; alors répondez seulement à une question. Le soir où vous nous avez invités à dîner, les freins de notre break ont été sabotés. Si c'est vous qui avez fait ça, ça implique que vous vouliez tuer Asta, parce que vous l'avez laissée monter en voiture avec nous.

— C'est ridicule, dit Morgan. Je n'aurais jamais fait de mal à Asta. C'était un accident.

Un long silence suivit ses paroles, puis Dillon se tourna vers Asta. Lorsqu'elle sourit, il se dit qu'il n'avait jamais rien vu d'aussi terrible de toute sa vie.

— Vous êtes un malin, vous, n'est-ce pas ? dit-elle en levant son Walther.

— Vous avez saboté le système de freinage, et pourtant vous êtes venue avec nous, dit-il.

— J'avais toute confiance en vous, Dillon, je savais qu'avec vous au volant nous nous en tirerions, mais je me disais que vous accuseriez Carl, et que ça renforcerait ma position vis-à-vis de vous. (Elle se tourna vers Morgan :) J'ai fait ça pour toi, Carl, de façon à pouvoir surveiller leurs moindres gestes.

— Et votre mère ? dit Ferguson. Etait-ce aussi pour Morgan ?

— Ma mère ? (Un masque impassible s'imprima sur son visage, puis elle se tourna à nouveau vers Morgan :) Ça, c'était différent. Elle était sur mon chemin, elle essayait de t'écarter de moi, et elle n'aurait pas dû faire ça. Je l'avais sauvée, je l'avais sauvée de mon père. (Elle sourit.) Il nous gâchait la vie. (Elle sourit à nouveau.) Il aimait les filles faciles et les voitures de sport, alors je me suis débrouillée pour qu'une de ses voitures ait un accident.

L'horreur se peignit sur les traits de Morgan.

— Asta... Qu'es-tu en train de dire ?

— Je t'en prie, Carl, il faut que tu comprennes. Je t'aime, je t'ai toujours aimé. Personne ne t'a jamais aimé comme moi, et toi aussi je sais que tu m'aimes.

En cet instant, Asta semblait prise de démence, et Morgan la regarda, sidéré.

— T'aimer ? Mais je n'ai aimé qu'une seule femme dans ma vie, et tu l'as tuée.

La gueule du Browning se releva, mais Dillon avait déjà la main sur la crosse de son Walther, dans le dos. Il abattit Morgan de deux balles dans le cœur. Luca tendit la main pour attraper le Celeste. Dillon se retourna, le bras tendu, et lui tira une balle entre les yeux. Le *capo* bascula en arrière, par-dessus sa chaise.

— Non ! hurla Asta.

Elle tira deux balles dans le dos de Dillon, le projetant sur la table, puis se rua sur la terrasse.

Dillon, presque inconscient, avait du mal à respirer, mais il lui sembla entendre la voix inquiète de Ferguson qui prononçait son nom. Ses mains trouvèrent le rebord de la table, il se releva et s'effondra sur une chaise. Il demeura là un instant à reprendre haleine, puis, après en avoir ouvert les Velcro, il ôta son gilet pare-balles. Il l'examina et constata que les deux balles étaient fichées dedans.

— Tenez, regardez ça, dit-il à Ferguson. On peut remercier la technique moderne.

— J'ai cru que je vous avais perdu, Dillon. Tenez, buvez quelque chose. (Ferguson remplit de vin rouge l'un des verres qui se trouvaient sur la table.) Je crois que je vais en prendre un moi aussi.

Dillon le vida d'un trait.

— Ouh, ça fait du bien ! Et vous, vieille branche, comment allez-vous ?

— Je ne me suis jamais mieux senti de ma vie. Mais comment diable avez-vous fait pour arriver jusqu'ici ?

— Gagini m'a amené en avion et j'ai sauté en parachute.

Ferguson parut stupéfait.

— J'ignorais que vous saviez sauter en parachute.

— Il faut bien commencer un jour.

Dillon se resservit un verre de vin.

— Vous êtes un homme remarquable, dit Ferguson en levant son propre verre.

— Pour être franc, général, certains me prennent pour un véritable génie, mais ça se discute. Et qu'est devenu l'accord de Ch'ung-king, dans tout ça ?

Ferguson alla s'agenouiller près du corps de Luca, tira le document de la poche intérieure de sa veste et le déplia.

— Et voilà l'accord de Ch'ung-king, qui est la cause de toute cette histoire.

— Et voilà comment il termine, dit Dillon. Vous avez des allumettes, qu'on brûle ce damné machin ?

— Non, je ne crois pas. (Ferguson replia soigneusement le document et le plaça dans son portefeuille.) Nous en laisserons le soin au Premier ministre.

— Vous n'êtes qu'un vieux tordu, lança Dillon. Vous voulez être fait chevalier, c'est ça ?

Il se leva, alluma une cigarette et gagna la terrasse. Ferguson l'y rejoignit :

— Je me demande où elle est partie. J'ai entendu un bruit de voiture quand j'essayais de vous faire reprendre connaissance.

— Elle doit être loin, à présent.

Soudain, on entendit un rugissement de moteurs, et une ombre noire se profila sur la prairie.

— Bon Dieu, qu'est-ce que c'est que ça ? dit Ferguson.

— Hannah Bernstein et le commandant Gagini qui viennent ramasser les morceaux. Le commandant a été parfait dans cette affaire.

— Je ne l'oublierai pas.

Flanquée de Gagini, Hannah Bernstein contemplait la scène qui s'offrait à ses yeux dans la salle à manger.

— Mon Dieu, c'est une véritable boucherie !

— Ça vous pose un problème, inspecteur ? demanda Ferguson. Laissez-moi vous raconter ce qui s'est passé.

Lorsqu'il eut terminé son récit, elle se pencha vers lui et l'embrassa sur la joue.

— Je suis heureuse de vous revoir vivant.

— Grâce à Dillon.

— Oui. (Son regard se porta sur les corps de Luca et de Morgan.) Il ne fait pas de prisonniers, hein ?

— Et il y en a quatre autres dans le jardin, ma chère.

Elle frissonna. A ce moment, Dillon revint de la terrasse en compagnie de Gagini. L'Italien contempla Luca et secoua la tête.

— Je n'aurais jamais pensé voir une chose pareille. A Palerme, ils ne vont pas y croire.

— Vous devriez le mettre dans un cercueil ouvert

que vous disposeriez dans une vitrine, comme on faisait au Far West, suggéra Dillon.

— Mais enfin, Dillon ! s'écria Hannah.

— Vous trouvez que j'y suis allé fort ? (Dillon haussa les épaules.) Ce type était une ordure. Il s'est engraissé non seulement avec le jeu, mais aussi avec la drogue et la prostitution. Il a corrompu des milliers d'êtres humains. Son sort m'importait peu.

Il tourna les talons et s'éloigna.

Il pleuvait à Punta Raisi, et ils attendaient dans le bureau. Lacey passa la tête par la porte entrouverte :

— On part quand vous voulez.

Gagini les accompagna sur la piste.

— C'est curieux, la façon dont les choses se sont passées, mon général, dit-il. Je pensais vous rendre un service en vous informant de l'affaire de l'accord de Ch'ung-king, et à la fin, c'est vous qui m'avez rendu le plus grand des services, en me débarrassant de Luca.

— Ah, mais c'est l'œuvre de Dillon, pas la mienne.

— Ne vous réjouissez pas trop vite, commandant, dit ce dernier avec une certaine amertume, dès demain il y en aura un autre qui prendra sa place.

— C'est vrai, mais c'est quand même une sorte de victoire. (Il lui tendit la main.) Je vous remercie, mon ami. Si je peux vous rendre le moindre service, n'hésitez pas.

— Je m'en souviendrai.

Dillon grimpa alors dans le Lear et s'installa à l'arrière. Ferguson s'assit en face de lui, de l'autre côté, et Hannah derrière lui. Les moteurs se mirent à tourner, ils roulèrent sur la piste et, quelques instants plus tard, l'avion décollait. Ils grimpèrent régulièrement jusqu'à une hauteur de neuf mille mètres, puis adoptèrent leur régime de croisière.

Hannah arborait un visage grave et Dillon, exaspéré, finit par lui demander :

— Qu'est-ce qu'il y a ? Qu'est-ce que vous avez ?

— Je suis fatiguée, la journée a été éprouvante, et je sens encore l'odeur de poudre et de sang. Et figurez-vous que ça ne me plaît pas. C'est donc si étrange ? (Elle s'emporta.) Bon Dieu, vous avez tué six personnes, Dillon, six ! Ça ne vous fait donc rien ?

— Hein ? Qu'est-ce que j'entends ? Qu'est-ce que c'est que cette morale à la noix ? Il faut se laisser massacrer par ses ennemis mais surtout ne pas leur faire de mal ? C'est ça ?

— C'est ça, je raconte n'importe quoi !

Elle était visiblement à bout de nerfs.

— Ce métier ne vous convient peut-être pas, fit Dillon. Si j'étais vous, j'y réfléchirais.

— Et vous, pour qui vous prenez-vous ? Pour un exécuteur public ?

— Ça suffit, vous deux ! lança Ferguson.

Il ouvrit la caissette à alcools, en tira une demi-bouteille de scotch et remplit un gobelet en plastique qu'il tendit à Hannah.

— Buvez ça, c'est un ordre.

Elle prit une profonde inspiration.

— Merci, général.

Ferguson remplit généreusement un deuxième gobelet pour Dillon et un troisième pour lui.

— C'est notre travail, inspecteur, dit alors Ferguson, ne l'oubliez pas. Bien sûr, si ça ne vous plaît pas, vous pouvez retrouver des tâches policières plus classiques.

— Non, général, je préfère continuer.

Tandis que Dillon se servait un autre verre, Ferguson lui dit d'un air pensif :

— Je me demande ce qui est arrivé à cette malheureuse.

— Dieu seul le sait.

— Visiblement, elle est folle à lier, dit Ferguson, mais ça n'est pas notre problème.

Il s'enfonça dans son siège et ferma les yeux.

A peu près au même moment, Asta arrivait devant la grille de la villa de Luca. Elle appuya longuement sur le klaxon, et le garde fit son apparition. Après un bref regard, il ouvrit la grille, et Asta roula jusqu'à la maison. Elle descendit du break et grimpa l'escalier. Dès qu'elle fut en haut des marches, le valet de chambre de Luca, Giorgio, lui ouvrit la porte.

— Vous êtes seule, mademoiselle ? Le *capo* et M. Morgan doivent venir après ?

Elle aurait pu lui dire la vérité, mais elle hésita, et comprit tout de suite pourquoi elle avait choisi de se taire. Si Luca était toujours en vie, elle pouvait utiliser son pouvoir, et elle en avait besoin.

— Oui, dit-elle, le *capo* et M. Morgan sont restés à Valdini pour régler des affaires. Pourriez-vous contacter le pilote du Lear ? Comment s'appelle-t-il ?

— Ruffolo, mademoiselle.

— Oui, c'est ça. Dites-lui de venir ici le plus vite possible, et puis contactez notre informateur à l'aéroport. Il y a un Lear anglais, là-bas ; il est peut-être déjà parti, mais je voudrais avoir toutes les informations possibles à propos de cet avion.

— Entendu, mademoiselle.

Il s'inclina et disparut dans les profondeurs de la villa.

Elle se versa un verre, regarda un moment par la fenêtre et fut surprise de la rapidité avec laquelle Giorgio revint la voir.

— J'ai réussi à joindre Ruffolo, il arrive. Et vous aviez raison, mademoiselle, le Lear anglais est déjà parti. Il y avait deux pilotes et trois passagers.

— Trois, vous êtes sûr ?

— Oui. Une femme, un homme âgé, assez gros, et un autre plus petit, avec des cheveux très blonds. Notre informateur n'a pas pu savoir leurs noms, mais il les a vus embarquer.

— Je vois. Vous avez fait du bon travail, Giorgio. Prévenez-moi quand Ruffolo sera arrivé.

Asta se déshabilla et prit une douche brûlante. Dillon vivait encore... c'était comme un cauchemar. Carl, son Carl adoré, et puis Luca... c'était Dillon. Comment avait-il pu lui plaire ? Dillon et Ferguson avaient tout détruit, il fallait qu'ils payent !

Elle sortit de la douche, se sécha, puis s'enduisit le corps de crème. Finalement, elle enfila une robe et entreprit de se peigner. Le téléphone sonna. C'était Giorgio.

— Le capitaine Ruffolo est arrivé, mademoiselle.

— Bon, j'arrive.

Ruffolo était vêtu d'une chemise à col ouvert et d'un blazer. Il vint à sa rencontre et lui baisa la main.

— Excusez mon retard, mademoiselle, mais j'étais sorti dîner ; heureusement, Giorgio a réussi à me joindre. Que puis-je faire pour vous ?

— Asseyez-vous, je vous en prie.

Elle ouvrit alors une bouteille de champagne Bollinger que Giorgio avait disposée dans un seau à glace.

— Voulez-vous un verre de champagne, capitaine ?

— Volontiers.

Son regard effleura les courbes voluptueuses de la jeune fille, et il se redressa sur son fauteuil.

Asta remplit deux flûtes en cristal et lui en tendit une.

— C'est une affaire délicate, capitaine. Le *capo* m'a confié une mission. Je dois me rendre en Angleterre demain, mais pas officiellement, si vous voyez ce que je veux dire.

Ruffolo but une gorgée de champagne.

— Il est excellent, mademoiselle. Ce que vous voudriez, c'est atterrir illégalement en Angleterre, de façon qu'il n'y ait aucune trace de votre passage là-bas, c'est ça ?

— Exactement.

— Cela ne pose aucune difficulté. Nous pouvons utiliser un petit aérodrome privé dans le Sussex. Je l'ai déjà fait. Il y a tellement d'avions qui arrivent sur l'Angleterre que si nous volons à cent quatre-vingts mètres, nous serons indétectables. C'est à Londres que vous voulez aller ?

— Oui.

— Par la route, ce n'est qu'à quarante-cinq kilomètres. Il n'y a pas de problème.

— Merveilleux. (Elle se leva et se dirigea à nouveau vers le seau à champagne.) Le *capo* sera content. Je vous sers un autre verre de champagne, capitaine ?

16

Le lendemain soir, un peu avant six heures, la Daimler franchit les grilles de sécurité de Downing Street. Dillon, Ferguson et Hannah étaient assis à l'arrière mais, lorsque le chauffeur leur ouvrit la portière, seuls Ferguson et Hannah descendirent.

— Je regrette, Dillon, s'excusa Ferguson, mais il va falloir nous attendre. Je ne crois pas que ce sera long.

— Je sais, fit Dillon en souriant. Je suis quelqu'un d'embarrassant.

Le policier de garde devant la porte reconnut Ferguson et les salua. Ils entrèrent dans le bâtiment, et quelqu'un prit leurs manteaux et la canne de Ferguson. Ils le suivirent ensuite au premier étage, et furent introduits dans un bureau où le Premier ministre, assis à sa table, était plongé dans une masse de papiers.

Il leva les yeux et s'enfonça dans son siège.

— Ah, général, inspecteur. Asseyez-vous donc.

Lorsqu'ils eurent pris place, le Premier ministre ouvrit un dossier.

— J'ai lu votre rapport. Vous avez fait de l'excellent travail. Et Dillon semble avoir agi comme à son habitude : avec une efficacité plutôt rude.

— Oui, monsieur le Premier ministre.

— D'un autre côté, sans lui nous vous aurions perdu, général, et ça ne m'aurait pas plu du tout ; cela aurait été un désastre pour tout le monde, vous êtes bien d'accord avec moi, madame l'inspecteur principal ?

— Tout à fait, monsieur le Premier ministre.

— Au fait, où est Dillon, maintenant ?

— Il attend dehors, dans ma Daimler, répondit Ferguson. Il m'a semblé que c'était plus raisonnable, vu ses antécédents assez particuliers.

— Bien sûr. (Le Premier ministre hocha la tête en souriant.) Nous voilà donc en possession de cet accord de Ch'ung-king. (Il le sortit du dossier.) Un document remarquable. Il ouvre d'infinies possibilités, mais comme je l'ai dit lors de notre première réunion à propos de cette affaire, nous avons eu suffisamment d'ennuis avec Hong Kong. Nous partons, un point c'est tout ; voilà pourquoi je vous avais demandé de retrouver ce fichu document et de le brûler.

— Je me suis dit que, peut-être, vous aimeriez le faire vous-même, monsieur le Premier ministre.

Le chef du gouvernement sourit.

— Je vous sais gré de votre attention, général.

Un feu crépitait dans la cheminée. Il se leva et déposa le document sur les bûches. Les bords se recroquevillèrent sous l'effet de la chaleur, puis il s'enflamma. Un moment plus tard, il ne restait plus que de la cendre grise.

Le Premier ministre s'avança alors vers eux et leur tendit la main :

— Je tiens à vous remercier, tous les deux. Et remerciez Dillon de ma part, général.

— Je n'y manquerai pas, monsieur le Premier ministre.

— Et maintenant, je vous demande de m'excuser, mais je dois me rendre à la Chambre des communes. De nouvelles questions au gouvernement. Il faut bien que les parlementaires s'amusent un peu.

— Je comprends, dit Ferguson.

Derrière eux, comme par une mystérieuse alchimie, la porte s'ouvrit et l'assistant fit son apparition pour les reconduire jusqu'à la sortie.

— Ça s'est bien passé ? demanda Dillon tandis que la Daimler tournait dans Whitehall.

— Oui, très bien. Il a eu le plaisir de faire brûler lui-même le document dans la cheminée.

— Et il a demandé au général de vous remercier de sa part, dit Hannah.

— Vraiment ? (Dillon se tourna vers Ferguson, qui avait posé les deux mains sur le pommeau d'argent de sa canne.) Vous ne me l'aviez pas dit.

— Je ne voulais pas que ça vous monte à la tête, mon garçon. (Il ouvrit la glace de séparation.) A Cavendish Square, dit-il au chauffeur. Je vous invite à boire un verre chez moi.

— Oh, quel honneur ! s'exclama Dillon. Votre Excellence est vraiment trop bonne.

— Cessez de jouer les Irlandais de service, Dillon, ça ne vous va pas.

— Oh, je suis confus, monsieur. (Dillon adoptait à présent son meilleur accent d'Oxford.) Ce serait pourtant un grand honneur si Madame l'Inspecteur principal et vous-même acceptiez de venir prendre un verre chez moi. (Il ouvrit à son tour la glace de séparation.) Changement d'itinéraire, chauffeur, nous allons à Stable Mews.

Tandis que Dillon refermait la glace, Ferguson se tourna vers Hannah.

— Il faut l'excuser, dit-il en soupirant, il a été acteur, autrefois.

La Daimler tourna dans la cour pavée de Stable Mews et s'arrêta devant le cottage de Dillon.

— Attendez-nous, demanda le général au chauffeur.

Dillon ouvrit la porte et les fit entrer chez lui.

— C'est charmant, chez vous, dit Ferguson.

— Passez donc au salon.

Dillon les y conduisit et alluma la lumière. Asta Morgan était assise devant la cheminée, dans le fauteuil à oreillettes. Elle portait un survêtement en velours noir et un béret de même couleur. Mais, surtout, elle tenait à la main un Walther équipé d'un silencieux.

— Voilà qui est parfait, dit Asta. Je vous attendais, Dillon, et j'ai les trois d'un seul coup.

Elle avait le teint pâle, les yeux brillants, lourdement cernés.

— Ne faites pas de folies, lui dit Ferguson.

— Oh, mais je ne suis pas folle, général, j'ai pris toutes mes précautions. Je ne suis même pas censée être en Angleterre, et lorsque j'en aurai fini ici, je reprendrai mon avion, qui m'attend sur un petit aérodrome du Sussex.

— Que voulez-vous, Asta ? demanda Dillon.

— Tournez-vous et appuyez-vous contre la table. Si je me souviens bien, vous portez d'habitude un pistolet dans le dos, glissé dans la ceinture. C'est comme ça que vous avez tué Carl. (Elle ne trouva rien, et lui palpa alors les flancs.) Pas d'arme, Dillon ? C'est plutôt imprudent.

— Nous revenons de Downing Street, dit alors Ferguson. Il y a là le système d'alarme le plus perfectionné du monde. Si on essayait de franchir le portique avec une arme, c'est le ciel qui nous tomberait sur la tête.

— Penchez-vous, vous aussi.

Elle le fouilla comme elle avait fouillé Dillon, puis se tourna vers Hannah :

— Videz votre sac sur le sol.

Hannah obéit, répandant sur le sol un tube de rouge à lèvres doré, un portefeuille, un peigne et des clés de voiture.

— Vous voyez, dit-elle, je n'ai pas d'arme. Le général vous disait la vérité.

— Mettez-vous là-bas, ordonna-t-elle. Et vous, général, poussez-vous à droite. (Dillon lui tournait toujours le dos.) Je pensais vous avoir tué, à la ferme, Dillon. J'aimerais savoir pourquoi vous êtes encore en vie.

— Un gilet pare-balles. C'est très à la mode, en ce moment.

— Vous avez le sens de la repartie, Dillon, mais vous avez détruit ma vie. Vous m'avez pris Carl, et ça, vous allez le payer.

— Que suggérez-vous ? fit Dillon en écartant imperceptiblement les pieds.

— Deux balles dans le ventre, ça devrait vous faire rire.

Hannah saisit alors rapidement une petite statue grecque qui se trouvait sur une table basse et la jeta à la tête d'Asta qui lui tira aussitôt une balle dans l'épaule. Hannah fut violemment projetée sur le canapé. Dillon voulut intervenir, mais Asta pivota sur ses talons et braqua sur lui le canon de son Walther.

— Adieu, Dillon.

Derrière elle, on entendit un déclic. Charles Ferguson tourna le pommeau d'argent de sa canne et lui plongea dans le dos une lame de vingt-trois centimètres, qui ressortit par la poitrine, trouant le velours du survêtement.

Elle n'eut même pas le temps de crier. Elle laissa échapper le Walther et tomba en avant. Dillon la retint par les bras. Ferguson retira son poignard. Elle baissa les yeux sur sa poitrine, sidérée, regarda Dillon comme si elle ne parvenait pas à croire ce qui se passait, puis ses genoux se dérobèrent sous elle et elle s'effondra.

Dillon se précipita alors vers Hannah qui était allongée le dos contre le canapé, la main à l'épaule, du sang coulant entre ses doigts. Il sortit son mouchoir et le lui mit dans la main.

— Serrez-le fort contre la blessure. Ça ira, je vous le promets.

Mais déjà, Ferguson était au téléphone.

— Oui, le professeur Bellamy, pour le général Ferguson. Une urgence. (Il attendit, tenant toujours à la main son poignard maculé de sang.) Henry ? Charles à l'appareil. L'inspecteur principal Bernstein vient de prendre une balle dans l'épaule gauche. Dillon va l'amener tout de suite à la London Clinic. Je vous verrai ensuite.

Il raccrocha et se tourna vers Dillon :

— Bon, on va la porter dans la Daimler et vous foncerez à la London Clinic. Bellamy y sera en même temps que vous.

Dillon aida Hannah à se relever et jeta un coup d'œil au corps d'Asta.

— Et elle ?

— Elle est morte, mais je vais m'en occuper. Et maintenant, allons-y.

Ferguson les suivit dans le couloir, leur ouvrit la porte, les aida à s'installer dans la Daimler, puis revint au cottage. Il ramassa le poignard qu'il avait posé sur le bureau, l'essuya soigneusement avec son mouchoir et le replaça dans la canne. Puis il décrocha le téléphone.

— Allô ? dit une voix impersonnelle.

— Ici Ferguson. J'ai un enlèvement pour vous. Priorité absolue. Je suis à Stable Mews, au coin de Cavendish Square.

— Chez Dillon ?

— Oui. Je vous attends.

— Dans vingt minutes, mon général.

Il raccrocha, enjamba le corps d'Asta, ouvrit l'armoire aux alcools et se versa un scotch.

Une heure plus tard, Ferguson rejoignit Dillon qui était assis dans le couloir, devant la salle d'opération.

— Comment ça se passe ? demanda-t-il en s'asseyant à côté de lui.

— On le saura bientôt. Bellamy a dit que ce n'était qu'une extraction de routine. Il ne s'attend pas à des problèmes particuliers. (Dillon alluma une cigarette.) Vous avez été rapide, général, je croyais vraiment que j'allais y passer.

— Eh bien, vous êtes encore ici.

— Qu'avez-vous fait d'elle ?

— J'ai appelé l'unité d'enlèvement. Son corps sera brûlé dans un crématorium au nord de Londres, un endroit qui nous est bien utile. Trois kilos de cendres grises, demain matin, ils en feront ce qu'ils voudront. Il faudra attendre qu'Hannah soit sur pied avant de le lui dire.

— Oui, je sais, dit Dillon. Sa conscience hassidique risquerait d'en être choquée.

Bellamy sortit alors du bloc opératoire, le masque baissé sur le menton. Ils se levèrent.

— Comment va-t-elle ? demanda Ferguson.

— Bien. La blessure est nette. Une semaine d'hôpital, c'est tout. Elle sera remise rapidement. Tenez, la voilà.

Une infirmière poussait un lit à roulettes. Sous le bonnet blanc, le visage d'Hannah était pâle. L'infirmière s'immobilisa pour leur permettre de la voir. Hannah battit des paupières, puis ouvrit les yeux.

— C'est vous, Dillon ?

— Eh oui, ma chère.

— Je suis contente que vous soyez en vie. Vous êtes un salaud, mais je ne sais pas pourquoi, je vous aime bien.

Ses yeux se refermèrent.

— Emmenez-la, dit Bellamy à l'infirmière. (Il se tourna vers eux :) Je dois y aller, maintenant. On se voit demain, Charles.

Et il s'éloigna.

Ferguson posa la main sur l'épaule de Dillon.

— Je crois que nous devrions y aller, mon garçon. La journée a été rude, nous avons bien mérité un petit verre.

— Où va-t-on ? demanda Ferguson alors que la Daimler démarrait.

Dillon baissa la glace de séparation.

— A l'Embankment, du côté de Lambeth Bridge.

— Vous avez une raison particulière d'aller là-bas ? demanda Ferguson.

— Le soir où il y a eu ce bal de l'ambassade du Brésil, Asta Morgan et moi avons marché sous la pluie, le long de l'Embankment.

— Je vois.

Et, sans ajouter un mot, il se renfonça dans son siège.

Dix minutes plus tard, la Daimler s'arrêtait à l'extrémité du pont. Il pleuvait fort. Dillon sortit et se mit à longer le parapet. Ferguson le rejoignit quelques instant plus tard, un parapluie à la main.

— Elle était folle à lier, mon garçon, ça n'est pas votre problème.

— Ne vous inquiétez pas, général, je ne faisais qu'exorciser un fantôme. (Dillon prit une cigarette et l'alluma.) Je dirais même qu'elle peut bien rôtir en enfer, je m'en moque. Et maintenant, allons boire ce verre.

Il fit demi-tour et regagna la voiture.

Du même auteur
aux Editions Albin Michel

L'AIGLE S'EST ENVOLÉ
AVIS DE TEMPÊTE
LE JOUR DU JUGEMENT
SOLO
LUCIANO
LES GRIFFES DU DIABLE
EXOCET
CONFESSIONNAL
L'IRLANDAIS
LA NUIT DES LOUPS
SAISON EN ENFER
OPÉRATION CORNOUAILLES
L'AIGLE A DISPARU
L'ŒIL DU TYPHON
OPÉRATION VIRGIN

Composition réalisée par JOUVE

IMPRIMÉ EN FRANCE PAR BRODARD ET TAUPIN
Usine de La Flèche (Sarthe)
LIBRAIRIE GÉNÉRALE FRANÇAISE - 43, quai de Grenelle - 75015 Paris.
ISBN : 2 - 253 - 07691 - 0

30/7691/6